¡BRAVO!

1B

TRACY D. TERRELL

ELÍAS MIGUEL MUÑOZ

LINDA PAULUS

MARY B. ROGERS

BARBARA SNYDER

EDUARDO CABRERA

KATHLEEN L. KIRK

McDougal, Littell & Company

Evanston, Illinois

Dallas   Phoenix   Columbia, SC

ISBN 0-8123-8697-3

Copyright © 1995 by McDougal, Littell & Company
Box 1667, Evanston, Illinois 60204
All rights reserved. Printed in the United States of America.

1 2 3 4 5 6 7 8 9 10 – VJM – 99 98 97 96 95 94

Cover illustration: Cut paper technique by John Clemenston

Illustrators: Jennifer Bolton, Stan Fleming, Tuko Fujisaki, Lori Heckelman, Joe LeMonnier, Shelley Matheis, Redondo, Dorothea Sierra, Joel Snyder, Ron Zalme, and Jerry Zimmerman.

Grateful acknowledgment is made for use of the following:

Photographs: Unless noted otherwise below, Argentina, Costa Rica, Mexico, and Peru photographs taken by Stuart Cohen. Puerto Rico, Spain, and Venezuela photographs taken by Beryl Goldberg.

Page 282 Pablo Picasso, *El Paseo de Colón* © Museo Picasso; *293* (*bottom*) © Stuart Cohen; *300, 301* © Beryl Goldberg; *335* (*top left*) Frida Kahlo, *Self Portrait with Monkey*, 1938. Oil on masonite. 16 × 12″, © Albright-Knox Art Gallery, Buffalo, New York, Bequest of A. Conger Goodyear, 1966; (*bottom left*) Diego Velázquez, *Don Gaspar de Guzmán, Conde Duque de Olivares*, 1624. Oil on canvas. © The Granger Collection; (*right*) Francisco de Goya, *La Duquesa de Alba* © The Granger Collection; *353* (*left*) © Michael Grecco/Stock Boston; (*center*) © Wide World Photos; (*right*) © Richard Vogel/Gamma Liaison; *354, 355* © Beryl Goldberg; *392* © Robert Fried/Stock Boston; *408* © Beryl Goldberg; *416* (*bottom*) © Peter Menzel/Stock Boston; *422* (*bottom*) © Odyssey/Frerck/Chicago; *423* (*top*) Frank Tapia; (*bottom*) © Peter Menzel/Stock Boston; *429, 430* Lesley M. Walsh; *437* © Stuart Cohen; *439* © Frank Tapia; *440* (*left*) © Beryl Goldberg; (*right*) © Stuart Cohen; *451* © Anita Douthat/Photo Researchers, Inc.; *465* (*top left*) © Pablo Vengoechea; (*bottom left*) © Enrique Shore/Woodfin Camp and Associates, Inc.; (*bottom right*) © Odyssey/Frerck/Chicago; *466* © Beryl Goldberg; *507* (*left, right*) © Antoni Miralda; *508, 509* © Beryl Goldberg; *518* (*top left*) © Odyssey/Frerck/Chicago; (*bottom left*) © Leo de Wys, Inc./J. Messershmidt; (*bottom right*) © Leo de Wys, Inc./Steve Vidler; *520* © Odyssey/Frerck/Chicago; *523* (*top left*) © Odyssey/Frerck/Chicago; (*bottom left*) © M. Fogden; (*top right*) © V. Englebert/Photo Researchers; (*bottom right*) © Alon Reininger/Woodfin Camp and Associates, Inc.; *525* (*left; top right*) © The Granger Collection.

Realia: *Pages 292–293* (*center*) © Metro Madrid; *297* © *From City Guide and Map of Madrid*; *298* © Nuestro Teatro; *329* (*right*) © Johnson & Johnson; *347* (*bottom left*) © Johnson & Johnson/Cilag; *350* © Pepto-Bismol; *351* © Burroughs Wellcome; *352* © *Buenhogar*, Editorial América, S.A.; *363* (*top*) © *Buena Salud*; *368* © KQ 105 FM; *385* (*left, center*) Artwork and editorial: © Gibson Greetings, Inc. Reprinted with permission of Gibson Greetings, Inc., Cincinnati, Ohio USA 45237. All rights reserved.; *385* (*top right*) © Hallmark Corporation; (*bottom right*) © Hallmark Corporation; *417* (*top*) Copied with permission © AGC, Inc.; *419* © Artwork and editorial: © Gibson Greetings, Inc. Reprinted with permission of Gibson Greetings, Inc., Cincinnati, Ohio USA 45237. All rights reserved.; *424* © From *Posada's Popular Mexican Prints* (Mineola, N.Y.: Dover Publications, 1972); *459* (*bottom left*) © Rainbow; *464* © Courtesy of Sears, Roebuck and Co.; *475* (*top left*) Serino-Coyne, Inc.; *517* © Aerolíneas Argentinas; *537* © Univision Network Limited Partnership.

ABOUT THE AUTHORS

Before his death, **Tracy D. Terrell** was a Professor of Spanish at the University of California, San Diego. He received his Ph.D. in Spanish Linguistics from the University of Texas at Austin and published extensively in the area of Spanish dialectology. Dr. Terrell's publications on second-language acquisition and the Natural Approach are widely known in the United States and abroad, as are his Natural Approach college-level textbooks, including *Dos mundos*, *Deux mondes*, and *Kontakte*.

Elías Miguel Muñoz has a Ph.D. in Spanish from the University of California, Irvine, where he studied under and worked with Tracy Terrell. He is a widely published Cuban-American poet, fiction author, and literary critic as well as a co-author, with Terrell, of the college-level Natural Approach text *Dos mundos*. Dr. Muñoz has taught Spanish and Latin American literature at the university level.

Linda Paulus received her B.A. in Spanish, with a concentration in Teaching ESL/Foreign Languages, from the University of California, Irvine, where she studied under Tracy Terrell. She has taught English as a Second Language, English as a Foreign Language, elementary bilingual courses, and high school Spanish; she is currently teaching Spanish at Mundelein High School. Ms. Paulus has given numerous presentations at national, regional, and state conferences, and she is currently working on an M.A. in Latin American Studies.

Mary B. Rogers holds an A.B. and M.A.T. in French from Vanderbilt University. She teaches French and second-language pedagogy and supervises student teachers at Friends University (Kansas) and is a coauthor, with Terrell, of the college-level Natural Approach text *Deux mondes*. Ms. Rogers has been a certified tester for the ACTFL oral proficiency interview and has given numerous workshops and presentations in the area of foreign language teaching.

Barbara Snyder received her Ph.D. in Foreign Language Education from The Ohio State University. She taught for many years at the junior and senior high school levels, and she taught recently as a lecturer at The Ohio State University (Spanish and Methods) and at Cleveland State University (Spanish and Student Teacher Supervision). Dr. Snyder has written numerous publications, is a nationally known workshop director, and is a past president of the AATSP.

Eduardo Cabrera is a writer and artist living in Berkeley, California. A native of Uruguay, he studied at the **Facultad de Humanidades** (Literature) and the **Escuela de Bellas Artes** (Fine Arts) at the **Universidad del Uruguay**. Mr. Cabrera has written articles for Hispanic publications, and he is a contributing writer for several magazines published for use in high school Spanish classrooms.

Kathleen L. Kirk received her M.A. and Ph.D. in Spanish language and literature from the University of Kentucky. She was a Peace Corps Volunteer in Latin America, and she has taught Spanish at the university and high school levels. Ms. Kirk is a contributing editor of several Spanish dictionaries.

CONTRIBUTORS

Contributing Writers

Mary Jo Aronica received a B.A. in spanish from Carroll College and an M. Ed. from National-Louis University. She teaches Spanish at Springman Junior High School. She was one of the 1993 recipients of the Illinois Lt. Governor's Award for Contributions to Foreign Language Learning.

Arnhilda Badía received her Ph.D. in Romance Languages and Linguistics from the University of North Carolina at Chapel Hill. She is currently an Associate Professor in Modern Language Education at Florida International University.

Jeanette Bowman Borich received her bachelor's degree in Spanish from South Dakota State University. She is currently teaching Spanish in grades 1–6 at Ankeny Community School District, Iowa.

Anita Aragon Bowers received her M.A. in Spanish from Case Western Reserve University. She has taught Spanish at the college and high school levels and is currently teaching ESL and History at Oakland High School.

María J. Fierro-Treviño holds an M.A. in Spanish from the University of Texas, San Antonio. She is Supervisor for International Languages for the Northside Independent School District in San Antonio.

Carol L. McKay has a Ph.D. in Foreign Language Education from The Ohio State University in Columbus. She currently teaches Spanish at Muskingum College in New Concord, Ohio.

Luz Elena Nieto received a B.A. in Spanish, English, and secondary instruction in ESOL and an M.A. in counseling and guidance from the University of Texas, El Paso. She is an Instructional Facilitator of Foreign Languages and Parental Involvement for the El Paso Independent School District.

Marcia Harmon Rosenbusch received the Ph.D. in Curriculum and Instructional Technology from Iowa State University. She is currently teaching Spanish and Foreign Language Methods for the elementary school at Iowa State University.

Language and Content Consultants

Jorge Martínez has a Ph.D. in Contemporary Latin American and Spanish Narrative from the University of California, Irvine. He is a Lecturer in Spanish at the California State Polytechnic University and also teaches A.P. Spanish and Spanish for Native Speakers at the Hollywood High Magnet School.

Richard V. Teschner holds a Ph.D. in Spanish Linguistics from the University of Wisconsin, Madison. He is Professor of Language and Linguistics at the University of Texas, El Paso.

TEACHER REVIEWERS

Kathleen D. Alexander
Robertsville Jr.
High School
Oak Ridge, TN

Susan Allen
Grant Community
High School
Fox Lake, IL

Thomas W. Alsop
Ben Davis High School
Indianapolis, IN

Dena Bachman
Lafayette High School
St. Joseph, MO

Rosaline Barker
Skyline High School
Dallas, TX

O. Lynn Bolton
Nathan Hale High School
West Allis, WI

Marianne Brown
St. Mark's High School
Wilmington, DE

Bruce Caldwell
Southwest Sr. High
School
Minneapolis, MN

Ruth D. Campopiano
Retired
West Morris Regional
High School District
Chester, NJ

Leslie Caye
Champlin High School
Champlin, MN

Flora María Ciccone
Holly High School
Holly, MI

James Cooper
Parkway South
High School
Ballwin, MO

Robert D. Giosh
Latin School of Chicago
Chicago, IL

Robert A. Hawkins
Upper Arlington
High School
Columbus, OH

Olga Henderson
Saddleback High School
Santa Ana, CA

Virginia L. Lopston
Ewing High School
Trenton, NJ

Joanna Lowe
Apopka High School
Apopka, FL

Cenobio Macías
Tacoma Public Schools
Tacoma, WA

Joseph Moore
Columbian High School
Tiffin, OH

Linda D. Moyer
Upper Perkiomen
High School
Pennsburg, PA

Tomacita Olivares
Corpus Christi
Independent
School District
Corpus Christi, TX

Laura M. Rodríguez
Cromwell High School
Cromwell, CT

Robert Schwartz
Prospect Heights
High School
Brooklyn, NY

Emily Serafa-Manschot
Northville High School
Northville, MI

Colleen Sexton-Lahr
Ben Davis High School
Indianapolis, IN

Pete Shaver
Oquirrh Hills
Middle School
Riverton, UT

Susan Spivey
Hartford High School
Hartford, MI

Terri Tortomasi
San Gabriel High School
San Gabriel, CA

Luisa Valcárcel
Apopka High School
Apopka, FL

Barbara Welch
Allen High School
Allen, TX

PILOT TEACHERS

John D'Arcey
Conard High School
West Hartford, CT

María del Carmen Martín
Green Fields Country Day School
Tucson, AZ

Peggy Linton
Johnson High School
Columbia, SC

Shirley Persutti
North High School
Akron, OH

Irma Rosas
Coronado High School
El Paso, TX

¡BRAVO!

at a glance . . .

In this first unit of ¡Bravo! you will begin to speak Spanish again! You will greet others and introduce yourself in Spanish and review what you learned last year. You will also continue to develop your ability to understand spoken Spanish.

In the five main units of ¡Bravo! you'll talk about topics and situations that are of interest to you and your friends.

¡Bravo! contains an issue of the magazine Novedades. It includes a comic strip, an advice column, and a brief article of interest to you.

¿CUÁNTO RECUERDAS?

In this unit, you will review vocabulary, grammar, and functions from **¡Bravo! 1A** through enjoyable activities and writing tasks.

VAMOS A SALIR

In this lesson, you will talk about places in a neighborhood and describe where they are located and identify the people who work in a neighborhood.

In this lesson, you will talk about places in the city, identify means of transportation, and say what you want or prefer.

In this lesson, you will talk about stores and shopping, describe the items you want to buy, and count from 100 to 1000.

UNIDAD 6

LA VIDA PERSONAL

FIESTAS Y CELEBRACIONES

UNIDAD 7

In this lesson, you will talk about family celebrations and people you know.

In this lesson, you will talk about foods in the Spanish-speaking world and learn how to order a meal in Spanish.

In this lesson, you will talk about holidays and other celebrations in the Spanish-speaking world and tell where you and others went to celebrate holidays.

MI CASA ES TU CASA

In this lesson, you will learn names for rooms and parts of a house, talk about activities that take place at home, and talk about activities going on right now.

In this lesson, you will talk about furniture and appliances in a house, make comparisons, and use adjectives to point out people and things.

In this lesson, you will talk about what you and your friends did recently and express negative reactions.

EXPERIENCIAS Y RECUERDOS

UNIDAD 9

In this lesson, you will talk about things you, your family, and your friends have done together in the past.

In this lesson, you will talk about trips that you took with family or friends.

In this lesson, you will talk about special events of this past year.

MATERIALES DE CONSULTA

¡BIENVENIDOS!

¡Hola! (Hi!) My name is David Tracy, and I'm a college student now. I'm here to welcome you back to señorita García's first-year Spanish class. Her students and I will continue to appear in this text throughout the year to guide you through the exciting experience of continuing to learn a new language.

I had señorita García for four years of high school Spanish, and they were some of the best classes I've ever taken. You're going to see what I mean because you'll be studying Spanish the same way I did! You'll also get to meet señorita García and her current students and follow their progress in Spanish I. Like you, they're mostly students who have only had a year of the language. You'll continue to get to know them well through the text and the audiocassette program. I'll pop in from time to time to lend a helping hand . . . and practice my Spanish! First,

though, let me tell you a bit about what's in store for you this year.

The course you're about to begin will give you the opportunity to understand and speak "everyday" Spanish. You're also going to learn to read and write Spanish. Sound impossible? Keep reading and you'll understand how it happens.

Two kinds of processes will help you develop those language skills: acquisition and learning.

Have you ever heard someone say about something in English, "That doesn't sound right" or "That doesn't feel right to me"? *Acquired knowledge* is the "feel" for a language that develops from listening to and using the language in real situations. Sometimes people call this process "picking up" the language.

Learned knowledge comes from studying. For example, in English class you learn about the rules of English—its grammar—and about reading and writing.

As you study Spanish, you'll both *acquire* and *learn*. In the class you're in now, you'll have opportunities to participate in real conversations as well as learn about the Spanish language and the Spanish-speaking world. Oh, and another thing: One of the side benefits I found from taking Spanish was that I learned a lot about English as well!

Here are a couple of things you should expect from your Spanish class. Be prepared to concentrate pretty hard at developing your listening skills because your teacher is going to speak a lot of Spanish even on the very first day. I know I felt a little panicked. But even though I had to push myself to learn how to listen, I soon found that I was understanding most of what my teacher and others were saying. After a short time in the class, I was amazed at how much I could understand!

Finally, I discovered that I could communicate with my teacher and my friends in another language.

Now let's get reacquainted with some of the people in *¡Bravo!* First are several students from señorita García's 9:00 class:

- Ernie Mackenzie (Ernesto)
- Anne Grant (Ana Alicia)
- Steve Garrett (Esteban)
- Víctor Cárdenas (Víctor)
- Marcela Ramírez (Chela)
- Brenda Jordan (Beatriz)
- Juana Inés Muñoz Villela (Juana)
- Patricia Galetti (Patricia)
- Janice Nguyen (Felicia)
- Frank Reynolds (Paco)
- Bob Reynolds (Roberto)

As you know, Víctor, Chela, and Juana all come from Hispanic (Latino) families and have Spanish names. Most of the other students use the Spanish version of their names in the class. The students whose names don't have an exact Spanish equivalent use a name that they like.

Señorita Isabel García is a Mexican-American who grew up speaking both English and Spanish. So did her friend, Daniel Álvarez, a math teacher at Central High.

You will also remember my old friend,

señorita García   señor Álvarez

Joe (José) Campos, the owner of Super Joe's, a diner near Central High. When I

Joe (José) Campos

was a student in señorita García's class, Joe helped me practice Spanish. Learning a second language has helped me understand more about Spain and Latin America. After all, Spanish these days is not really a foreign language but a widely used language in our country—so studying Spanish is also helpful to me in this country. I already find times when I use it.

Since then, Joe has lost a bit more hair and his paunch has grown a little bigger, but his place is still a popular hangout for Central High students. And Joe still enjoys helping students practice the language he learned from his Puerto Rican parents.

And now that you've met everyone, let's get started. I know you're going to have a good time this year. ¡Buena suerte! (Good luck!)

ANTES DE EMPEZAR

¿CÓMO TE LLAMAS?

Many Spanish students like to use a Spanish name in class. Some prefer the Spanish version of their name and others like to choose a new name.

Do you remember the English equivalent of the following Spanish names?

NOMBRES DE MUCHACHOS		NOMBRES DE MUCHACHAS	
Alejandro	Juan	Alicia	Julia
Andrés	Leonardo	Ana	Luisa
Arturo	Luis	Andrea	Margarita
Benjamín	Marcos	Beatriz	María
Daniel	Mateo	Carolina	Mariana
David	Miguel	Claudia	Marta
Eduardo	Patricio	Constanza	Micaela
Federico	Ramón	Cristina	Mónica
Felipe	Ricardo	Diana	Natalia
Francisco	Roberto	Dorotea	Raquel
Geraldo	Teodoro	Emilia	Rosana
Gilberto	Timoteo	Estela	Susana
Gregorio	Tomás	Eva	Teresa
José	Vicente	Graciela	Victoria

Remember that many masculine names end in the letter **-o** (**Antonio, Julio**) and that many feminine names end in the letter **-a** (**Ángela, Gloria**). Some Spanish names don't match their English equivalents as closely as those in the preceding list. Here are a few of them. Do you remember their English counterparts?

Adán	Alegra
Carlos	Amada
Cristóbal	Carlota
Enrique	Elena
Esteban	Estefanía
Guillermo	Felisa
Jaime	Francisca
Jorge	Isabel
Pablo	Juana
Pedro	Noemí
Rafael	Sofía

¿QUÉ ES ESTO?

As you know, many words in Spanish and English are identical or very similar. These words are called *cognates*. Cognates look alike and mean the same or nearly the same thing in both Spanish and English. However, they usually don't sound alike, so at first it will be easier to recognize cognates when you see them than when you hear them. As you become more familiar with Spanish pronunciation, you will recognize spoken cognates more and more easily.

Can you guess what the following words mean? Pay attention to the category to which they belong. You should also be able to guess what the category means based on the items it contains.

animales	*objetos*	*clases*	*deportes*
chimpancé	lámpara	ciencias	boxeo
hipopótamo	novela	inglés	fútbol americano
león	sofá	literatura	golf
mosquito	teléfono	música	hockey

lugares	*instrumentos musicales*		*personas*
banco	clarinete		actor
café	flauta		actriz
garaje	trompeta		presidente
oficina	viola		turista

Now say the following words to yourself. These words are cognates that don't look very much like English, but they do sound similar to the English words.

jirafa
arpa
esquís
oeste
cebra

Another kind of cognate is the false cognate, which looks very similar to an English word but does not mean the same thing. Here are some examples of false cognates.

librería	= bookstore	(not library)
pariente	= relative	(not parent)
ropa	= clothing	(not rope)
sopa	= soup	(not soap)

Most cognates can be trusted; just keep in mind that a new cognate might not mean exactly what it seems to mean.

MAPAS

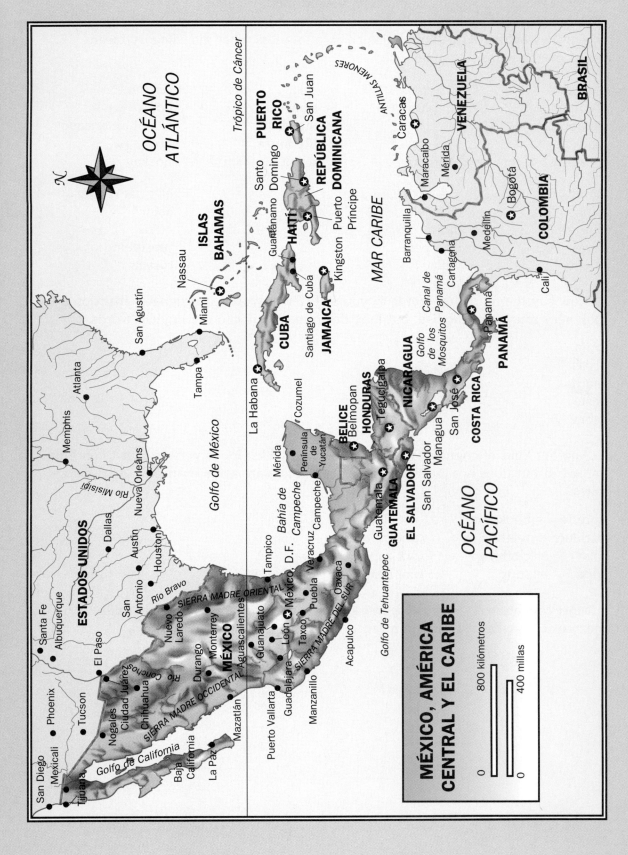

MÉXICO, AMÉRICA CENTRAL Y EL CARIBE

MAR CARIBE

OCÉANO ATLÁNTICO

Barranquilla
Maracaibo
PANAMÁ
Caracas
GUYANA
VENEZUELA
Georgetown
Medellín
Paramaribo
Panamá
Bogotá
Cayena
Cali
SURINAME
COLOMBIA
GUYANA FRANCESA
Quito
Ecuador
ECUADOR
Río Amazonas
Guayaquil
Belém
PERÚ
Manaus
CORDILLERA DE LOS ANDES
BRASIL
Recife
Cuzco
Lima
La Paz
Arequipa
Brasília
BOLIVIA
Sucre
PARAGUAY
Antofagasta
Río de Janeiro
Trópico de Capricornio
CHILE
Asunción
San Miguel
de Tucumán
São Paulo
OCÉANO PACÍFICO
La Serena
Córdoba
Rosario
URUGUAY
OCÉANO ATLÁNTICO
Valparaíso
ARGENTINA
Santiago
Montevideo
Buenos Aires
Concepción
Río de la Plata
N
Bahía Blanca
Puerto Montt
Bariloche
Chiloé
Islas Malvinas

AMÉRICA DEL SUR

Estrecho de Magallanes

0	1500 kilómetros

Punta Arenas
Tierra del Fuego

0	1000 millas

Cabo de Hornos

Río Orinoco

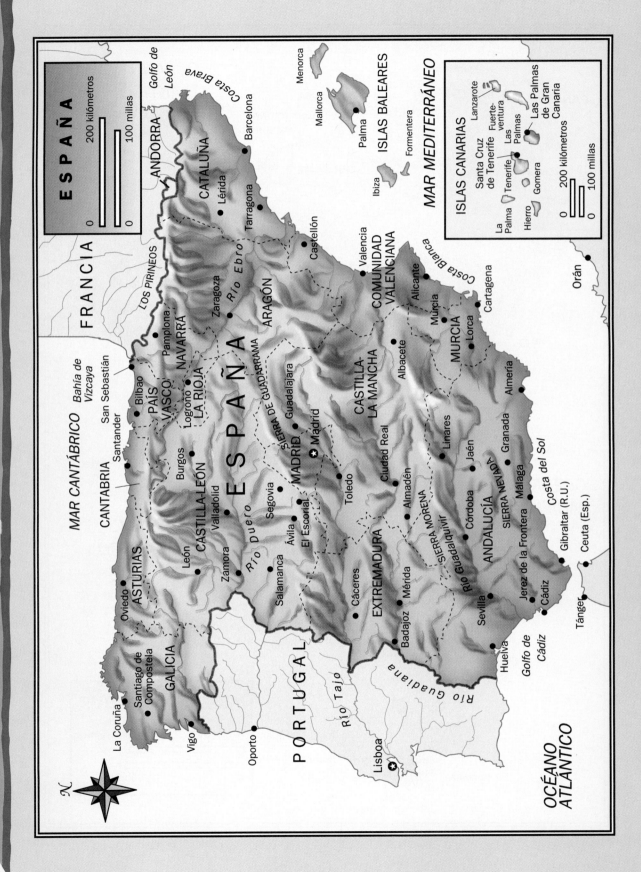

ESPAÑA

200 kilómetros

100 millas

FRANCIA

ANDORRA

Golfo de León

Costa Brava

CATALUÑA

Barcelona

Lérida

Tarragona

Río Ebro

Zaragoza

ARAGÓN

Castellón

Valencia

COMUNIDAD VALENCIANA

Costa Blanca

Alicante

MURCIA

Murcia

Lorca

Cartagena

Almería

ISLAS BALEARES

Menorca

Mallorca

Palma

Ibiza

Formentera

MAR MEDITERRÁNEO

MAR CANTÁBRICO

Bahía de Vizcaya

San Sebastián

Santander

CANTABRIA

ASTURIAS

Oviedo

Bilbao

PAÍS VASCO

Pamplona

NAVARRA

Logroño

LA RIOJA

Burgos

Los Pirineos

E S P A Ñ A

SIERRA DE GUADARRAMA

Guadalajara

MADRID

Madrid

CASTILLA-LA MANCHA

Albacete

Linares

Jaén

SIERRA NEVADA

Granada

Málaga

Costa del Sol

ANDALUCÍA

Córdoba

Río Guadalquivir

SIERRA MORENA

Ciudad Real

Almadén

Toledo

Segovia

Ávila

El Escorial

CASTILLA-LEÓN

León

Valladolid

Zamora

Río Duero

Salamanca

GALICIA

La Coruña

Santiago de Compostela

Vigo

Oporto

PORTUGAL

Río Tajo

Lisboa

Cáceres

EXTREMADURA

Badajoz

Mérida

Río Guadiana

Huelva

Sevilla

Jerez de la Frontera

Cádiz

Golfo de Cádiz

Tánger

Ceuta (Esp.)

Gibraltar (R.U.)

Orán

OCÉANO ATLÁNTICO

ISLAS CANARIAS

Lanzarote

Fuerte-ventura

Las Palmas

Las Palmas de Gran Canaria

Santa Cruz de Tenerife

Tenerife

La Palma

Gomera

Hierro

200 kilómetros

100 millas

N

¿CUÁNTO RECUERDAS?

UNIDAD DE REPASO

Y TÚ, ¿QUÉ DICES?

ACTIVIDADES ORALES Y ESCRITAS

| 1 • INTERACCIÓN | ¿De dónde son los amigos por correspondencia? |

Tell where the following people are from.

▶ Con tu compañero/a, mira el mapa, di de dónde es cada amigo o amiga por correspondencia y también di el color del país que aparece en el mapa.

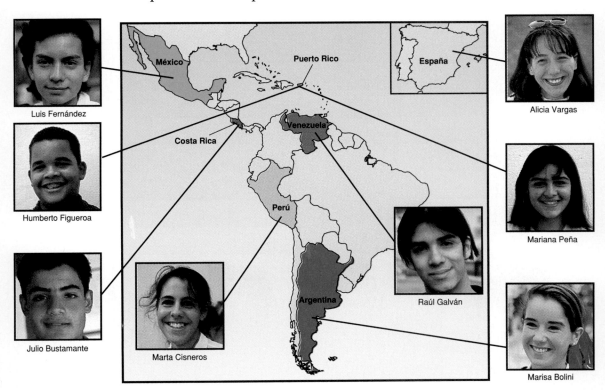

Luis Fernández

Humberto Figueroa

Julio Bustamante

Marta Cisneros

México

Costa Rica

Puerto Rico

Venezuela

Perú

Argentina

España

Alicia Vargas

Mariana Peña

Raúl Galván

Marisa Bolini

MODELO:

TÚ:	¿De dónde es *Marisa Bolini*?
COMPAÑERO/A:	Es de *la Argentina*.
TÚ:	¿De qué color es *la Argentina*?
COMPAÑERO/A:	Es *rojo*.

¿Cómo son los amigos hispanos?

▶ Con tu compañero/a, escoge palabras de la lista para describir a los amigos hispanos.

Describe the Hispanic friends.

VOCABULARIO ÚTIL

los ojos: azules, castaños, grandes, negros, pequeños, verdes
la nariz: corta, grande, larga, pequeña
el pelo: castaño, corto, lacio, largo, negro, rizado, rubio

MODELO:

el pelo de Humberto Figueroa →

TÚ:	¿Cómo es *el pelo de Humberto Figueroa*?
COMPAÑERO/A:	Es *corto y negro.*

los ojos de Marisa Bolini →

TÚ:	¿Cómo son *los ojos de Marisa Bolini*?
COMPAÑERO/A:	Son *castaños.*

1. el pelo de
Luis Fernández

2. el pelo de
Carolina Márquez

3. la nariz de
Raúl Galván

4. los ojos de
Marta Cisneros

Talk about the friends from Puerto Rico.

▶ Conversa con tu compañero/a sobre las características de los amigos de Puerto Rico.

	HUMBERTO FIGUEROA	MARIANA PEÑA	EDUARDO RIVAS	CAROLINA MÁRQUEZ
peso	gordito	delgada	delgado	delgada
estatura	bajo	alta	alto	mediana
edad	16 años	15 años	17 años	15 años
personalidad	serio	simpática	chistoso	simpática
qué le gusta hacer	leer	patinar	jugar al fútbol	cantar

MODELO:

TÚ:	¿Quién es *bajo*?
COMPAÑERO/A:	*Humberto* es bajo.
TÚ:	¿Quiénes son *simpáticas*?
COMPAÑERO/A:	*Mariana y Carolina* son simpáticas.
TÚ:	¿Cuántos años tiene *Eduardo*?
COMPAÑERO/A:	Tiene *diecisiete años*.

San Juan, Puerto Rico.

¿Qué ropa llevan?

▶ Conversa con tu compañero/a sobre la ropa de estos jóvenes.

Describe these
people's clothes.

Humberto Figueroa

Mariana Peña

Alicia Vargas Dols

Raúl Galván

MODELO:

TÚ:	¿Qué ropa lleva *Humberto*?
COMPAÑERO/A:	Lleva *una camisa, pantalones cortos y tenis*.
TÚ:	¿De qué color son *los tenis de Humberto*?
COMPAÑERO/A:	Son *negros*.

¡TE INVITAMOS A ESCRIBIR!

MAPA SEMÁNTICO

Describe one of the Hispanic pen pals.

▶ Con tu compañero/a, prepara un mapa semántico de uno de los amigos por correspondencia. Indica las características físicas y la ropa. Usa este modelo como guía.

MODELO:

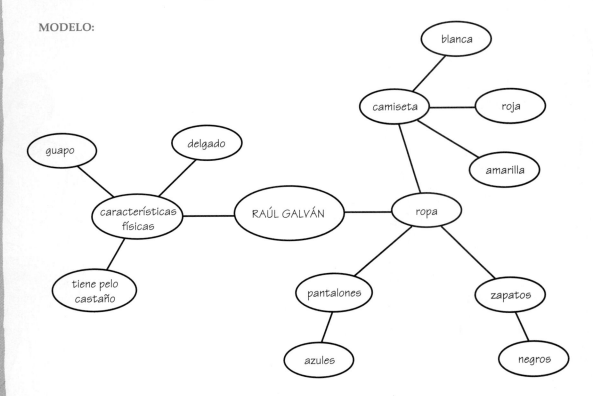

---

5 • PIÉNSALO TÚ   **La familia de Luis Fernández García**

Complete the description.

▶ Usa la información del árbol genealógico y de la tabla para completar el siguiente párrafo.

	EDAD	ES ...	LE GUSTA
María Celia	45	baja y delgada	leer novelas
Pedro Luis	51	un poco exigente	hacer ejercicio
Mercedes	23	muy seria	viajar
Jorge	22	un poco tímido	dibujar
Juanito	9	muy curioso	contar chistes

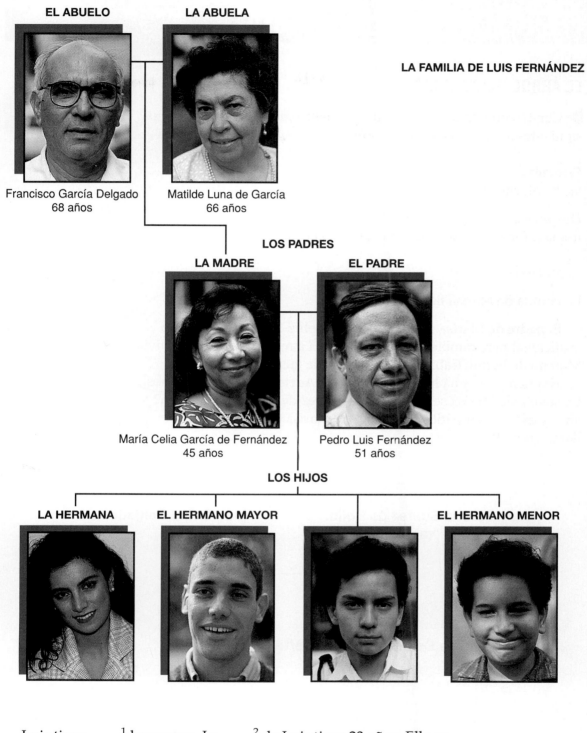

LA FAMILIA DE LUIS FERNÁNDEZ

LOS ABUELOS

EL ABUELO

LA ABUELA

Francisco García Delgado
68 años

Matilde Luna de García
66 años

LOS PADRES

LA MADRE

EL PADRE

María Celia García de Fernández
45 años

Pedro Luis Fernández
51 años

LOS HIJOS

LA HERMANA

EL HERMANO MAYOR

EL HERMANO MENOR

Luis tiene _____[1] hermanos. La _____[2] de Luis tiene 23 años. Ella es muy seria. Jorge es el _____[3] de Luis. Él tiene _____[4] años. La _____[5] de Luis se llama María Celia García de Fernández. Ella es _____[6] y delgada. El _____[7] de Luis, Pedro Luis Fernández, es un poco _____.[8] A él le gusta _____.[9]

¡TE INVITAMOS A ESCRIBIR!

EL ÁRBOL GENEALÓGICO

Use the information to draw a family tree.

▶ Con tu compañero/a, haz el árbol genealógico de uno de los siguientes amigos hispanos.

Primero...
lee la información del párrafo.

Después...
usa la información para hacer el árbol genealógico.

MODELO:

La familia de Marisa Bolini

El padre de Marisa se llama Alberto Bolini Suárez. Es un poco tradicional pero también muy simpático. La madre de Marisa, Olivia Moreno de Bolini, trabaja en casa. A ella le gusta mucho cocinar. Marisa tiene sólo una hermana. Se llama Adriana y tiene doce años. La abuela de Marisa se llama Gloria Suárez de Bolini. Ella tiene 62 años y es muy simpática. El abuelo de Marisa tiene 71 años y se llama Hugo Bolini Delgado.

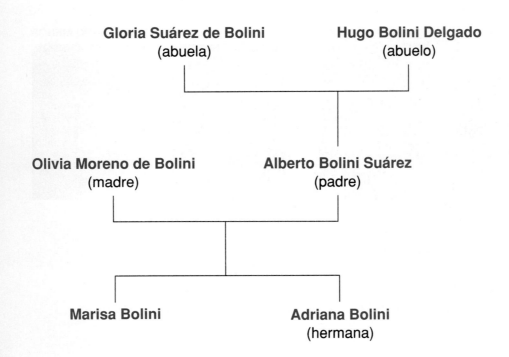

Gloria Suárez de Bolini
(abuela)

Hugo Bolini Delgado
(abuelo)

Olivia Moreno de Bolini
(madre)

Alberto Bolini Suárez
(padre)

Marisa Bolini

Adriana Bolini
(hermana)

La familia de Carolina Márquez

Carolina Márquez tiene tres hermanas y dos hermanos. La hermana mayor se llama Raquel y tiene 17 años. Su otra hermana, Camila, tiene 10 años y Paola, su hermana menor, tiene 8. Su hermano Tomás tiene 14 años y Pedro, su hermano menor, tiene 8. Pedro y Paola son hermanos gemelos. Julián Márquez, el padre de Carolina, tiene 44 años. Diana Carter de Márquez, la madre de Carolina, tiene 38 años. Los abuelos de Carolina, John y Grace Carter, viven en los Estados Unidos.

La familia de Raúl Galván

La madre de Raúl Galván se llama Elena Ruiz de Galván. Tiene 44 años y es muy simpática y generosa con sus hijos. El padre de Raúl, Raúl Galván, murió° en un accidente. Raúl tiene dos hermanas. Andrea, su hermana menor, tiene 13 años y Pilar, su hermana mayor, tiene 18. Aquilino Galván, el abuelo de Raúl, tiene 91 años y su esposa, Luz María Castro de Galván, tiene 89. Los abuelos de Raúl son de Cuba pero ahora viven en Venezuela.

died

6 • PIÉNSALO TÚ   ¿Lógico o no?

▶ Lee las siguientes oraciones e indica si la información es lógica o no es lógica. Luego, compara tus respuestas con las de tu compañero/a.

Is the information logical?

MODELO: Ana Alicia tiene sed y come papas fritas. →
No es lógico.

Esteban tiene hambre, y come dos hamburguesas. →
Es lógico.

1. Cuando Felicia tiene hambre, le gusta comer pollo frito.
2. Víctor tiene sed y compra un pastel de chocolate.
3. Beatriz no tiene mucha hambre. Come una ensalada de lechuga.
4. El postre favorito de Ernesto es la sopa de fideos.
5. Patricia toma dos limonadas porque tiene mucha sed.

¡TE INVITAMOS A ESCRIBIR!

COMPOSICIÓN: MI EXPERIENCIA EN LA ESCUELA

Primero...
lee el párrafo de Luis Fernández sobre su escuela.

Read the paragraph Luis wrote about his school.

Luego...
escribe una composición. Compara tus experiencias en la escuela con las experiencias de Luis Fernández. Menciona:

Write a composition comparing your school experience with Luis's experience.

- el nombre de las escuelas
- la ropa que llevan a la escuela
- la cantidad de materias
- las materias favoritas
- las materias que menos les gustan

    Me llamo Luis Fernández García. Soy de México, D.F. Tengo quince años y voy al Colegio Madrid. En mi escuela, los estudiantes no llevan uniforme. Cuando voy a la escuela, me gusta llevar jeans y una camiseta o sudadera.

    Estudio diez materias obligatorias: historia nacional, matemáticas, ciencias naturales, química, literatura, música, geografía, inglés, psicología y educación física. Tengo muchas materias porque en México los estudiantes no tienen las mismas materias todos los días.

    Mi materia favorita es historia nacional porque me gusta mucho aprender sobre la historia de mi país. No me gusta estudiar química porque es muy difícil.

Ciudad de México, México.

Un día en la vida de Marta Cisneros

▶ Describe las actividades de Marta Cisneros los viernes.

Describe Marta Cisneros's activities.

▶ Copia esta tabla para obtener las firmas de tus compañeros.

Interview your
classmates.

MODELO:

TÚ:	¿Te gusta *andar en bicicleta*?
COMPAÑERO/A:	Sí.
TÚ:	Firma aquí, por favor.

Actividades	Firma
alquilar películas	_____
andar en patineta	_____
bailar	_____
dormir hasta tarde	_____
escuchar música rock	_____
hacer pizza	_____
ir al centro comercial	_____
ir al cine	_____
jugar al boliche	_____
levantar pesas	_____
mirar la televisión	_____
nadar	_____
patinar	_____
recibir cartas de un amigo / una amiga por correspondencia	_____
tocar un instrumento musical	_____

¡TE INVITAMOS A ESCRIBIR!

UNA CARTA DE OTRO AMIGO / OTRA AMIGA POR CORRESPONDENCIA

▶ Imagínate que eres hispano/a y que tienes que escribir una carta a un amigo / una amiga por correspondencia de los Estados Unidos.

Write a letter to
a friend.

Primero...
lee la carta de Felipe Iglesias y úsala como modelo.

Read the letter.

Luego...

trabaja con tu compañero/a para organizar la información que vas a incluir en tu carta. Si quieres, puedes usar las siguientes preguntas como guía.

Organize your information.

- ¿Cómo te llamas?
- ¿De dónde eres?
- ¿Dónde vives?
- ¿Cómo se llaman tus padres?
- ¿Qué trabajo tienen tus padres?

- ¿Tienes abuelos? ¿Cómo se llaman?
- ¿Cuáles son tus pasatiempos favoritos?
- ¿Cómo eres físicamente?
- ¿Cuáles son tus comidas favoritas?
- ¿Cuáles son las comidas que menos te gustan?

Estimado° Ernesto:

    Mi nombre es Felipe Iglesias. Soy un chico de Andalucía, España, y quiero tener amigos en los Estados Unidos. Tengo 15 años y vivo con mis padres en un cortijo° cerca de Sevilla. Mis padres se llaman Alejandro y Sofía. Mi padre trabaja en el cortijo y mi madre es costurera.°

    Me gustan mucho los deportes, especialmente el ciclismo. Me gusta jugar al fútbol y al jai alai.° También juego al baloncesto,° pero... tú sabes que para jugar bien hay que ser° muy alto, y yo soy de estatura mediana.° ¡Qué lástima! Tengo más suerte° con el ciclismo y soy un buen ciclista. El entrenador° de mi club dice que voy a ser un campeón.°

    Otra cosa que me gusta mucho es montar a caballo. Tengo un caballo viejo y no muy rápido. Se llama Rocinante, como el caballo de don Quijote.° La verdad es que me gusta más montar en los caballos del cortijo porque son muy rápidos. Y a ti, Ernesto, ¿qué te gusta hacer? ¿Practicas muchos deportes? Bueno, chico, te mando° muchos saludos. Hasta la vista.

                Felipe Iglesias

Dear

small farm

seamstress

jai... game like handball / *básquetbol (España)*
hay... one must be
estatura... medium height / *más... better luck*
coach
champion

don... main character of the novel Don Quijote *by Miguel de Cervantes*
te... I send you

¿QUÉ IDEAS CAPTASTE? Todas estas oraciones son falsas. Corrígelas según la información de la lectura.

Correct the sentences.

MODELO: El joven se llama Julio Iglesias. →
         Según la lectura, el joven se llama *Felipe Iglesias.*

1. Felipe es de Uruguay.

2. Vive con sus padres en un apartamento cerca de Sevilla.

3. Los deportes favoritos de Felipe son el béisbol, el esquí y el tenis.

4. A Felipe no le gusta jugar al básquetbol.

5. Felipe es bastante alto.

6. Su entrenador dice que Felipe va a ser un campeón de fútbol.

7. Otro pasatiempo favorito de Felipe es levantar pesas.

8. Rocinante es el nombre de su perro.

VAMOS A SALIR

UNIDAD 5

LA BOTANITA →

Ciudad de México, México.

¿QUÉ PODEMOS DECIR?

¿Quiénes son los jóvenes en estas fotografías? ¿De dónde son? ¿Qué fotos asocias con estas cosas?

- Cines, teatros y restaurantes
- Un lugar para comprar pasteles
- Casas y tiendas pequeñas

Y ahora, ¿qué más puedes decir de estas fotos? ¿Qué hacen estos jóvenes? ¿Qué ropa llevan? ¿Qué tiempo hace?

2

Madrid, España.

San Juan, Puerto Rico.

LECCIÓN 1

EN EL VECINDARIO
In this lesson you will:

- talk about places in a neighborhood and describe where they are located
- identify the people who work in a neighborhood

LECCIÓN 2

VAMOS AL CENTRO
In this lesson you will:

- talk about places in the city
- identify means of transportation
- say what you want or prefer

LECCIÓN 3

DE COMPRAS
In this lesson you will:

- talk about stores and shopping
- describe the items you want to buy
- count from 100 to 1000

EN EL VECINDARIO

LECCIÓN 1

«Vivo en un vecindario de San José, Costa Rica», dice Julio Bustamante. «Aquí siempre hay mucha actividad.»

San José, Costa Rica.

«Éste es el lugar ideal para hablar con mis amigos», dice Raúl Galván. «Es un restaurante muy chévere.»

Caracas, Venezuela.

Madrid, España.

«Mi casa está en un vecindario antiguo de Madrid», dice Alicia Vargas Dols. «Me gusta mucho donde vivo porque hay de todo: tiendas, boutiques, cafés, cine clubs y teatros.»

mercado de artesanía EL POSTIGO
C/ arfe s/n • Tlf.: 421 39 76 • 41001 Sevilla

El Mercado de Artesanía El postigo, le brinda la Oportunidad de conocer mejor Andalucía, a través de esta muestra permanente, en la que participan los mejores artesanos de nuestras ocho provincias, aprovechando la ventaja de realizar compras y encargos para piezas especiales o decoraciones, sin intermediarios.

la farmacia

la papelería

el café

la panadería

la carnicería

la tienda de comestibles

el correo

el policía

el mesero

la esquina

el dependiente

la plaza

el cartero

el mercado

el vendedor

el quiosco de periódicos

la iglesia

Y TÚ, ¿QUÉ DICES?

ACTIVIDADES ORALES Y LECTURAS

Conexión gramatical
Estudia las páginas 286–290
en **¿Por qué lo decimos así?**

1 • PIÉNSALO TÚ   Los lugares del vecindario

▶ ¿Qué hacemos cuando vamos a estos lugares? Escoge una actividad lógica para cada lugar.

Choose an activity for each place.

MODELO: el correo →
Cuando vamos *al correo, compramos estampillas y mandamos tarjetas postales.*

Lugares	Actividades
1. el mercado	a. comprar cuadernos y lápices
2. la farmacia	b. alquilar películas
3. la tienda de videos	c. comprar estampillas y mandar tarjetas postales
4. la plaza	d. comprar leche y cereal
5. la panadería	e. comprar pan y pasteles
6. el quiosco de periódicos	f. ver a la gente y charlar
7. la tienda de comestibles	g. mirar revistas
8. la papelería	h. buscar pantalones y camisetas
9. la tienda de ropa	i. comprar fruta y verduras
10. la tienda de discos	j. buscar aspirinas o champú
	k. escuchar cassettes y discos compactos
	l. ¿ ?

Una farmacia en Buenos Aires, Argentina.

Un sábado típico en la vida de los Fernández

Talk about the activities with your partner.

▶ Conversa con tu compañero/a sobre las actividades de la familia Fernández.

	POR LA MAÑANA	POR LA TARDE
Juanito	hace un mandado para su mamá	ve a sus amigos en la plaza
Mercedes	compra pan dulce en la panadería	toma un refresco con su novio en un café
Luis	lleva una carta al correo	alquila una película en la tienda de videos
Sra. Fernández	trabaja en la farmacia	compra el periódico en el quiosco

MODELO:

TÚ: ¿Adónde va *Mercedes por la mañana*?
COMPAÑERO/A: *A la panadería.*

TÚ: ¿Qué hace *ella* allí?
COMPAÑERO/A: *Compra pan dulce.*

TÚ: ¿Quién *ve a sus amigos en la plaza*?
COMPAÑERO/A: *Juanito.*

La gente de mi vecindario

Talk about the people who work in your neighborhood.

▶ ¿Conoces a las personas que trabajan en tu vecindario? ¿Dónde trabajan?

MODELO: una dependienta de ropa →

TÚ: ¿Dónde trabaja *una dependienta de ropa*?
COMPAÑERO/A: En *una tienda de ropa.*

1. una mujer policía
2. una dependienta de ropa
3. una mesera
4. un vendedor de revistas
5. un cartero
6. una vendedora de fruta
7. una bibliotecaria
8. un dependiente de discos

a. un quiosco
b. una biblioteca
c. una tienda de discos
d. una farmacia
e. un café
f. el correo
g. la calle
h. una tienda de ropa
i. el mercado

► ¿Dónde están estos lugares en el vecindario de Luis? Con tu compañero/a, inventa preguntas y respuestas según el plano.

Make up questions and answers according to the map.

MODELO:

TÚ:	¿Dónde está *la iglesia*?
COMPAÑERO/A:	Está *enfrente de la plaza*.
TÚ:	¿Y dónde está *la plaza*?
COMPAÑERO/A:	En *la calle Obregón*.

JUANA, AQUÍ ESTÁ EL PLANO DE MI VECINDARIO.

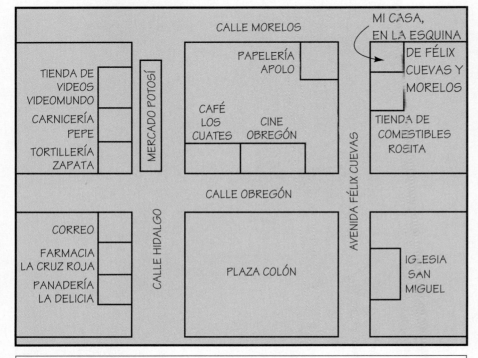

¡A charlar!

► Here are some useful expressions to use to find your way around.

Perdón. ¿Puede usted decirme dónde está... ?
Excuse me, can you tell me where . . . is located?

¿Cómo llego a... ?
How do I get to . . . ?

¿Hay un(a)... cerca de aquí?
Is there a . . . nearby?

Here are expressions people might use when telling you how to get to a particular place:

Siga derecho.
Go straight.

Doble a la izquierda / derecha.
Turn left/right.

Está a... cuadras de aquí.
It's . . . blocks from here.

Camine... cuadras hasta...
Walk . . . blocks until . . .

Cruce...
Cross . . .

Lo siento, pero no sé.
I'm sorry, but I don't know.

VOCABULARIO ÚTIL

a la derecha de	cerca de	enfrente de
a la izquierda de	detrás de	entre
al lado de	en la calle / avenida / esquina	lejos de

Y AHORA, ¿QUÉ DICES TÚ?

► Descríbele a tu compañero/a dónde está tu casa en relación a otros lugares de tu vecindario. Sigue el modelo.

MODELO: Mi casa está a cinco cuadras de la escuela. Cerca de mi casa hay una tienda de comestibles. Al lado de mi casa hay un edificio de apartamentos. Enfrente de mi casa hay un parque.

RETRATO CULTURAL

PABLO PICASSO (1881–1973)

● Ciudad y país de nacimiento: Málaga, España

El Paseo de Colón

Pablo Picasso, el famoso pintor, escultor y diseñador español, está considerado como el artista más importante del siglo XX. Su obra pasa por diferentes períodos: el azul, el rosa, el cubismo, el surrealismo y el expresionismo. En la *El Paseo de Colón*, Picasso muestra° un vecindario de Barcelona y el monumento a Colón.   *shows*

BE PREPARED

The better you prepare to read, the better you will understand what you are reading. Here are a few things you can do before you begin.

1. Notice the title of the reading; it usually gives you some idea of the main topic.
2. Look at any pictures or charts and read any captions that go with them.
3. Skim the reading to get the general idea. See what cognates and key words you notice. Remember: When you have an idea of what to expect, you understand more of what you read.

Now try these tips with the reading that follows.

¡TE INVITAMOS A LEER!

EL VECINDARIO DE LUIS

PERO ANTES... Juana recibe otra carta de Luis Fernández García, su amigo por correspondencia. Mira las fotos de Luis. ¿A quiénes ves en las fotos? ¿Es tu vecindario como el vecindario de Luis?

Find out about Luis's neighborhood.

Estas fotos son de mi colonia.° Se llama Colonia del Valle. Me gusta vivir aquí porque tengo buenos amigos y los vecinos° son simpáticos. Además,° como no está muy lejos de la Zona Rosa,* muchas veces vamos allí con mis cuates° a dar un paseo y a divertirnos.

vecindario *(Mexico)*

neighbors / Besides

amigos *(Mexico)*

*La Zona Rosa** is a well-known shopping district in Mexico City.

· 2 ·

Aquí estoy en mi café favorito. Casi todos los días voy allí con mis cuates a tomar refrescos. Es un lugar a todo dar,° ¿no crees?

a... *really cool (Mexico)*

· 3 ·

Éste es el centro comercial de mi colonia. A mi papá le gusta ir de compras aquí porque los precios° son muy buenos.

prices

· 4 ·

En esta agencia de viajes° trabaja la agente de viajes más famosa de México: Mercedes Fernández García. ¡Ja, ja, ja, es un chiste! Ella no es famosa, pero es mi hermana y ¡sí es° bonita!

agencia... travel agency

¡sí... she sure is

· 5 ·

A mi mamá le gusta hacer las compras° cerca de mi casa. En esta calle hay de todo: carnicería, mercado, panadería, correo, farmacia... Y también está aquí uno de mis lugares favoritos: el centro de videojuegos. Voy allí mucho porque me gusta jugar con las maquinitas.° Soy un verdadero campeón.° (Es sólo un chiste.) En tu país hay muchos centros de videojuegos, ¿verdad?

hacer... to shop for groceries

electronic games
verdadero... real champ

¿QUÉ IDEAS CAPTASTE?... Indica si las siguientes oraciones son ciertas o falsas. Usa las siguientes expresiones para contestar.

Es cierto. **Es posible.** **Es falso.**

MODELO: La Colonia del Valle es un vecindario muy feo. →
Es falso.

1. Los amigos de Luis viven en la Colonia del Valle.
2. A Luis y a sus amigos les gusta ir a la Zona Rosa.
3. El café favorito de Luis es un lugar muy divertido.
4. El centro comercial de la Colonia del Valle tiene tiendas de discos.
5. La hermana de Luis es muy famosa.
6. Mercedes camina a su trabajo todos los días.
7. La mamá de Luis hace las compras en un supermercado.
8. A la mamá de Luis le gusta jugar con videojuegos.

PRONUNCIACIÓN

MORE PRACTICE WITH *j*, *ge*, AND *gi*

In **Unidad 1** you learned that the **j** in Spanish sounds like *h* in the English *hat*. The letter **g** before **e** or **i** also sounds like *h*.

PRÁCTICA Listen to your teacher and then practice pronouncing the sound of **j** in these examples.

Now try pronouncing the sounds of **ge** and **gi** in the following examples.

Los gemelos generosos.

Javier el pájaro está en su jaula. ¡Je, je, je!

Jazmín la jirafa ingiere jarabe.

¿Quién es el genuino general?

El gigante gira con los gitanos.

¿POR QUÉ LO DECIMOS ASÍ?

GRAMÁTICA

¿Recuerdas?

▶ In **Unidad 3** you used the verb **estar** + the preposition **en** to tell where people and things are.

Esteban **está en** la clase de inglés.
Esteban is in English class.

Los libros **están en** el lóquer.
The books are in the locker.

estar = to be in a place

WHERE IS IT?
The Verb *estar* + Prepositions of Location

> **ORIENTACIÓN**
> A *preposition of location* tells where people, places, or things are located; *close to, far from, in front of, behind,* and *between* are examples.

A Here are several prepositions you can use with **estar** (*to be*) to show location.

a la derecha de	*to the right of*
a la izquierda de	*to the left of*
al lado de	*beside, next to, to the side of*
cerca de	*close to*
delante de	*in front of*
detrás de	*in back of, behind*
enfrente de	*across from, facing*
entre	*between*
lejos de	*far from*

—¿Dónde está el cine?
—Está **enfrente de** la tienda de videos.

—*Where is the movie theater?*
—*It's across from the video store.*

—¿En qué calle está la panadería?
—Está en la calle Central, **al lado de** la biblioteca.

—*What street is the bakery on?*
—*It's on Central Street, next to the library.*

B Remember that the preposition **de** (*of*) contracts with the masculine article **el** to form **del**. No contraction is formed with the articles **la, los, las.**

de + el = del

La bicicleta está delante **del** quiosco.

The bicycle is in front of the newsstand.

Ahora la bicicleta está delante **de la** farmacia.

Now the bicycle is in front of the drugstore.

EJERCICIO 1   El vecindario de Esteban

▶ Esteban tiene que escribir una composición sobre su vecindario. Completa las oraciones con **del, de la, de los, de las, el** o **la.**

Complete the sentences.

Yo vivo en un vecindario viejo pero muy bonito. Mi casa está al lado _____¹ cine, enfrente _____² iglesia. En la esquina hay un supermercado y detrás _____³ supermercado hay un estacionamiento para los clientes. Mi tienda favorita es la tienda de videojuegos. Voy allí casi todos los días. Está en la avenida Lincoln entre _____⁴ papelería y _____⁵ correo. A la izquierda _____⁶ correo hay una tienda de comestibles. Delante _____⁷ tienda siempre hay dos perros gordos y muy feos y al lado _____⁸ perros siempre está el dependiente, también muy gordo y muy feo. Cerca _____⁹ tiendas hay una plaza donde los niños del vecindario van a jugar. A veces voy allí para ver a mis amigos y jugar.

¡OJO! Entre is not followed by de.

Pick the appropriate prepositions, according to the drawing.

▶ El profesor Álvarez le dice a su amigo dónde están las cosas en el refrigerador. Mira el dibujo y escoge la preposición correcta para completar el diálogo.

EL AMIGO: Oye, ¡son las seis y tengo hambre!

SR. ÁLVAREZ: Pues, hay comida en el refrigerador. El helado de chocolate está (a la izquierda del / a la derecha del)[1] helado de vainilla y el pastel está (detrás de / delante de)[2] las papas fritas. Los refrescos están (a la izquierda de / a la derecha de)[3] las galletitas. Y creo que hay un batido de chocolate (entre el / al lado del)[4] jugo de naranja y el queso.

EL AMIGO: ¡Qué barbaridad, Daniel! ¿No comes nada saludable?

SR. ÁLVAREZ: Claro que sí. ¡Estoy a dieta!

EL AMIGO: Pues, no me gusta tu comida. Voy al café que está (al lado de / enfrente de)[5] la biblioteca. ¡Después regreso a tu casa para comer el postre!

SEEING PEOPLE AND THINGS
The Verb *ver* and the Personal *a*

A To ask or tell what you or others see, use the verb **ver** (*to see*).
Here are its present-tense forms. Only the **yo** form (**veo**) is
irregular; other present-tense forms have regular **-er** verb endings.

ver = to see

Present Tense of **ver**	
SINGULAR	PLURAL
yo **veo**	nosotros/nosotras **vemos**
tú **ves**	vosotros/vosotras **veis**
usted **ve**	ustedes **ven**
él/ella **ve**	ellos/ellas **ven**

—¿**Ven** muchas películas? —*Do you see many movies?*
—Sí, **vemos** dos a la semana. —*Yes, we see two a week.*

B For a person or pet, use the preposition **a** before the name or
noun that refers to who or what is seen. The personal **a**, as it is
called, has no equivalent in English.

Use a before a person or pet:
Veo a mi hermano.

Ves **a** tus amigos en el café. *You see your friends at the café.*
No veo **a** mi gato. *I don't see my cat.*

Remember that **a** + the masculine article **el** = **al**.

a + el = al

Veo **al** cartero en la esquina. *I see the mailman on the corner.*

C Other verbs you know that require the personal **a** are **ayudar** (*to
help*), **buscar** (*to look for*), **cuidar** (*to take care of*), **escuchar** (*to listen
to*), **esperar** (*to wait for*), **invitar** (*to invite*), **llamar** (*to call*), **mirar** (*to
look at; to watch*), **saludar** (*to greet*), and **visitar** (*to visit*).

Los dependientes ayudan **a** los *The clerks help the customers.*
clientes.
Luis llama **a** la mesera. *Luis calls the waitress.*
Busco **a** mi perro. *I'm looking for my dog.*

D Note the use of the personal **a** in the questions ¿**A quién...**? and
¿**A quiénes...**? (*whom*).

To find out who is the object of a verb, use ¿A quién...?/¿A quiénes...?

—¿**A quién** esperas? —*Who(m) are you waiting for?*
—Espero **a** Mariana. —*I'm waiting for Mariana.*

—¿**A quiénes** miras? —*Who(m) are you looking at?*
—Miro **a** los muchachos. —*I'm looking at the boys.*

Tell who or what you can see in these places.

▶ Di lo que ves en estos lugares. Usa palabras de cada lista.

MODELO: en la calle →

TÚ: ¿Qué ves cuando estás *en la calle*?
COMPAÑERO/A: Veo *autobuses y bicicletas*.

TÚ: ¿A quién ves allí, normalmente?
COMPAÑERO/A: Veo *al policía (al cartero)*.

veo = I see
ves = you see

	¿Qué ves?	¿A quién ves?
1. en la calle	frutas	al policía
2. en un mercado	bicicletas	a los clientes
3. en el correo	refrescos	a las vendedoras
4. en un café	autobuses	al cartero
5. en un quiosco	libros	al dependiente
6. en una tienda de ropa	verduras	al vendedor de periódicos
	faldas	al mesero
	estampillas	¿ ?
	revistas	
	cartas	
	sudaderas	
	sándwiches	
	¿ ?	

Find the correct answers and complete the dialogues.

▶ Con tu compañero/a, busca las respuestas y luego completa los diálogos con **a, al, a la, a los** o **a las**.

MODELO: ¿_____ quién llamas cuando ves un accidente? →

TÚ: ¿*A* quién llamas cuando ves un accidente?
COMPAÑERO/A: *Al policía.*

1. ¿_____ quién llamas cuando ves un accidente?
2. ¿_____ quién busca Lois Lane cuando tiene problemas?
3. ¿_____ quién llamas cuando estás en un restaurante?
4. ¿_____ quiénes ves cuando tienes problemas?
5. ¿_____ quiénes saludas cuando vas al mercado?
6. ¿_____ quiénes buscas cuando necesitas un libro?

a. _____ mesero.
b. _____ consejeros de la escuela.
c. _____ policía.
d. _____ bibliotecarias.
e. _____ Superman, por supuesto.
f. _____ vendedoras.

VOCABULARIO PALABRAS NUEVAS

Los lugares
la carnicería
el correo
la cuadra
el edificio de apartamentos
la iglesia
el mercado
la panadería
la papelería
la plaza
el quiosco de periódicos
la tienda de comestibles
la tienda de videos
el vecindario

Palabra semejante: **el café**

Palabras de repaso: la avenida,
la biblioteca, la calle, la tienda
de ropa

¿Dónde está?
a la derecha de
a la izquierda de
al lado de
cerca de
delante de
detrás de

en la esquina (de)
enfrente de
lejos de

Palabra de repaso: entre

Los oficios
el cartero / la mujer cartero
el dependiente /
    la dependienta
el mesero / la mesera
el policía / la mujer policía
el vendedor / la vendedora

Palabra de repaso: el
bibliotecario / la bibliotecaria

¡A charlar!
Camine... cuadras hasta...
¿Cómo llego a... ?
Cruce...
Doble a la izquierda / derecha.
Está a... cuadras de aquí.
¿Hay un(a)... cerca de aquí?
Lo siento, pero no sé.
Perdón. ¿Puede usted
    decirme dónde está... ?
Siga derecho.

Los sustantivos
el champú
la estampilla
la gente
el pan dulce
el plano
la tarjeta postal

Palabras semejantes: **la
    aspirina, el cereal, el
    cliente / la clienta**

Palabra de repaso: el cassette

Los verbos
hacer mandados
llevar
mandar
ver
    veo / ves

Palabra útil
para

VAMOS AL CENTRO

ALICIA: Mira esta escultura, Miguel. ¿Te gusta?

MIGUEL: Más o menos. Prefiero el arte moderno.

ALICIA: Bueno. En la otra sala hay muchos cuadros de Picasso y Miró. ¿Vamos?

MIGUEL: ¡Vale!

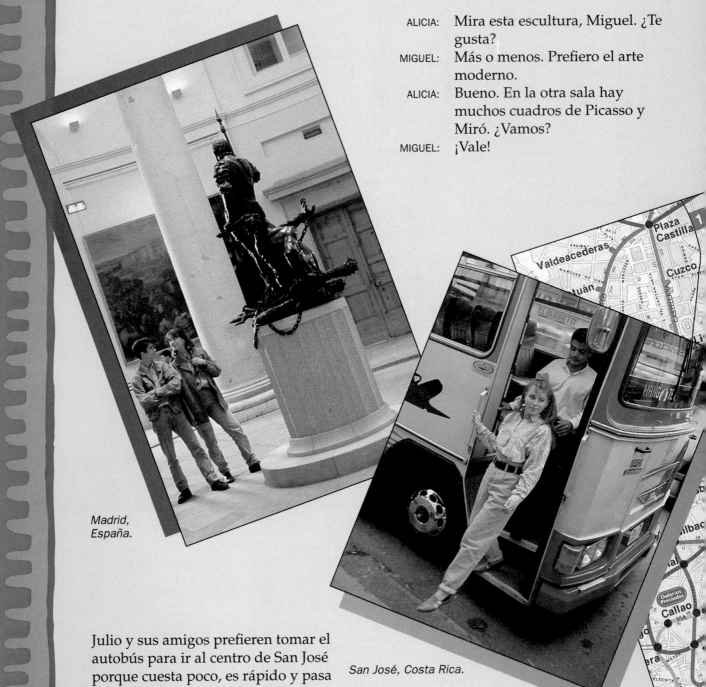

Madrid, España.

Julio y sus amigos prefieren tomar el autobús para ir al centro de San José porque cuesta poco, es rápido y pasa frecuentemente. Los colores de este bus, además, ¡son muy alegres!

San José, Costa Rica.

Buenos Aires, Argentina.

«El Teatro Colón de Buenos Aires es muy famoso», dice Marisa Bolini. «Aquí ves orquestas, compañías de danza y de ópera de todo el mundo. Las entradas no son baratas, pero si eres estudiante, recibes descuento estudiantil.»

ALICIA: Hola, Graciela. Voy al centro esta tarde. **¿Quieres** ir **conmigo**?

GRACIELA: Claro que sí. ¿A qué hora vamos?

ALICIA: A las cinco, ¿está bien?

GRACIELA: **¡Vale!**

ALICIA: ¿Quieres ir en autobús?

GRACIELA: No, **prefiero tomar el metro**. Es más **rápido**.

Y TÚ, ¿QUÉ DICES?

Conexión gramatical
Estudia las páginas 302–309
en **¿Por qué lo decimos así?**

ACTIVIDADES ORALES Y LECTURAS

1 • OPCIONES   **Actividades en el centro**

▶ Indica las opciones más apropiadas en cada caso. Luego comparte tus respuestas con tus compañeros.

Pick the ones for you.

1. Cuando quiero ir al centro...
   a. siempre tomo el metro.
   b. voy en carro con mis amigos o con mi familia.
   c. prefiero tomar el autobús.
   d. voy a pie.
   e. ¿ ?

2. Generalmente, mis amigos y yo vamos al centro comercial...
   a. para ir de compras.
   b. para ver a otros amigos.
   c. para mirar los escaparates.
   d. para pasear.
   e. ¿ ?

3. A mí me gustan los almacenes...
   a. que tienen buenos precios.
   b. donde los dependientes son simpáticos.
   c. donde hay autoservicio.
   d. donde hay de todo y barato.
   e. ¿ ?

4. Cuando quiero comprar un regalo...
   a. voy primero al banco para sacar dinero.
   b. entro en una librería para buscar una novela.
   c. visito los almacenes del centro.
   d. busco un disco compacto o un cassette en una tienda de discos.
   e. ¿ ?

5. Para mí, un sábado ideal en el centro es cuando...
   a. recibo boletos gratis para el teatro o el cine.
   b. ceno con mi familia en un restaurante elegante.
   c. paso la tarde en el zoológico.
   d. veo un partido en el estadio.
   e. ¿ ?

La estación de trenes Atocha en Madrid, España.

Tell where these people go.

▶ Con tu compañero/a, di adónde van las siguientes personas.

MODELO: un hombre que quiere depositar dinero →

TÚ: ¿Adónde va *un hombre que quiere depositar dinero*?

COMPAÑERO/A: Va *a un banco.*

1. una estudiante que necesita comprar un libro para una clase
2. una persona que está muy enferma
3. un padre que quiere comprar zapatos nuevos para sus hijos
4. una mujer que no quiere comer en su casa
5. un turista que quiere pasar unos días en la ciudad
6. una pareja que quiere asistir a una obra de teatro
7. una persona que quiere ver un partido de fútbol americano
8. un grupo de turistas que quiere ver cuadros y esculturas

Lugares en la ciudad

un hotel	un restaurante	un museo
una librería	un almacén	un hospital
una zapatería	un estadio	un banco
un teatro	una biblioteca	¿ ?

3 • DIÁLOGO   ¿Cómo prefieres ir?

▶ ¿Cómo vas a los distintos lugares?

MODELO:

TÚ: ¿Cómo vas *al centro comercial*?
COMPAÑERO/A: Prefiero *tomar el autobús.*

Tell how you get to the following places and what you do there.

TÚ: ¿Con quién vas generalmente?
COMPAÑERO/A: Voy con *mis amigos.*

TÚ: ¿Y qué haces allí?
COMPAÑERO/A: *Miro los escaparates de las tiendas.*

Lugares		**Medios de transporte**	
el centro comercial	el teatro	ir a pie / caminar	tomar un taxi
el estadio de béisbol/fútbol	el zoológico	ir en bicicleta	ir en carro
tu restaurante favorito	las tiendas del	tomar el metro	ir en tren
el museo de arte	centro	tomar el autobús	¿ ?
el cine	¿ ?		

Un sábado con Alicia Vargas Dols

▶ Describe las actividades de Alicia en Madrid.

Tell what Alicia does in Madrid.

Look at the ad and answer the questions.

► Contesta las siguientes preguntas según la información en el anuncio.

1. ¿Para qué es este anuncio?
   a. Para una película
   b. Para una obra de teatro
   c. Para una tienda de videos

2. ¿Qué medio de transporte es una «guagua»? (Pista: En Puerto Rico no hay metro.)
   a. Un autobús
   b. Un taxi
   c. Una bicicleta

3. ¿Cómo se llama el autor?
   a. Ponce de León
   b. Carlos Ferrari
   c. No se sabe

4. ¿Cuándo cuestan más los boletos?
   a. Los jueves
   b. Los fines de semana
   c. Los lunes

Y AHORA, ¿QUÉ DICES TÚ? 〜〜〜〜〜〜〜〜〜〜〜〜〜〜〜〜〜〜

1. ¿Qué es más popular entre los jóvenes, el teatro o el cine?

2. ¿Cuál prefieres tú? ¿Por qué?

SORPRESA CULTURAL

¿DE COMPRAS A LAS TRES?

One day, Miss García and her students had a class discussion about cultural similarities and differences related to shopping. She told the students about the first time her aunt from Mexico came to visit. When they made plans to go shopping, her aunt noticed something interesting! See if you can figure out her **sorpresa cultural**.

ANTES DE REGRESAR A MÉXICO NECESITO COMPRAR ALGUNAS COSAS PARA LA FAMILIA.

¡PERO SON LAS TRES!

BUENO, TÍA, COMO NO HAY CLASES, ¿POR QUÉ NO VAMOS DE COMPRAS AHORA MISMO?

Can you guess why Miss García's aunt was puzzled?

a. Many shops in Mexico close during the early afternoon hours.

b. Shops in Mexico stay open all day, even on holidays.

If you guessed (a), you know why Miss García's aunt was so surprised. In some Hispanic countries, many shops and businesses close between 1:30 P.M. and 4:00 P.M. so that employees can go home for lunch. The establishments reopen in the late afternoon and stay open until 7:00 or 8:00 P.M. In larger cities, however, many big department stores and businesses remain open all afternoon.

Thinking About
Culture

What are some factors that affect opening and closing hours of business in this country? Do you see a connection between working or school hours and shopping times?

¡TE INVITAMOS A LEER!

OTRAS VOCES

PREGUNTA: «¿Cómo es la ciudad o el pueblo donde vives?»

Find out about life in these students' hometowns.

Clara López Rubio
Madrid, España

«Madrid tiene muchas partes antiguas° (yo vivo en una de ellas) y es una ciudad muy activa. La gente está en las calles ¡hasta las dos de la mañana! y las personas salen muchas veces a cenar fuera de casa, a cines, teatros o terrazas.° Una persona joven no depende del coche.° Hay metros, autobuses y taxis que recorren° la ciudad y te llevan° hasta el último rincón.° La gente camina mucho porque las distancias son cortas. En Madrid tenemos muchos parques (el más grande es El Retiro) y mucha vida cultural: museos, conciertos, conferencias, etcétera.»

viejas

outdoor cafés
carro
go around / te... *take you*
último... *farthest corner*

Xiomara Solís Murillo
Alajuela, Costa Rica

«La ciudad donde yo vivo se llama Alajuela y, comparada con las ciudades de los Estados Unidos, es un pueblo. Pero a mí me gusta mucho porque todo está cerca de la casa: el supermercado, la zapatería, la panadería, el parque, la iglesia, etcétera. Las tiendas no son muy grandes, pero podemos obtener lo que necesitamos y hay gran variedad de artículos importados. El Parque Central, que está enfrente de la Catedral, tiene muchos árboles de mangos. Por eso llaman a Alajuela "la ciudad de los mangos".»

María Gabriela Mellace
Tucumán, Argentina

«Tucumán es mi provincia natal° y es la más pequeña de la Argentina. Su ciudad capital, San Miguel de Tucumán, es una de las más grandes y desarrolladas° del país. A la provincia la llaman "el Jardín de la República" por su abundante vegetación subtropical. También tenemos pequeños lagos donde nosotros los jóvenes practicamos esquí acuático y windsurf.»

provincia...
  native province

developed

Y AHORA, ¿QUÉ DICES TÚ?

1. ¿Cómo es tu pueblo o ciudad? ¿Qué tipos de edificios hay allí?

2. ¿Vives cerca o lejos del centro?

3. ¿Cuáles son tus lugares favoritos en la ciudad? ¿Qué actividades te gusta hacer allí?

El patio interior de una casa en Sevilla, España.

Una casa hermosa en San Juan, Puerto Rico.

Un edificio de apartamentos en Madrid, España.

GRAMÁTICA

EXPRESSING WHAT YOU WANT OR PREFER
The Verbs *querer* (*ie*) and *preferir* (*ie*)

[*querer = to want* *preferir = to prefer*]

A To talk about what you want or prefer, use the verbs **querer** (*to want*) and **preferir** (*to prefer*). Note that they are stem-changing verbs. The **e** of their stems changes to **ie** in all but the **nosotros** and **vosotros** forms. Here are their present-tense forms.

[*e → ie* (except in **nosotros** and **vosotros** forms)]

Present Tense of **querer** (*ie*)

yo	quiero	nosotros/nosotras	queremos
tú	quieres	vosotros/vosotras	queréis
usted	quiere	ustedes	quieren
él/ella	quiere	ellos/ellas	quieren

Present Tense of **preferir** (*ie*)

yo	prefiero	nosotros/nosotras	preferimos
tú	prefieres	vosotros/vosotras	preferís
usted	prefiere	ustedes	prefieren
él/ella	prefiere	ellos/ellas	prefieren

—¿**Quieres** un café o un refresco?
—**Prefiero** un refresco.

—*Do you want coffee or a soft drink?*
—*I prefer a soft drink.*

[*querer/preferir + infinitive = to want / to prefer to (do something)*]

B You can also use **querer** or **preferir** + an infinitive to ask or tell what someone wants or prefers to do.

—¿**Quieres tomar** el metro?
—No, **prefiero ir** a pie.

—*Do you want to take the subway?*
—*No, I prefer to walk.*

En el centro comercial

▶ Mariana Peña y sus amigos van de compras a la Plaza de las Américas, un gran centro comercial en Hato Rey, San Juan.

Paso 1. Completa estas conversaciones con **quiero, quieres, quiere, queremos** o **quieren**.

Complete the conversations.

1. DEPENDIENTA: ¿Qué _____ usted, señorita?
   MARIANA: _____ una falda gris.

2. EDUARDO: ¿Tú no _____ una videocasetera, Humberto?
   HUMBERTO: Claro que sí. Yo _____ una, pero no tengo suficiente dinero.

3. MARIANA: ¿Qué _____ tu mamá para su cumpleaños, Carolina?
   CAROLINA: Creo que ella _____ un disco de Rubén Blades.

4. MESERA: ¿_____ ustedes un refresco?
   EDUARDO: Sí, _____ cuatro limonadas, por favor. Tenemos mucha sed.

Paso 2. Ahora completa estas conversaciones con **prefiero, prefieres, prefiere, preferimos** o **prefieren**.

Complete the conversations.

1. DEPENDIENTE: ¿ _____ usted la corbata verde o la corbata azul, señorita?
   CAROLINA: Yo _____ la corbata verde. Es para mi papá.

2. DEPENDIENTE: Tenemos cassettes y discos compactos. ¿Qué _____ ustedes?
   HUMBERTO: (Nosotros) _____ discos compactos.

3. HUMBERTO: Eduardo, ¿qué color de zapatos _____?
   EDUARDO: _____ zapatos negros; son más prácticos, ¿no?

4. MARIANA: ¿Qué tipo de música _____ Eduardo?
   CAROLINA: Él _____ la salsa, pero también le gusta mucho el rock.

Humberto y Eduardo en una zapatería en San Juan, Puerto Rico.

Describe what you want to do that night.

Paso 1. Imagínate que estás en otra ciudad. ¿Qué quieres hacer por la noche?

> MODELO: ir al teatro o tomar algo en un café →
>
> > TÚ: ¿Quieres *ir al teatro o tomar algo en un café?*
> >
> > COMPAÑERO/A: Quiero *ir al teatro.* (Quiero *tomar algo en un café.*)

a. ir al teatro o tomar algo en un café
b. ver un partido en el estadio o ver una película
c. bailar en una discoteca o pasear por el centro

Describe what you and your friends would prefer to do in the afternoon.

Paso 2. Imagínate que tú y tus amigos van a ir al centro esta tarde. ¿Qué prefieren hacer?

> MODELO: ir en metro o tomar un taxi →
>
> > TÚ: ¿Prefieren *ir en metro o tomar un taxi?*
> >
> > COMPAÑERO/A: Preferimos *ir en metro.* (Preferimos *tomar un taxi.*)

a. ir en metro o tomar un taxi
b. visitar una tienda de discos o entrar en una librería
c. mirar los escaparates o ir de compras

Describe what you and your friends want to do while the weather is bad.

Paso 3. Imagínate que hace mal tiempo. ¿Qué prefieren hacer tus amigos?

> MODELO: jugar a las cartas o jugar con videojuegos →
>
> > TÚ: ¿Qué prefieren hacer tus amigos, *jugar a las cartas o jugar con videojuegos?*
> >
> > COMPAÑERO/A: Prefieren *jugar a las cartas.* (Prefieren *jugar con videojuegos.*)

a. jugar a las cartas o jugar con videojuegos
b. leer revistas o escuchar música
c. ir al cine o ver videos en casa

IS IT FOR ME?
Pronouns After Prepositions

ORIENTACIÓN

The *object* of a preposition is the name, noun, or pronoun that follows it: from *Lisa*, with *the dog*, for *me*.

A You have been using prepositions such as **a** (*at, to*), **de** (*of, from*), **en** (*in, on*), **con** (*with*), and **para** (*for*). The following pronouns are the objects of these and most other prepositions in Spanish.

Pronouns After Prepositions		
SINGULAR	**PLURAL**	
mí — *me*	nosotros/nosotras — *us*	
ti — *you* (informal) usted — *you* (polite)	vosotros/vosotras — *you* (informal plural) ustedes — *you* (plural)	
él — *him* ella — *her*	ellos — *them* ellas — *them* (females)	

Did you notice that, except for **mí** and **ti**, these pronouns are the same as the subject pronouns?

> Note that there is an accent on **mí** but not on **ti**.

—Juana, estos boletos son para **ti**.

—*Juana, these tickets are for you.*

—¿Para **mí**? Gracias, mamá.

—*For me? Thanks, Mom.*

B The preposition **con** combines with the pronouns **mí** and **ti** to form **conmigo** (*with me*) and **contigo** (*with you*).

> con + mí = conmigo
> con + ti = contigo

—Alicia, ¿quieres ir al centro **conmigo**?

—*Alicia, do you want to go downtown with me?*

—¿**Contigo**? ¡Claro que sí!

—*With you? Of course!*

Una calle en el centro de Madrid, España.

Make up questions and respond with the correct pronoun.

▶ Pregúntale a tu compañero/a si es fácil o difícil hacer estas cosas. Luego inventa otra pregunta con una persona de la lista. Sigue el modelo.

MODELO: correr dos kilómetros →

Pronouns after prepositions = subject pronouns, except mí and ti.

TÚ: Para ti, ¿es fácil o difícil *correr dos kilómetros*?

COMPAÑERO/A: Para mí, es *fácil (difícil)*.

TÚ: ¿Y para (*tus amigos*)?

COMPAÑERO/A: Para ellos, ¡es *difícil (fácil)*!

1. correr dos kilómetros
2. hacer gimnasia a las cinco de la mañana
3. usar la computadora
4. aprender el vocabulario de este texto
5. estudiar el sábado por la noche
6. sacar buenas notas en esta escuela
7. escribir una composición
8. tocar un instrumento musical

¿Y para...

tus amigos/as?
tu mamá / tu papá?
tus compañeros/as?

tu mejor amigo/a?
tu profesor(a) de... ?
¿ ?

Complete the letter.

▶ María Luisa Torres le escribe una carta a su amiga Leticia. Completa la carta con **mí, ti, él, ella, ellos, conmigo** o **contigo**.

Querida Leticia:

Tú sabes que este domingo es el cumpleaños de Ángela, ¿verdad? Yo tengo el regalo ideal para _____.[1] ¡Un perfume bastante caro! Luis y Pancho también tienen un regalo fantástico. El regalo de _____[2] va a ser una sorpresa (¡dos boletos para el concierto de Juan Luis Guerra!). ¿Y tú? ¿Tienes algo para _____[3]?

El sábado por la tarde voy a ir de compras. ¿Quieres ir _____[4]? Es muy divertido cuando voy _____[5] de compras.

Leticia, ¿sabes quién va al baile este sábado? ¡Luis! Para _____[6] él es un chico muy guapo. ¿Y para _____[7]? ¿Y sabes quién va con _____[8]? ¡Su prima Enriqueta!

Bueno, Leticia, nos vemos mañana y platicamos más.

Tu amiga,
María Luisa

WHAT THINGS DO YOU LIKE?
Gusta/gustan + Noun

A To talk about things you and others like or don't like, use a form of **gustar** + a noun. If the noun is singular, use the singular form **gusta**; if the noun is plural, use the plural form **gustan**.

> Use **gusta** for one thing; use **gustan** for more than one.

—¿**Te gustan** los rascacielos?　　—*Do you like skyscrapers?*
—No, no **me gustan** los　　　　—*No, I don't like tall buildings.*
　edificios altos.

Me gusta el campo. No **me**　　*I like the country. I don't like*
gusta la ciudad.　　　　　　　*the city.*

B To emphasize or clarify exactly who likes something, use the preposition **a** + a name, noun, or pronoun.

> To specify who likes something, use **a** + a name, noun, or pronoun.

A Juana y **a Víctor** les gusta　　*Juana and Víctor like the city.*
　la ciudad.
A ella le gustan los teatros.　　*She likes theaters.*
A él le gusta el zoológico.　　　*He likes the zoo.*

—**A la profesora le** gusta el　　—*The teacher likes modern art.*
　arte moderno. ¿Y **a ti**?　　　　*And you?*
—Pues, **a mí** no me gusta.　　　—*Well, I don't like it.*

C To ask who likes something, use **¿A quién... ?** or **¿A quiénes... ?**

—¿**A quién** le gustan los　　　—*Who likes Picasso's paintings?*
　cuadros de Picasso?
—A mí.　　　　　　　　　　　—*I do.*

—¿**A quiénes** les gusta el　　　—*Who likes the subway?*
　metro?
—A nosotros.　　　　　　　　—*We do.*

ARTE CONTEMPOR
RUFINO TAMAYO
COLECCION PERMANENTE
LERES · TELS. 286·65·99

El Museo de Arte Contemporáneo en la Ciudad de México, México.

Complete Juanito's diary entry.

▶ Completa este párrafo del diario de Juanito con **a mí, a ti, a él, a ella, a nosotros, a ellos** o **a ellas**.

Hint: The pronoun that follows a corresponds to the person who likes something:
a mi papá = a él
a Juan y a Luis = a ellos.

Mi papá trabaja en un banco. ＿＿ ＿＿[1] le gusta mucho su trabajo. Mi mamá trabaja en casa y a veces en una farmacia. ＿＿ ＿＿[2] le gustan los museos y el teatro. Mi hermana Mercedes es agente de viajes. ＿＿ ＿＿[3] le gusta salir con su novio todas las noches.

Tengo dos hermanos, Luis y Jorge. ＿＿ ＿＿[4] les gustan todos los deportes. ＿＿ ＿＿[5] también me gustan los deportes, especialmente el fútbol. Los domingos nos gusta ir al estadio para ver a nuestro equipo favorito. ＿＿ ＿＿[6] también nos gusta ver los partidos en la tele. Mamá y Mercedes van al cine todas las semanas. ＿＿ ＿＿[7] les gustan las películas románticas, pero ＿＿ ＿＿[8] no me gustan para nada. Mercedes siempre me dice, «＿＿ ＿＿[9] no te gustan las películas románticas ahora, pero algún día te van a gustar también.» ¡Qué tontas son las chicas!

Ask your partner what he/she likes more.

▶ Pregúntale a tu compañero/a qué cosas le gustan más.

MODELO: ¿la ropa elegante o la ropa deportiva? →

TÚ: ¿Qué te gusta más, *la ropa elegante o la ropa deportiva*?
COMPAÑERO/A: Me gusta más *la ropa deportiva* (*la ropa elegante*).

1. ¿la ropa elegante o la ropa deportiva?

2. ¿los gatos o los perros?

3. ¿la música rock o la música clásica?

4. ¿los deportes individuales o los deportes de equipo?

5. ¿la comida mexicana o la comida italiana?

6. ¿las películas románticas o las películas de terror?

7. ¿las novelas o las tiras cómicas?

8. ¿el invierno o el verano?

9. ¿los amigos serios o los amigos divertidos?

10. ¿el teatro o el cine?

Make up sentences using words from each column on p. 309.

▶ Inventa oraciones con palabras de cada columna en la página 309. Sigue el modelo.

MODELO: A mí me →
A mí me *gustan los rascacielos.*

1. A mí me	**gusta**	los rascacielos	la ropa en los escaparates
2. A mi mejor amigo/a le	**gustan**	el museo de ciencias	los restaurantes mexicanos
3. A mi familia le		los almacenes del centro	el centro comercial
4. A mis compañeros les		el parque	el zoológico
5. A nosotros los estudiantes nos		los centros de videojuegos	las obras de teatro
6. A los niños les		las esculturas modernas	¿ ?

VOCABULARIO PALABRAS NUEVAS

Los lugares
el almacén
la estación de metro
el estadio
la librería
el pueblo
el rascacielos
el teatro
la zapatería
el zoológico

Palabras semejantes: **el banco, el hospital, el hotel**

Palabras de repaso: el centro, el centro comercial, el cine, la ciudad, la iglesia, el museo, la oficina, el parque, el restaurante, la tienda de discos

Los medios de transporte
a pie
el metro
el tren

Palabra semejante: **el taxi**

Palabras de repaso: el autobús, la bicicleta, el carro

Las personas
el autor / la autora
la pareja

Palabra semejante: **el/la turista**

Palabras de repaso: el dependiente / la dependienta, el grupo, e_ hombre, la mujer

Los sustantivos
el boleto
el cuadro
el escaparate
la escultura
la obra de teatro
el precio
el regalo

Palabras de repaso: el cassette, el dinero, el disco compacto, el libro, la novela, el partido, la película

Los verbos
cuesta / cuestan
depositar
gustar
   gusta / gustan
necesitar

pasear
preferir (ie)
   prefiero / prefieres
querer (ie)
   quiero / quieres

Los adjetivos
barato/a
distinto/a
gratis

Palabras semejantes: **ideal, rápido/a**

Palabras de repaso: favorito/a, simpático/a

Los pronombres
mí
   conmigo
ti
   contigo

Palabras útiles
el autoservicio
de todo
¡Vale!

Palabras del texto
el diario
el párrafo

LECCIÓN 3

DE COMPRAS

EDUARDO: Humberto, ¿te gustan estos tenis blancos?

HUMBERTO: Mmm... No sé.

EDUARDO: ¡Pero son los tenis más populares del momento!

HUMBERTO: Bueno... como dice el refrán, «para gustos se han hecho colores».

San Juan, Puerto Rico.

Buenos Aires, Argentina.

MARÍA LUISA: Ay, no sé qué discos de rock comprar, ¿el de Maldita Vecindad o el de Caifanes?

LETICIA: A mí me gustan los dos grupos.

ÁNGELA: Caifanes es padrísimo.

MARÍA LUISA: Entonces compro los dos y los escuchamos en casa.

Ciudad de México, México.

«¿Quieres comprar un suéter? ¿una bolsa? ¿libros? ¿Te gusta descubrir objetos interesantes? Aquí en El Rastro ¡hay de todo!», dice Alicia Vargas. «Es un lugar "total" para ir de compras.»

Madrid, España.

Una tienda de ropa en San José, Costa Rica.

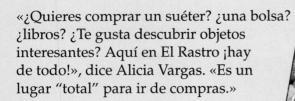

Un centro comercial en Buenos Aires, Argentina.

PRECIOS BAJOS A CUALQUIER HORA Y TODO EL TIEMPO

9.99
Y
19.99

• **FRESCAS CAMISETAS**
Camisetas de cuello redondo hechas en 100% algodón. Talla única. 9.99

• **FALDAS** EN ALGODÓN DENIM
Diseños Jean/air de Jordache en estilo con correa y 5 bolsillos. 19.99 *Estilos pueden diferir entre tiendas, tallas 3/4-17/18

▼

Nuestro
Compromiso
Con Usted:
• Calidad • Estalle
• Buenos Precios

CUALQUIER HORA ES BUENA HORA PARA OBTENER ROPA CASUAL

Atractiva selección que incluye top tejido con raporrax, blusa sin mangas anudada al frente, o pantalones cortos con suave 100% algodón. 14.99-18.99
Tops en tallas S-M-L, pantalones en tallas 3/4-17/18.

Toda la mercancía en esta página está anunciada a nuestro...

ARTÍCULOS DE DEPORTE

la pelota
$3.50

la raqueta de tenis
$125.00

el bate
$30.00

los patines
$55.00

MARIANA: **¿Cuánto cuestan los patines?**
VENDEDORA: Cincuenta y cinco **dólares,**
señorita. **Son una ganga.**
MARIANA: Entonces **los llevo.**

ASÍ SE DICE...

VOCABULARIO

GRAN VENTA DE JOYAS

los aretes
de diamantes
$637.00

la pulsera
de oro
$490.00

el anillo
de plata
$45.00

el collar
de perlas
$725.00

GRANDES REBAJAS

los calcetines
de algodón
$1.50

el abrigo
de lana
$345.00

el cinturón
de cuero
$25.00

la cartera
de plástico
$7.00

APARATOS ELECTRÓNICOS

el televisor
$430.00

el radio cassette
portátil
$75.00

el estéreo
$730.00

¡SETECIENTOS TREINTA
DÓLARES! ¡QUÉ CARO!

la videocasetera
$350.00

LOS NÚMEROS HASTA 1000

100	cien	400	cuatrocientos/as	800	ochocientos/as
101	ciento uno/a	500	quinientos/as	900	novecientos/as
200	doscientos/as	600	seiscientos/as	1000	mil
300	trescientos/as	700	setecientos/as		

Y TÚ, ¿QUÉ DICES?

Conexión gramatical
Estudia las páginas 320–321 en **¿Por qué lo decimos así?**

ACTIVIDADES ORALES Y LECTURAS

1 • PIÉNSALO TÚ   **Definiciones**

▶ Busca el artículo que corresponde a cada una de estas definiciones.

Find the item described.

1. Los jóvenes los llevan en las orejas y, a veces, ¡en la nariz!

2. Es un aparato electrónico. Lo usamos para ver programas.

3. La usas para guardar el dinero.

4. La necesitas para jugar al tenis.

5. Con este aparato electrónico grabamos programas.

6. Es una joya; la usamos en el brazo.

7. Es un aparato electrónico. Lo usamos para escuchar discos o cassettes.

8. Es un artículo esencial para jugar al béisbol.

a. una pulsera
b. una raqueta
c. un televisor
d. un bate
e. un anillo
f. los aretes
g. una videocasetera
h. un estéreo
i. una cámara
j. una cartera

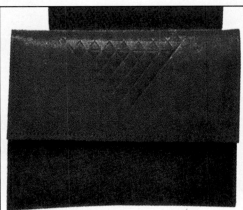

40%
DE DESCUENTO DE SU PRECIO REGULAR EN CARTERAS AMITY
Selección de varios estilos para él o ella. Cantidad 48 por farmacia.
Reg. desde 14.00 hasta 26.00 c/u

2 • INTERACCIÓN   ¿Cuánto cuestan?

Talk about the prices of these items.

Con tu compañero/a, habla de los precios de estas cosas.

MODELOS:

la pulsera de plata →

TÚ: ¿Qué cuesta *ciento ocho dólares*?
COMPAÑERO/A: *La pulsera de plata.*

las botas de cuero →

TÚ: ¿Cuánto cuestan *las botas de cuero*?
COMPAÑERO/A: *Cuestan doscientos cincuenta y tres dólares.*

1. la cartera   2. los patines

3. el estéreo   4. los esquís

5. la patineta   6. los aretes de oro

¡A charlar!

When you travel in a Spanish-speaking country, you may get the opportunity to bargain in an open-air market. Here are some expressions to help you sharpen your bargaining skills.

Tú:

¿Cuánto cuesta(n)... ?
How much is/are . . . ?

Es demasiado caro.
It's too expensive.

No vale tanto.
It's not worth that much.

No pago más de...
I won't pay more than . . .

Está bien, lo/la/los/las/ llevo.
OK. I'll take it (them).

Vendedor(a):

¡Es un regalo!
I'm giving it away!

¡Es muy barato/a!
It's very cheap!

¡Es una ganga!
It's a bargain!

Es de muy buena calidad.
It's really good quality.

3 • INTERACCIÓN   Regalos para todos

Talk about what you would like to buy.

▶ Imagínate que estás en la Tienda Fantástico donde venden de todo. ¿Qué cosas quieres comprar y para quién son?

MODELO: el guante de béisbol →

> TÚ: ¿Quieres *el guante de béisbol*?
> COMPAÑERO/A: Sí, *lo* quiero.
>
> TÚ: ¿Para quién *lo* quieres?
> COMPAÑERO/A: Para *mi hermanito*.

1. los aretes de oro
2. la videocasetera
3. las botas de cuero
4. la bicicleta de 10 velocidades
5. el carro con teléfono y televisor
6. la patineta
7. los patines
8. las pulseras de plata
9. el collar de perlas

Y AHORA, ¡CON TU PROFESOR(A)!

Ask your teacher to choose three gift items and tell who they are for.

▶ Pídele a tu profesor(a) que escoja tres regalos de la Tienda Fantástico y pregúntale para quién(es) son.

4 • DIÁLOGO   ¡A regatear!

Bargain to get a lower price.

▶ Imagínate que estás en un mercado al aire libre. Necesitas comprar los artículos de esta lista. Regatea con el vendedor o la vendedora para obtener un precio más bajo.

un cinturón de cuero
aretes de plata
calcetines de lana

un radio cassette portátil
camisetas de algodón
una cámara

MODELO:

> TÚ: Buenos días. ¿Cuánto *cuesta el cinturón de cuero*?
> VENDEDOR(A):   *Veinte* dólares.
> TÚ: *Es muy caro*. Sólo tengo *quince* dólares.
> VENDEDOR(A):   Muy bien, *quince* dólares. ¡Es un regalo!
> TÚ: Entonces *lo* llevo.

El Mercado Ciudadela, Ciudad de México, México.

▶ Imagínate que vas de compras a este centro comercial. Lee el directorio y di adónde vas para hacer estas cosas.

MODELO: Necesitas champú y perfume. →
Entonces voy *a la Farmacia el Ingenio.*

1. Buscas flores para tu mamá.
2. Quieres aprender a manejar un carro.
3. Tienes hambre y quieres comer tacos.
4. Buscas ropa para una amiga.
5. Quieres hacer ejercicio.
6. Quieres visitar a un amigo que vive en otro país.

Y AHORA, ¿QUÉ DICES TÚ?

1. ¿Hay un centro comercial en tu vecindario o ciudad? ¿Vas allí mucho? ¿En qué sección pasas más tiempo? ¿En cuál gastas más dinero?

2. Cuando ves algo que te gusta, ¿lo compras inmediatamente o lo compras más tarde cuando está rebajado?

3. ¿Qué te gusta más, comprar en un almacén o en un mercado al aire libre? ¿Hay mercados al aire libre en tu ciudad? ¿Hay ventas de garaje? ¿Qué compras allí? ¿Sabes regatear?

VISTAZO CULTURAL

EL DINERO NO SIEMPRE ES VERDE

El dinero en el mundo hispano ofrece una gran variedad de colores e imágenes. Aquí tenemos unos ejemplos.

La peseta, España.

El bolívar, Venezuela.

El sucre, Ecuador.

El colón, Costa Rica.

¡TE INVITAMOS A LEER!

EN EL MERCADO

PERO ANTES... ¿Te acuerdas de Leticia López, la amiga de Luis, y de Ángela Robles, la chica que estudia en México este año? Pues, en esta lectura vamos a ir con ellas a un mercado en México.

Ángela Robles quiere comprar un regalo para su mamá que está en los Estados Unidos. Pero no sabe dónde lo va a comprar. Entonces, habla con su amiga, Leticia López...

Find out about shopping and bargaining in Mexico.

ÁNGELA:	Sabes, Leticia, a mamá le gustan mucho las joyas de plata y la artesanía° mexicana.
LETICIA:	Entonces vamos a un mercado.
ÁNGELA:	Fantástico. Hay uno en la Zona Rosa...
LETICIA:	Ah, sí, el Mercado Insurgentes. Pero sabes, es un lugar muy turístico y todo es un poco más caro.
ÁNGELA:	¿Hay otro mercado?
LETICIA:	Sí, sí, hay muchos. Y puedes comprar de todo: ropa, aparatos electrónicos, discos, libros, comida, artesanías... Muchísima gente hace todas sus compras en los mercados.
ÁNGELA:	¿Y por qué?
LETICIA:	Porque los precios son más baratos. Pero es importante saber regatear...
ÁNGELA:	¿Regatear? ¿Qué es eso?
LETICIA:	Mmm... En inglés se dice *to bargain*.
ÁNGELA:	Ah, ahora entiendo. Pero yo no sé regatear...
LETICIA:	Pues yo soy una experta. Vamos al Mercado Ciudadela y te enseño.°

crafts

te... I'll teach you

Más tarde, en el Mercado Ciudadela...

ÁNGELA:	¡Qué grande es!
LETICIA:	Sí, es muy bonito, pero en este mercado sólo hay artesanías.
ÁNGELA:	Señor, ¿cuánto cuesta este collar de plata?
VENDEDOR:	Es muy bonito, ¿verdad? Sólo cuesta sesenta pesos.
LETICIA:	Es muy caro. No podemos° pagar más de veinte.
VENDEDOR:	Imposible, señorita. Es de muy buena calidad. Se lo vendo en cincuenta.°
LETICIA:	No, es mucho. ¿Veinte?
VENDEDOR:	Miren, para unas señoritas tan bonitas como° ustedes, ¡cuarenta y cuatro pesos!
LETICIA:	Usted es muy simpático, pero el precio es muy caro...

No... We can't

Se... I'll sell it to you for 50.

tan... as pretty as

ÁNGELA:	Sí, es verdad. ¿Qué tal° cuarenta pesos?
VENDEDOR:	Bueno pues.
ÁNGELA:	Entonces lo llevo.
VENDEDOR:	Gracias, señoritas. Y regresen pronto.°
ÁNGELA y LETICIA:	De nada. Adiós.
ÁNGELA:	¡Es muy barato! A mamá le va a encantar.°
LETICIA:	Sí, es un collar muy bonito. Y tú, ¡ya sabes regatear!
ÁNGELA:	Sí, ¡porque tengo una profesora fantástica!

¿Qué... How about

Y... And come back soon

le... is going to love it

¿QUÉ IDEAS CAPTASTE? Pon estas oraciones en el orden correcto según la información de la lectura.

> **Put the sentences in order.**

_____ Ángela compra el collar por cuarenta pesos.

_____ Leticia dice que las cosas en el Mercado Insurgentes son un poco caras.

_____ Ángela y Leticia regatean con el vendedor.

_____ Ángela y Leticia van al Mercado Ciudadela.

_____ Ángela no sabe dónde comprar un regalo para su mamá.

_____ El vendedor dice que el collar cuesta sesenta pesos.

_____ Ángela ve un collar de plata muy bonito.

PRONUNCIACIÓN

MORE PRACTICE WITH *ga, gue, gui, go,* AND *gu*

The letter **g** in Spanish is softer than the hard *g* of English except after the letter **n**. The combination **gu** represents the **g** sound before the letters **e** and **i**. Remember that in this combination the **u** is never pronounced.

PRÁCTICA To help you practice the **g** sound, try the following tongue twister:

> Cuando digo «digo», digo «Diego».
> Cuando digo «Diego», digo «digo».

Now try these two useful sayings:

> ¡Agarra la onda! (*Go for it!*)
> No te ahogues en un vaso de agua.
> (*Don't make a big deal out of it.*)

and these two silly sentences:

Al gavilán le gusta el gusano gustoso

Al guitarrista le gustan los guisos de guisantes.

¿POR QUÉ LO DECIMOS ASÍ?

GRAMÁTICA

IT AND *THEM*
The Impersonal Direct Object Pronouns *lo*, *la*, *los*, and *las*

> **ORIENTACIÓN**
>
> A *direct object* tells who or what receives the action of the verb. In the sentence *We bought the car*, *car* is the direct object. It tells what was bought. A direct object *pronoun* can replace a direct object *noun*.
>
> Did you buy *the car*? → Yes, I bought *it*.
> Do you have *the keys*? → Yes, I have *them*.
>
> *It* and *them* are called *impersonal* direct object pronouns because they refer to things instead of people.

A Like English, Spanish uses direct object pronouns to replace direct object nouns, as in the following pairs of sentences. Note that direct object pronouns come *before* the conjugated verb.

Direct object pronouns come before the conjugated verb.

—¿Tienes **la cámara**?	—*Do you have the camera?*
—Sí, **la** tengo.	—*Yes, I have it.*
—¿Quieres **los aretes**?	—*Do you want the earrings?*
—Sí, **los** quiero.	—*Yes, I want them.*
—¿Necesitas **el champú**?	—*Do you need the shampoo?*
—Sí, **lo** necesito.	—*Yes, I need it.*
—¿Prefieres **las pulseras** de plata?	—*Do you prefer the silver bracelets?*
—Sí, **las** prefiero.	—*Yes, I prefer them.*

B Direct object pronouns agree in gender and number with the nouns they replace. Here is a table of the impersonal direct object pronouns equivalent to *it* and *them*.

lo = masc. sing.
la = fem. sing.
los = masc. pl.
las = fem. pl.

	SINGULAR (*it*)	PLURAL (*them*)
MASCULINE	**lo**	**los**
FEMININE	**la**	**las**

C In a negative sentence, **no** comes before the object pronoun.

—¿Tiene Esteban el nuevo disco de Mecano?

—No, **no lo** tiene pero lo quiere.

—*Does Esteban have the new Mecano record?*

—*No, he doesn't have it, but he wants it.*

No comes before the object pronoun: No la veo.

EJERCICIO 1   Una visita corta

▶ Imagínate que vas a pasar el fin de semana en la casa de tu amigo/a. Tu mamá te pregunta qué cosas necesitas llevar. Con tu compañero/a, hagan ambos papeles según los modelos.

Ask and respond using the appropriate object pronoun.

MODELOS: el champú →

     MAMÁ: ¿Necesitas *el champú*?
        TÚ: Sí, *lo* necesito. (No, no *lo* necesito.)

     la raqueta de tenis →

     MAMÁ: ¿Necesitas *la raqueta de tenis*?
        TÚ: Sí, *la* necesito. (No, no *la* necesito.)

Direct object pronouns come before the verb; no comes before the object pronoun.

1. el champú
2. la raqueta de tenis
3. el radio cassette portátil
4. la sudadera
5. el suéter de lana
6. la cámara
7. el cinturón
8. la cartera

EJERCICIO 2   Comprando por catálogo

▶ Imagínate que recibes este catálogo de regalos. Conversa con tu compañero/a sobre los artículos que quieren comprar. Expliquen sus decisiones. Sigue el modelo.

Discuss what you want to buy.

MODELO: **1.** los patines →

        TÚ: ¿Quieres *los patines*?
   COMPAÑERO/A: Sí, *los* quiero. *Son muy baratos.* (No, no *los* quiero. Ya tengo *patines*.)

1. patines $25.00

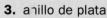

$125.00
2. chaqueta de lana

$45.00
3. anillo de plata

$11.00
4. guantes de lana

$12.00
5. camisetas de algodón

$180.00
6. botas de cuero

$5.00
7. aretes de plástico

$70.00
8. mochila de cuero

VOCABULARIO

 PALABRAS NUEVAS

Los artículos de deporte
el bate
la bicicleta de... velocidades
los esquís
el guante de béisbol
los patines
la pelota
la raqueta de tenis

Palabra de repaso: la patineta

Las joyas
el anillo
los aretes
el collar
la pulsera

Los aparatos electrónicos
la cámara
el estéreo
el radio cassette portátil
el televisor
la videocasetera

Los materiales
el algodón
el cuero
el diamante
la lana
el oro
la perla
el plástico
la plata

Los números
cien/ciento
doscientos/as
trescientos/as
cuatrocientos/as
quinientos/as
seiscientos/as
setecientos/as
ochocientos/as
novecientos/as
mil

¡A charlar!
¿Cuánto cuesta(n)... ?
¡Es un regalo!
¡Es una ganga!
Es de muy buena calidad.
¡Es muy barato/a!
Está bien, lo/la/los/las llevo.
No pago más de...
No vale tanto.

Los sustantivos
la cartera
el cinturón
la rebaja
la venta

Palabras semejantes: **el
directorio, el dólar, el
perfume, la sección**

Palabras de repaso: las botas,
el carro, el champú, el país, el
precio, la ropa, el regalo

Los verbos
gastar
grabar
guardar
llevar
manejar
regatear
vender

Los adjetivos
caro/a
rebajado/a

Palabra semejante: **esencial**

Palabra de repaso: barato/a

Los pronombres
lo/la
los/las

Palabras útiles
al aire libre
demasiado
inmediatamente
¡Oye!
¡Qué suerte!
sólo

Palabras del texto
hagan ambos papeles
más bajo
pídele

DIME ALGO MÁS

SITUACIONES

Tú

You want to meet a friend for some shopping this Saturday. You need to buy at least three different items. Compare your shopping lists and decide when and where you are going to shop. Then arrange a time and a place to meet. Describe exactly where your meeting place is located so that you won't have any misunderstandings. If you have schedule conflicts, work out the best time for both of you. You have to do some house-work, and you have a piano lesson at three. You're going to spend the evening with your aunt.

Compañero/a

You want to meet a friend for some shopping this Saturday. You need to buy at least three different items. Compare your shopping lists and decide when and where you are going to shop. Then arrange a time and a place to meet. Describe exactly where your meeting place is located so that you won't have any misunderstandings. If you have schedule conflicts, work out the best time for both of you. You have to study for a test and do some homework on Saturday, and you're going to a basketball game in the evening.

Conversation Tip

When you make plans with another person, it's important to be flexible and work together to make arrangements that suit you both. Sometimes you both have to rearrange your schedules. If you are going to meet somewhere, it's also important that you both understand clearly where you are going to get together. Here are some words that will help you make arrangements and clarify plans.

¿A qué hora vamos a... ?
What time are we going to . . . ?

¿Dónde nos encontramos?
Where shall we meet?

No comprendo. Repite, por favor.
I don't understand. Say it again, please.

A ver si comprendo bien.
Let's see if I understand.

¡Ah, ya comprendo!
Ah, I get it!

¡Qué buena idea! Tienes razón.
What a good idea! You're right.

Hint: Before you do this activity, write a list of at least three things you need to buy and where you think you can buy them. Decide how you can manage to go shopping and still do the other things you need to do.

- el Río° de la Plata, en la Argentina, es realmente de color café?   *river*

- en Paraguay, el dinero consiste en papel moneda°? No se usan monedas.°   papel... *paper money* / *coins*

- las mujeres que gastan más dinero en zapatos son las muchachas de 17 años?

¡TE INVITAMOS A ESCRIBIR!

EN BUSCA DE TRABAJO

····· TIENDA *Total* ·····

La tienda de ropa para jóvenes
Se necesitan dependientes dinámicos
que sepan hablar español

Salario: Ocho dólares la hora
(más con experiencia)
Horarios flexibles
Descuentos para los empleados:
50%
(75% después de seis meses)

¡Escríbanos ahora mismo!

····· TIENDA *Total* ·····

Imagínate que ves este anuncio en la oficina de los consejeros y decides solicitar° trabajo. Escríbele una carta al Sr. Gene Roso, gerente de la Tienda Total. Descríbele tus aptitudes y explica por qué eres perfecto/a para ese trabajo.   *to apply for*

Primero, haz una lista...
de todas las cosas que quieres mencionar.

Think up a list of everything you want to say.

Luego, organiza tu información...
en categorías como las siguientes:

a. descripción personal (edad, personalidad)
b. lo que te gusta hacer

c. tus aptitudes (experiencia)
d. los días y las horas que quieres trabajar

Organize your information.

Por último, escribe la carta...

Si quieres, puedes seguir el siguiente modelo.

MODELO:

Estimado Sr. Roso:

Estoy muy interesado/a en trabajar como dependiente/a en la Tienda Total. Tengo... años. Soy una persona... Me gusta... Sé... Tengo tiempo para trabajar los... ¡Soy su candidato/a ideal!

Atentamente,

Y AHORA, ¿QUÉ DECIMOS?

Paso 1. Mira otra vez las fotos en las páginas 274–275 y contesta las siguientes preguntas.

- ¿Son novios o solamente amigos los jóvenes en la foto número 1? ¿Adónde van ellos? ¿Qué tipo de tienda está detrás de ellos? ¿Qué puedes comprar allí?

- ¿Están en una ciudad grande o pequeña las muchachas en la foto número 2? ¿Cómo van ellas? Y tú, ¿qué medio de transporte usas más?

- ¿Qué quieren comprar los chicos en la foto número 3? ¿De qué hablan ellos? Y tú, ¿dónde prefieres encontrar a tus amigos en tu vecindario?

Paso 2. Mira otra vez el plano de Luis en la página 281 y dibuja un plano de tu vecindario.

- Identifica los edificios, las calles y los parques principales.

- ¿Dónde está el correo, tu escuela, tus tiendas favoritas, tu casa o apartamento? ¿Hay una estación de tren, de metro? ¿Dónde compras tus comestibles, tus videos, la ropa? Escribe el nombre español para cada lugar en tu dibujo.

Luego, mira otra vez la actividad Y ahora, ¿qué dices tú? en la página 281 y descríbele de nuevo a tu compañero/a dónde está tu casa en relación a otros lugares de tu vecindario. Esta vez enséñale en tu plano dónde está cada lugar.

DIME ALGO MÁS

trescientos veinticinco **325**

LA VIDA PERSONAL

¿QUÉ PODEMOS DECIR?

Mira las fotografías. ¿Qué fotos asocias con estas situaciones?

- Para muchas personas, la apariencia física es muy importante.

- A los miembros de esta familia les gusta pasar el tiempo juntos.

- Muchas personas prefieren ir a un gimnasio para hacer ejercicio.

Ahora, ¿qué más puedes decir de estas fotos? Por ejemplo, ¿cómo son estas personas? ¿Dónde están? ¿Quiénes son los miembros de esta familia? Y tú, ¿cuáles de estas actividades haces?

Ciudad de México, México.

2

Ciudad de México, México.

San Juan, Puerto Rico.

1

EL ARREGLO PERSONAL

«Decisiones, decisiones», piensa Marisa Bolini. «¿Con qué champú me lavo el pelo? Ya sé. Voy a usar el champú de mamá.»

Buenos Aires, Argentina.

Profidé
CREMA DENTAL · FLÚOR ACTIVO
PROTECCION ANTICARIES

Caracas, Venezuela.

SRA. GALVÁN:	Raúl, ¡vas a llegar tarde a la escuela!
RAÚL:	No, es temprano todavía.
SRA. GALVÁN:	¿Cómo que es temprano? ¡Son las siete!
RAÚL:	Sí... temprano.
SRA. GALVÁN:	En veinte minutos tienes que estar en la escuela. Vamos.
RAÚL:	¿Adónde?
SRA. GALVÁN:	Levántate ya.

Para el Dr. Rivas la higiene
dental de su familia y sus
pacientes es muy importante.

San Juan, Puerto Rico.

PIENSA
EN LA NATURALEZA
DE TODO TU CUERPO...

NEUTRO
BALANCE
DERMO LIMPIA

La pureza de la cremosa y rica espuma del JABON
NEUTRO BALANCE protege y mantiene, día con
día, la suavidad natural de todo el cuerpo.

NEUTRO
BALANCE

LA LINEA DEL BALANCE PERFECTO PARA TU FAMILIA

HECHO EN MEXICO

Porque usted
desea el mejor
cuidado dental
para sus niños...

Le presentamos la cajita
de Mr. Flip-Top. Una oferta
de hasta $35.00.
¡Completamente Gratis!

Gratis

Mr.
Flip-Top

ASÍ SE DICE...

VOCABULARIO

Paco y Roberto son **gemelos**. Son **idénticos** pero... muy diferentes. Mira **lo que** hacen antes de salir para la fiesta de Patricia.

ROBERTO

el jabón
la toalla

1. **Se baña** con agua **caliente** y luego **se seca** con **una toalla**.

el espejo
el secador
el peine

2. **Se peina** y **se seca el pelo.**

el cepillo de dientes

la pasta de dientes

3. **Se cepilla los dientes.** 4. **Se pone la ropa.**

5. Espera a Paco **impacientemente.**
¡Ya es hora de salir!

PACO

1. **Se acuesta** para descansar un poco antes de la fiesta.

2. **¡Por fin se levanta!**
¡Ay, ya es tarde!

3. **Se quita la ropa rápidamente.**

el champú

4. **Se lava el pelo** con agua **fría.**

5. **Se pone** sus tenis favoritos y **sale del** baño **rápidamente.**

Y TÚ, ¿QUÉ DICES?

ACTIVIDADES ORALES Y LECTURAS

Conexión gramatical
Estudia las páginas 339–344
en **¿Por qué lo decimos así?**

1 • OPCIONES   **La rutina diaria**

▶ Indica si estas acciones describen tu rutina. Usa **sí**, **no** o **a veces**.
Luego comparte tus respuestas con tus compañeros.

*Pick the right
one for you.*

1. Por lo general, por la mañana...
   a. me lavo el pelo.
   b. desayuno.
   c. me baño con agua fría.
   d. ¿ ?

2. Antes de cenar...
   a. me lavo las manos con agua
      y jabón.
   b. pongo la mesa.
   c. ayudo a preparar la comida.
   d. ¿ ?

3. Por la noche, antes de dormir, ...
   a. uso hilo dental.
   b. me cepillo los dientes.
   c. salgo con mis amigos.
   d. ¿ ?

4. Cuando voy a una fiesta, ...
   a. me ducho y me lavo el pelo.
   b. me pongo ropa elegante.
   c. me pinto las uñas.
   d. ¿ ?

5. Los fines de semana...
   a. me levanto tarde.
   b. salgo con mis padres.
   c. me acuesto temprano.
   d. ¿ ?

¡A charlar!

To put events in sequence, use the following expressions:

primero   *first*
luego   *then*
después   *later; afterward*
por último   *finally*

—Por lo general, ¿qué haces por la mañana?
—**Primero** me baño, **luego** me pongo la ropa, **después** desayuno y, **por último**, salgo para la escuela.

2 • PIÉNSALO TÚ   Primero, luego y después

▶ Indica el orden de estas acciones. Usa **primero**, **luego** y **después**.

Put these activities in order.

MODELO: a. Me seco.   b. Me baño.   c. Me quito la ropa. →
Primero me quito la ropa, luego me baño y después me seco.

1. a. Me lavo el pelo.   b. Me peino.   c. Me seco el pelo.
2. a. Me pongo el pijama.   b. Me acuesto.   c. Me cepillo los dientes.
3. a. Me seco las manos.   b. Me lavo las manos.   c. Me limpio las uñas.
4. a. Me quito el pijama.   b. Me levanto.   c. Me pongo la ropa.
5. a. Me peino.   b. Me lavo la cara.   c. Me cepillo los dientes.

3 • INTERACCIÓN   Antes de la fiesta de Patricia

Talk about the activities.

▶ Conversa con tu compañero/a sobre las actividades de Víctor, Ana Alicia y Chela.

	VÍCTOR	ANA ALICIA	CHELA
7:00	mira la televisión	se baña	hace ejercicio
7:15	se ducha	se seca el pelo	se quita la ropa
7:30	se peina	se maquilla	se ducha
7:45	habla por teléfono con Ernesto	se pinta las uñas	se cepilla el pelo
8:15	sale de su casa	se pone un vestido azul	se pone los jeans nuevos
8:45	va con Ernesto a la fiesta	llega a la fiesta	sale para la casa de Patricia

MODELOS:

TÚ: ¿Quién *se maquilla*?
COMPAÑERO/A: *Ana Alicia.*

TÚ: ¿A qué hora *sale Víctor de su casa*?
COMPAÑERO/A: *A las ocho y cuarto.*

Un sábado en la vida de Carolina Márquez

▶ Describe las actividades de Carolina según los dibujos.

Talk about Carolina's activities.

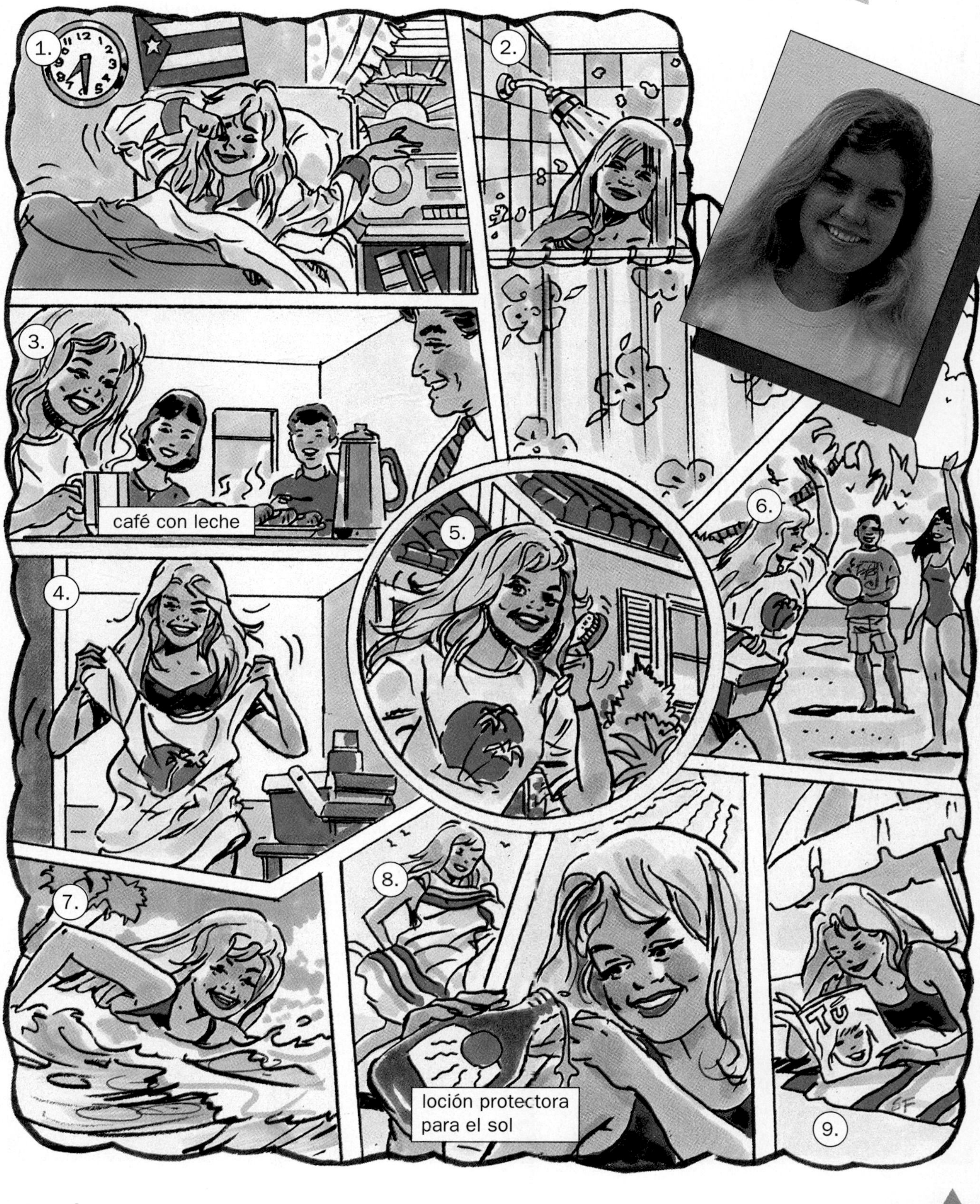

café con leche

loción protectora
para el sol

Interview your classmate.

▶ Hazle estas preguntas a tu compañero/a.

1. ¿A qué hora te levantas cuando vas a la escuela?
2. ¿Qué haces antes de ir a la escuela? ¿Te bañas o te duchas? ¿Te lavas el pelo todos los días?
3. ¿A qué hora sales para la escuela?

Y AHORA, ¡CON TU PROFESOR(A)!

Interview your teacher.

▶ Hazle las siguientes preguntas a tu profesor(a).

1. ¿A qué hora se levanta? ¿Qué hace después?
2. ¿A qué hora sale para la escuela?

PRONUNCIACIÓN

p, t, ca, que, qui, co, AND *cu*

The Spanish sounds that **p** and **t** represent are similar to the *p* and *t* of English, except that in Spanish they are not pronounced with a puff of air, as they often are in English. The letter **c** before **a**, **o**, and **u** and **qu** before **e** and **i** sound like the English *k*, but with no puff of air.

To test your pronunciation, hold a small strip of paper in front of your lips and say *papa* in English. The paper will jump away as you speak. Now say **papá** in Spanish. If you do it correctly, the paper will not move.

PRÁCTICA Try these five tongue twisters to practice the sounds you just read about.

Pepe Pecas pica papas con un pico.
Con un pico pica papas Pepe Pecas.

No son tantas las tontas ni tantos los tontos muchachos.

¡Qué col colosal colocó el loco aquel en aquel local!

Quince quiteños con quitasoles.

Cucurrucucú, ¡paloma!

VISTAZO CULTURAL

EL ARTE Y LA MODA

Los diferentes períodos del arte reflejan la importancia de la moda y el arreglo personal en cada época.

Autorretrato° de Frida Kahlo, una
pintora mexicana del siglo° XX.

Self-portrait
century

En este retrato° de la Duquesa de Alba, el pintor   portrait
español Francisco de Goya ofrece una visión
romántica de la mujer española del siglo XVIII.

En este retrato de don Gaspar de Guzmán,
Conde-Duque de Olivares, el gran pintor
español Diego Rodríguez de Silva y Velázquez
refleja la moda del siglo XVII.

READING TIP 7

GUESS INTELLIGENTLY

When you read in English, do you stop to look up every unfamiliar word? Probably not. You either try to guess the meaning of the word or you don't worry about it and just get a feel for the main idea of the sentence. Either way, you make judgments—based on the context, the other information given, and your own experience—about which possible meanings are more likely to be correct.

Practice making intelligent guesses when you read Spanish too. At first you will not do it as automatically as you do in English, but you will discover that you do not have to interrupt yourself constantly to look up words in order to get the sense of what you are reading. But when you have *finished* reading, whether in English or in Spanish, *you should look up words you don't understand.*

Skim these sentences from the reading that follows and make intelligent guesses about whether the definitions offered for the underlined words are possible, probable, improbable, or impossible.

1. Eduardo dice que «la ropa <u>refleja</u> la personalidad».
   a. ruins   b. hides   c. refreshes   d. reflects
2. Carolina dice que «la ropa puede ser barata, pero tiene que ser de buen <u>gusto</u>».
   a. fashionable   b. expensive   c. in good taste
   d. comfortable

¡TE INVITAMOS A LEER!

LOS JÓVENES HISPANOS Y LA MODA°   *fashion*

Find out what Hispanic teens like to wear.

PERO ANTES... Los vaqueros o jeans son muy populares entre los jóvenes. ¿Cuántos pares° tienes? ¿Te pones vaqueros cuando vas a la escuela? ¿cuando vas a una fiesta? ¿Qué ropa está en onda° entre tus amigos?   *pairs*

está... is "in"

Ciudad de México, México: Muchos jóvenes llevan jeans a la escuela.

Buenos Aires, Argentina: Las minifaldas y los suéteres de colores están en onda.

Madrid, España: A Alicia Vargas Dols le gusta estar de moda.

Para los jóvenes hispanos es importante estar a la moda.° ¿Qué está en onda hoy en día? Éstos son los comentarios de nuestros amigos por correspondencia.

estar... to be in fashion

Alicia Vargas Dols: «Pues, a mí me encantan° los vaqueros. Me los pongo cuando estoy en casa o cuando salgo con amigos. Pero cuando voy a una fiesta, prefiero llevar algo diferente, como un vestido o una minifalda. Creo que la moda de hoy es muy flexible y que cada persona se viste° como le gusta.»

me... me gustan mucho

se... dresses

Carolina Márquez: «A mí me gusta vestir° bien siempre. La ropa puede ser barata, pero tiene que ser de buen gusto.»

to dress

Eduardo Rivas: «Pues, yo pienso que la ropa refleja la personalidad. Soy muy informal y me gusta estar cómodo.° Mi "uniforme" para toda ocasión es una camiseta o sudadera, mahones° y tenis.»

comfortable

jeans (Puerto Rico)

Felipe Iglesias: «Creo que es verdad el refrán° que dice "Una persona bien vestida, en todas partes es bien recibida.°" Cuando voy a fiestas, me pongo camisa, corbata y una chaqueta.»

saying

bien... welcome

María Luisa Torres: «A mí me gusta la ropa que está en onda como los vaqueros, camisetas y minifaldas, pero mi mamá cree que todavía tengo diez años... y me compra ropa de niña.»

¿QUÉ IDEAS CAPTASTE? Identifica a la persona según la información en la lectura.

Identify the person.

> MODELO: Me gustan mucho los vaqueros, pero cuando voy a una fiesta me pongo un vestido. →
> *Es Alicia.*

1. Siempre compro ropa a la moda y de buen gusto.

2. A mí me gusta llevar ropa deportiva todo el tiempo.

3. Para ir a una fiesta, prefiero ponerme corbata y chaqueta.

4. Mi mamá y yo tenemos gustos opuestos. A mí me encantan los vaqueros y a ella le gusta la ropa más formal.

5. Cuando salgo con mis amigos, me gusta llevar vaqueros.

Y AHORA, ¿QUÉ DICES TÚ?

1. ¿Con cuál de estos jóvenes tienes más en común? ¿Por qué?

2. ¿Crees que es importante estar a la moda? ¿Por qué?

Un anuncio de ropa en Madrid, España.

Una tienda de ropa en Buenos Aires, Argentina.

GRAMÁTICA

EVERYDAY ACTIONS
The Irregular Verbs *salir*, *poner*, and *traer*

The verbs **salir** (*to leave; to go/come out*), **poner** (*to put*), and **traer** (*to bring*) have an irregular **yo** form: **salgo, pongo, traigo**. All other present-tense forms have regular **-er** or **-ir** verb endings.

salgo = I leave/go out
pongo = I put
traigo = I bring

Present Tense of	salir	poner	traer
yo	salgo	pongo	traigo
tú	sales	pones	traes
usted	sale	pone	trae
él/ella	sale	pone	trae
nosotros/nosotras	salimos	ponemos	traemos
vosotros/vosotras	salís	ponéis	traéis
ustedes	salen	ponen	traen
ellos/ellas	salen	ponen	traen

Salir usually takes a preposition.

salir a	to leave at (time)
salir de	to leave (from); to come out of (a place)
salir para	to leave for (destination)

¡OJO! Use salir de to talk about leaving a place, even if the word "from" is not used in English.

—¿A qué hora **sales de** la escuela? —*What time do you leave school?*

—**Salgo a** las tres y media. —*I leave at three-thirty.*

—¿**Para** dónde **sales** ahora? —*Where are you leaving for now?*

—**Salgo para** mi casa. —*I'm leaving for home.*

—¿Dónde **pones** los cassettes? —*Where do you put cassettes?*

—Los **pongo** al lado del estéreo. —*I put them next to the stereo.*

—¿Quién **trae** el pastel? —*Who's bringing the cake?*

—Yo lo **traigo**. —*I'm bringing it.*

A common Spanish use of poner is poner la mesa (to set the table): Pongo la mesa para la cena. I set the table for dinner.

EJERCICIO 1   **¿De dónde sale tanta gente?**

Ask and answer questions based on the drawing.

▶ Hoy es imposible caminar por la calle. ¿De dónde salen todas estas personas? Con tu compañero/a, pregunta y contesta según el dibujo.

MODELO: ¿los actores? →

TÚ: ¿De dónde *salen los actores*?
COMPAÑERO/A: *Salen del teatro.*

*sale de =
he/she comes
out of
salen de = they
come out of*

1. ¿los actores?
2. ¿la profesora?
3. ¿el doctor?
4. ¿el cartero?

5. ¿la bibliotecaria?
6. ¿los jugadores de fútbol?
7. ¿las vendedoras?
8. ¿el mesero?

EJERCICIO 2 — Di la verdad

▶ Pregúntale a tu compañero/a si hace lo siguiente.

Ask your partner if he/she does these things.

MODELO: salir sin paraguas cuando llueve →

TÚ: *¿Sales* sin paraguas cuando llueve?

COMPAÑERO/A: *Sí, salgo* sin paraguas cuando llueve. (*No, no salgo...*)

1. salir sin paraguas cuando llueve
2. salir para la escuela muy temprano
3. salir de la escuela antes de las cuatro
4. poner la mesa todos los días
5. poner los pies en el pupitre
6. poner la foto de tu novio/a en tu lóquer
7. traer tu perro o gato a la escuela
8. traer tu almuerzo a la escuela

salgo = I leave/go out
pongo = I put
traigo = I bring

EJERCICIO 3 — Mi escuela

▶ Un estudiante de intercambio te hace preguntas sobre tu escuela. Completa los diálogos con la forma correcta de los verbos **poner**, **salir** y **traer**.

Complete the dialogues.

1. —¿Qué _____ en tu lóquer? (poner)
   —Yo _____ de todo: mis libros, cuadernos, comida, calcetines, zapatos, peine...

2. —¿ _____ tu almuerzo a la escuela? (traer)
   —Sí, casi siempre _____ un sandwich y una manzana.

3. —¿A qué hora _____ ustedes de la escuela? (salir)
   —Por lo general, (nosotros) _____ a las tres y media.

4. —¿Qué _____ ustedes cuando hay una fiesta en la clase de español? (traer)
   —(Nosotros) _____ comida y música de varios países hispanos.

Madrid, España: Libro, apuntes y bolígrafos de una estudiante para su clase de inglés.

TALKING ABOUT DAILY ROUTINE
Reflexive Pronouns (Part 1)

> **ORIENTACIÓN**
>
> A *reflexive pronoun* refers to the same person as the subject of the verb. In English, reflexive pronouns end in *-self* or *-selves*. In the exclamation "Ouch, I hurt myself!" the reflexive pronoun *myself* refers to the subject *I*.

A Many verbs that describe a daily routine, such as *to get up*, *to take a bath*, and *to get dressed*, require a reflexive pronoun in Spanish, although the English equivalent may not use *-self*.

Many verbs that use reflexive pronouns in Spanish but not in English have an "extra" word in the English infinitive, such as "get," "take," or "put."

Yo **me levanto** a las siete. Luego **me baño** y **me pongo** la ropa.	*I get up at seven. Then I take a bath and I put on my clothes.*

B Here are the singular reflexive pronouns in Spanish.

me	*myself*
te	*yourself* (informal)
se	*yourself* (polite), *himself, herself*

You have used these pronouns since **Primer paso**, when you learned to ask or tell someone's name.

—¿Cómo **te** llamas?	—*What's your name?*
—**Me** llamo Luis.	—*My name is Luis.*
—¿Cómo **se** llama tu amiga?	—*What's your friend's name?*
—**Se** llama Ángela.	—*Her name is Ángela.*

C Reflexive pronouns come *before* conjugated verb forms. Here are the singular reflexive pronouns with the present-tense forms of the verb **levantarse** (*to get up*).

Remember that reflexive pronouns correspond to the subject of the verb.
yo/me
tú/te
usted/se
él/se
ella/se

Present Tense of **levantarse** (*Singular Forms*)		
yo	**me** levanto	*I get up*
tú	**te** levantas	*you (informal) get up*
usted	**se** levanta	*you (polite) get up*
él/ella	**se** levanta	*he/she gets up*

D Here are several verbs that can use reflexive pronouns. All express actions that we do to or for ourselves. Note that the reflexive pronoun **se** is attached to the infinitive.

acostarse (ue)	to go to bed
bañarse	to take a bath
cepillarse	to brush (one's hair/teeth)
ducharse	to take a shower
lavarse	to wash (oneself)
levantarse	to get up; to stand up
limpiarse	to clean (oneself)
llamarse	to be named, called
maquillarse	to put on makeup
mirarse	to look at oneself (in the mirror)
peinarse	to comb one's hair
pintarse (las uñas)	to paint (one's nails)
ponerse (la ropa)	to put (clothing) on (oneself)
quitarse (la ropa)	to take (clothing) off (oneself)
secarse	to dry (oneself) off

*¡OJO! When verbs like **lavarse**, **ponerse**, etc. refer to parts of the body or to clothing, Spanish uses a definite article instead of a possessive adjective: **Me lavo las manos.** (I wash my hands.) **Se pone el vestido.** (She puts on her dress.)*

EJERCICIO 4   ¿Qué me pongo?

▶ ¿Qué ropa se ponen estas personas en estas ocasiones? Completa cada oración con una frase apropiada.

Find the logical completion.

MODELO: Cuando voy a la playa →
Cuando voy a la playa, *me pongo el traje de baño.*

1. Cuando voy a la playa...
2. Para hacer gimnasia, Ernesto...
3. Si va al teatro, Paco...
4. Cuando hace mucho frío, yo...
5. Cuando llueve, la Srta. García...
6. Para ir al baile, Patricia...
7. Cuando hace fresco, tú...
8. Cuando estoy en casa...

a. se pone un impermeable.
b. casi siempre me pongo jeans.
c. te pones un suéter, ¿verdad?
d. me pongo el traje de baño.
e. se pone pantalones cortos.
f. se pone traje y corbata.
g. me pongo lentes de sol.
h. se pone botas.
i. me pongo un abrigo y guantes.
j. se pone un vestido largo.

Complete the commercial with the correct reflexive pronouns.

▶ Mariana y Carolina ven un anuncio en la televisión. Completa el anuncio con **me**, **te** o **se**.

Pobre Rolando. Es muy guapo, pero a Rosa no le gusta estar muy cerca de él. ¿Cuál es su problema? Él no _____[1] cepilla los dientes con Pasta Clara. Pero un día...

ROLANDO: Ay, Ignacio, no sé por qué, pero Rosa no quiere hablar conmigo.

IGNACIO: ¿Con qué pasta de dientes _____[2] cepillas tú los dientes, Rolando?

ROLANDO: Yo _____[3] cepillo con Pasta Nada, naturalmente.

IGNACIO: ¿(Tú) _____[4] cepillas con Pasta Nada? ¡Ése es el problema! Rosa _____[5] cepilla con Pasta Clara, yo _____[6] cepillo con Pasta Clara, ¡todo el mundo _____[7] cepilla los dientes con Pasta Clara!

Rolando corre a la farmacia y compra Pasta Clara. Unas horas más tarde...

ROSA: Rolando, estás muy diferente hoy...

ROLANDO: ¿Sí? Ahora uso una nueva pasta de dientes. _____[8] llama Pasta Clara.

ROSA: Rolando, ¿tú _____[9] cepillas con Pasta Clara? ¡Qué bueno!

ROLANDO: Sí, Rosa, ahora yo siempre _____[10] cepillo los dientes con Pasta Clara. Para una sonrisa resplandeciente, Pasta Clara es la mejor pasta de dientes.

Ask your partner how often she/he does these things.

▶ Pregúntale a un compañero/a con qué frecuencia hace estas actividades. Usa **a veces**, **nunca**, **siempre** o **todos los días**.

MODELO: levantarse antes de las seis de la mañana →

TÚ: ¿Con qué frecuencia *te levantas antes de las seis de la mañana?*

COMPAÑERO/A: *A veces me levanto* antes de las seis. (*Nunca me levanto* antes de las seis.)

1. levantarse antes de las seis de la mañana
2. peinarse con el peine de otra persona
3. ducharse con agua fría
4. lavarse las manos antes de comer

5. quitarse los zapatos en clase
6. ponerse la ropa de otra persona
7. cepillarse los dientes en la escuela
8. bañarse por la noche

VOCABULARIO

PALABRAS NUEVAS

La rutina diaria
acostarse (ue)
  me acuesto / te acuestas
bañarse
cepillarse (los dientes / el pelo)
ducharse
lavarse (la cara / el pelo / las
    manos)
levantarse
limpiarse (las uñas)
maquillarse
peinarse
pintarse (las uñas)
ponerse (la ropa)
  me pongo / te pones
quitarse (la ropa)
secarse (la cara / el pelo / las
    manos)

Palabras de repaso: hablar por
teléfono, hacer ejercicio, mirar
la televisión

Artículos de arreglo personal
el cepillo (de dientes)
el espejo
el hilo dental
el jabón
la loción protectora para el sol
el maquillaje
la pasta de dientes
el peine
el secador
la toalla

Palabra de repaso: el champú

¡A charlar!
después
luego
por último
primero

Los sustantivos
el café con leche
la cara
los dientes
los gemelos
el pijama
las uñas

Palabras de repaso: la fiesta, la
ropa, los tenis

Los verbos
desayunar
poner
  pongo / pones
poner la mesa
salir
  salgo / sales
  salir a
  salir de
  salir para
traer
  traigo / traes
usar

Palabras de repaso: ayudar,
descansar, esperar, preparar

Los adjetivos
caliente
frío/a
opuesto/a

Palabras semejantes:
atractivo/a, idéntico/a

Palabras de repaso: diferente,
elegante, favorito/a, nuevo/a

Los pronombres reflexivos
me
te
se

Los adverbios
impacientemente
rápidamente

Palabras útiles
lo que
¡Por fin!
Ya es hora de...

Palabra del texto
identifica

LECCIÓN 2

LOS HÁBITOS Y LA SALUD

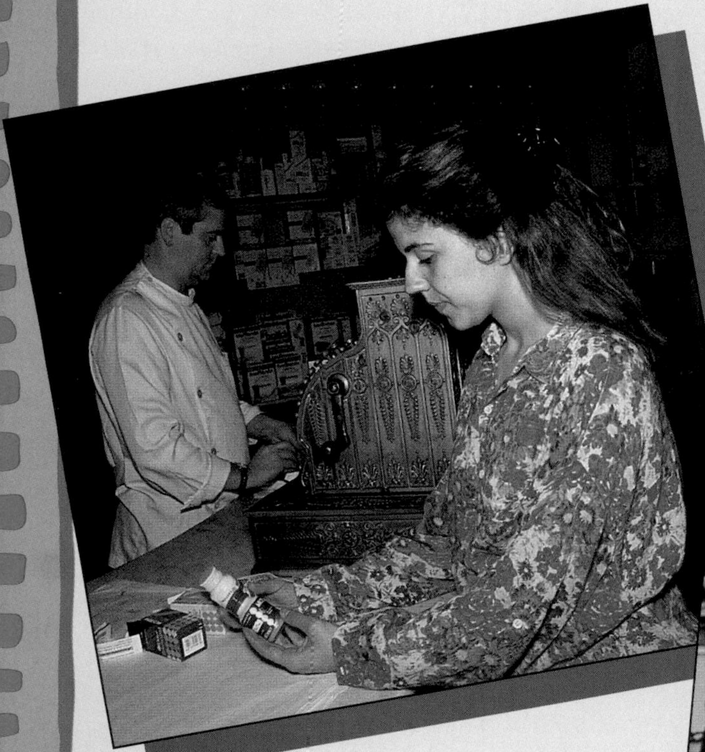

«Vitamina A, vitamina B, C, D... ¡Esta farmacia ofrece un abecedario!», piensa Graciela Ramos.

Madrid, España.

MARÍA LUISA: ¡Ay, Luis! ¿Por qué no comes algo más saludable como esta ensalada?

LUIS: Pues prefiero el pastel de chocolate. Está delicioso. ¿Quieres un poco?

MARÍA LUISA: Mmm... ¡Qué tentación!

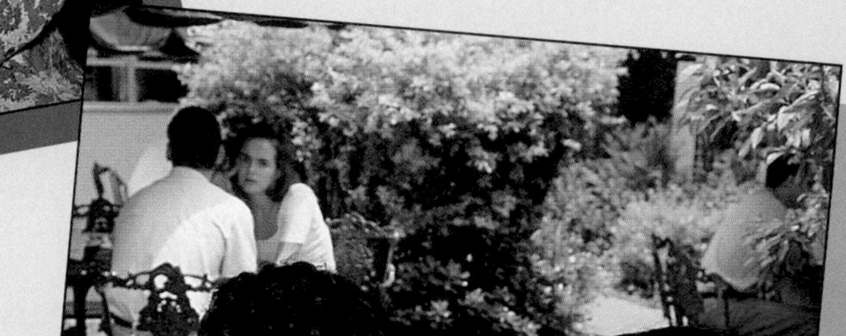

Ciudad de México, México.

Francisco «Pancho» Estrada es muy atlético, ¿verdad? Casi todos los días va a este gimnasio para hacer ejercicio y levantar pesas.

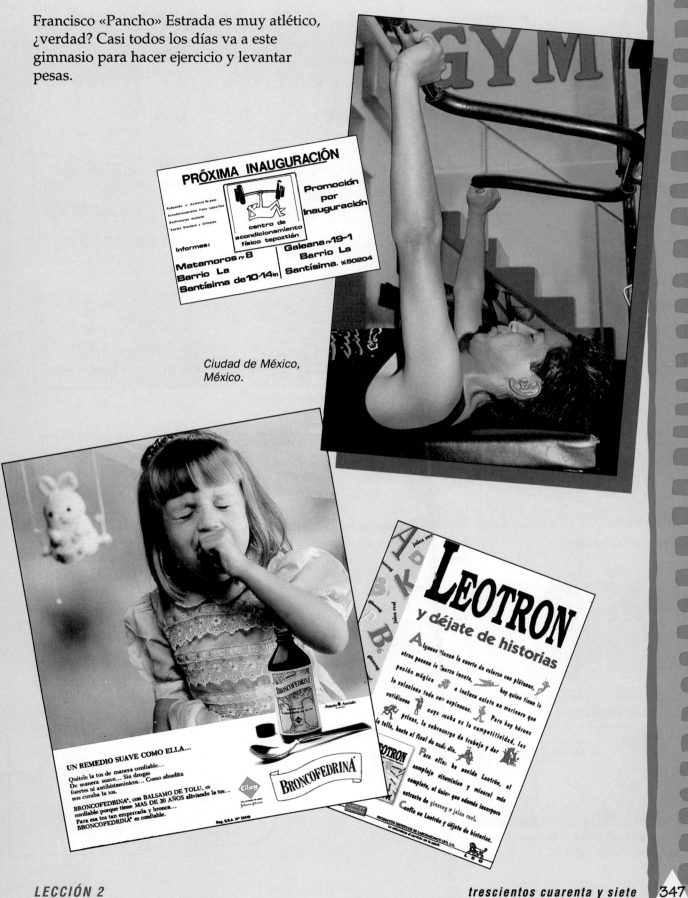

Ciudad de México, México.

¿CREES EN ESTOS ESTEREOTIPOS? VAMOS A VER...

Así se dice...

VOCABULARIO

LOS NIÑOS...

detestan las verduras.

no **quieren acostarse** temprano.

LOS HOMBRES NUNCA VAN AL MÉDICO. LAS MUJERES SÍ.

la fiebre

Él tiene **gripe.**

el jarabe para la tos

Ella tiene **catarro.**

LOS ATLETAS...

cuidan de su salud.

hacen ejercicio para **ponerse en forma**.

duermen ocho horas o más **diariamente**.

LOS JÓVENES...

2.300 calorías
la grasa

siempre comen **comida rápida y evitan los alimentos saludables**.

no **prestan atención a su dieta.**

la curita

se quedan en casa aun cuando no están muy enfermos.

¿PUEDES PENSAR EN OTROS ESTEREOTIPOS SOBRE LA SALUD?

 348   *trescientos cuarenta y ocho*

UNIDAD 6

Conexión gramatical
Estudia las páginas 356–360
en ¿**Por qué lo decimos así?**

Y TÚ, ¿QUÉ DICES?

ACTIVIDADES ORALES Y LECTURAS

1 • OPCIONES   **La salud en casa**

▶ Contesta con **siempre**, **a veces** o **nunca**, según tu experiencia.
Luego comparte tus respuestas con tus compañeros.

*Tell how often
you and your
friends do the
following.*

1. Cuando tengo catarro...
   a. me acuesto y descanso.
   b. tomo aspirinas.
   c. voy a la escuela.
   d. ¿ ?

2. Cuando tengo dolor de garganta...
   a. me pongo una bufanda.
   b. tomo té caliente con miel.
   c. hablo mucho.
   d. ¿ ?

3. Cuando tengo dolor de cabeza...
   a. tomo una aspirina y me acuesto.
   b. prefiero quedarme en casa todo
      el día.
   c. escucho música clásica.
   d. ¿ ?

4. Cuando mis amigos y yo queremos
   ponernos en forma...
   a. hacemos mucho ejercicio.
   b. comemos alimentos saludables.
   c. nos acostamos temprano.
   d. ¿ ?

5. Cuando mis amigos y yo estamos
   cansados...
   a. nos quedamos en casa.
   b. preferimos levantarnos temprano.
   c. dormimos la siesta.
   d. ¿ ?

Una farmacia en Madrid, España.

Los hábitos

Tell how often you do these activities. Then explain your response.

▶ Primero, di con qué frecuencia haces estas actividades. Luego explica tu respuesta. Palabras útiles: **todos los días, a veces, casi nunca, nunca**.

MODELOS: Duermo ocho horas. →
Duermo ocho horas todos los días. Todos los jóvenes necesitan dormir ocho horas diariamente.

Como hamburguesas con papas fritas. →
Casi nunca como hamburguesas con papas fritas. Tienen mucha grasa y calorías.

1. Duermo ocho horas.
2. Como hamburguesas con papas fritas.
3. Tomo vitaminas.
4. Como dulces y pasteles.
5. Me acuesto a las dos de la mañana.
6. Tomo el sol tres horas o más.
7. Practico un deporte o hago ejercicio.
8. Como frutas y verduras.

Síntomas y remedios

Pick an appropriate treatment.

▶ ¿Qué remedios recomiendas para los siguientes síntomas?

MODELO: tener dolor de cabeza →

TÚ: ¿Qué puedes hacer cuando *tienes dolor de cabeza?*

COMPAÑERO/A: Cuando *tengo dolor de cabeza* puedo *tomar dos aspirinas.*

Si comió más de la cuenta y ahora lo lamenta...

HAMBURGUESA 99¢
ENCHILADA 79¢
HOT DOG $1⁰⁰
TAMALES 50¢
PAPAS FRITAS 50¢
REFRESCOS 65¢

...recuerde que para la mayoría de los malestares estomacales causados por comer o tomar demasiado...
...el remedio es el mismo.

Pepto-Bismol

Síntomas	Remedios
1. tener catarro	a. tomar un jarabe para la tos
2. tener una cortada en el dedo	b. ponerme una curita
3. tener fiebre	c. tomar té caliente con miel
4. tener tos	d. tomar una pastilla
5. tener dolor de garganta	e. lavarme la cortada con agua y jabón
	f. tomar dos aspirinas y acostarme
	g. tomar antibióticos
	h. tomar vitamina C
	i. ¿ ?

4 • DIÁLOGO   Cuando estoy enfermo/a

ESTEBAN: Cuando estás enfermo, ¿qué haces para curarte?

ERNESTO: Depende. Si estoy muy mal, voy al médico.

ESTEBAN: Y cuando tienes catarro, ¿prefieres quedarte en casa o ir a la escuela?

ERNESTO: Normalmente prefiero ir a la escuela.

ESTEBAN: ¡Caray! ¡Pero el catarro es contagioso!

Y AHORA, PRACTICA EL DIÁLOGO CON TU COMPAÑERO/A ～～～～～

TÚ: Cuando estás enfermo/a, ¿qué haces para curarte?

COMPAÑERO/A: Depende. Si estoy muy enfermo/a, ____.

TÚ: Y cuando tienes ____, ¿prefieres quedarte en casa o ir a la escuela?

COMPAÑERO/A: Prefiero ____.

TÚ: ____.

VOCABULARIO ÚTIL

tomar aspirinas / antibióticos / vitaminas

Read the article and express your opinion.

▶ Lee los consejos de este artículo de la revista *Buenhogar*. Según el artículo, ¿qué piensas de estas acciones? Usa estas expresiones:

(No) Tiene sentido.   **(No) Es bueno.**   **Es absurdo.**

A LA HORA DE HACER EJERCICIOS...

● Use ropa apropiada. Los leotardos o mallas son los ideales. Evite los *jeans*.

● Las mujeres un poquito gruesas jamás deben estar descalzas durante los ejercicios. Por el contrario, necesitan buenos zapatos aeróbicos, que suavicen el impacto que sufren los pies al hacer los distintos movimientos.

● Empiece con sesiones de ejercicios de unos 20 minutos y vaya aumentándolos gradualmente.

● No coma inmediatamente antes de ejercitarse. Sin embargo, beba mucha agua antes, durante y después de hacerlo.

● Si hace ejercicios aeróbicos, trate de que el ritmo de la música no sea violentamente rápido.

● Recuerde: la mejor superficie para hacer ejercicios aeróbicos, es la de madera.

MODELOS: Una muchacha se pone un leotardo para hacer ejercicio. → *Tiene sentido.*

Un hombre se pone traje y corbata para hacer gimnasia. → *Es absurdo.*

1. Un señor va al gimnasio por primera vez y hace ejercicio por dos horas.

2. Un muchacho come una pizza grande antes de levantar pesas.

3. Un atleta toma agua antes y después de correr.

4. En una clase de ejercicios aeróbicos escuchan música clásica.

RETRATO CULTURAL

GLORIA ESTEFAN

En 1990 la famosa cantante de origen cubano sufre un tremendo accidente que la deja inválida.° Gracias a su espíritu luchador° y de autodisciplina, la cantante comienza un régimen de ejercicios físicos y una dieta para mejorar° su salud. La recuperación es dura y lenta° pero es completa. Hoy en día, esta maravillosa cantante continúa con su carrera° y cuenta su experiencia en la canción «Desde la oscuridad» y su versión en inglés, «*Out of the Dark*».

la... *leaves her an invalid / fighting*

improve / dura... difficult and slow

career

¡TE INVITAMOS A LEER!

OTRAS VOCES

PREGUNTA: «Imagínate a un novio o a
una novia fatal...° ¿Cuáles son los hábitos   *horrible*
que relacionas con la salud y la apariencia
física de esa persona imaginaria?»

María Gabriela Mellace
Tucumán, Argentina

«¡Uy! Un novio fatal no se cepilla los dientes
todos los días. Se lava el pelo una vez al mes
y siempre usa mi peine para peinarse. Unos
días se afeita° y otros días no. Sólo come   *se... he shaves*
cosas dulces y nunca hace ejercicio.»

José Alberto Rojas Chacón
Alajuela, Costa Rica

«Para mí, una novia fatal no se lava la cara,
pero usa mucho maquillaje... Sólo piensa en
la apariencia personal. Es muy frívola. Lo
peor,° sabe el nombre de todos los productos   *Lo... Worst of all*
de maquillaje, pero, ¡a veces no recuerda *mi*
nombre!»

Diana Lucero Hernández
Cali, Colombia

«¡Ah! Sus hábitos son horribles. Sólo se baña
cuando llueve. Se levanta después del
mediodía. Nunca se pone ropa limpia. No
hace ejercicio, pero siempre está cansado. Le
gusta fumar° y beber bebidas alcohólicas.»   *to smoke*

Antonio Sanz Sánchez
Madrid, España

«Pues, una novia fatal es una chica que es
fanática de la salud. Todos los días (incluso°   *including*
los fines de semana) se acuesta a las diez de
la noche. Sólo piensa en las comidas
nutritivas. Es hipocondríaca y toma muchas,
muchas vitaminas. Después de un beso,°   *kiss*
inmediatamente se cepilla los dientes.»

Y AHORA, ¿QUÉ DICES TÚ?

▶ ¿Qué hábitos relacionas con un novio o una novia fatal?

PRONUNCIACIÓN

LINKING WORDS

In spoken Spanish, words are usually not
separated but are linked together in short
phrases called breath groups. Listen to the
breath groups as your teacher reads the
following sentence:

> Voy a almorzar / y después / voy a
> estudiar / la lección de español.

The words within each breath group are run
together as if they were a single word.

PRÁCTICA Listen to your teacher, then
pronounce these sentences.

—¿Quién es ese angelito?
—Es mi hija Alejandra.
—¿Lleva un tutú uruguayo?
—Sí. Va a aprender a bailar.

WHAT CAN YOU DO?
Verbs Like *poder*

poder = to be able; can

A To say what you or others can or cannot do, use the stem-changing verb **poder** (*to be able; can*). Note that the **o** of the stem (**pod-**) changes to **ue** in all but the **nosotros** and **vosotros** forms.

Present Tense of **poder** (ue)

yo	**pue**do		nosotros/nosotras	podemos
tú	**pue**des		vosotros/vosotras	podéis
usted	**pue**de		ustedes	**pue**den
él/ella	**pue**de		ellos/ellas	**pue**den

o → ue (except in **nosotros** and **vosotros** forms)

poder + infinitive = to be able to do something

Poder + an infinitive means *to be able to* or *can* do something.

—¿**Puedes** ir al gimnasio hoy?
—No, no **puedo**. Tengo catarro.

—*Can you go to the gym today?*
—*No, I can't. I have a cold.*

B You can also use **poder** + an infinitive to ask or give permission.

—Mamá, ¿**puedo** quedarme en casa hoy?
—No, no **puedes**.

—*Mom, may I stay home today?*
—*No, you may not.*

C Other verbs you know that have the **o → ue** stem change are **acostarse** (*to go to bed*), **contar** (*to count*), **costar** (*to cost*), and **dormir** (*to sleep*).

—¿Cuántas horas **duermes** por la noche?
—Ocho. Me **acuesto** a las once y **duermo** hasta las siete.

—*How many hours a night do you sleep?*
—*Eight. I go to bed at eleven and sleep until seven.*

EJERCICIO 1   ¿Qué puedes hacer?

▶ Con tu compañero/a, pregunta y contesta según tu experiencia.

Ask your partner what he/she can do.

MODELO: bailar hasta las tres de la mañana antes de un
          examen →

                    TÚ: ¿Puedes *bailar hasta las tres de la mañana*
                         antes de un examen?
          COMPAÑERO/A: *No, no puedo. (Sí puedo.)*

1. bailar hasta las tres de la
   mañana antes de un examen

2. cantar bien cuando tienes
   dolor de garganta

3. mirar la televisión después
   de las once de la noche

4. comer en la clase de español

5. dormir en la clase de
   educación física

6. leer una novela cuando tienes
   dolor de cabeza

7. hacer mucho ejercicio
   después del almuerzo

8. caminar con un libro en la
   cabeza

EJERCICIO 2   ¿Qué podemos hacer?

▶ Di qué pueden hacer estas personas el fin de semana. Usa frases
de la lista para contestar las preguntas. Sigue el modelo.

Tell what these people can do.

MODELO: (tú) si hace mal tiempo →

                    TÚ: ¿Qué puedes hacer *si hace mal tiempo*?
          COMPAÑERO/A: Puedo *ir al cine*.

1. (tú) si hace mal tiempo

2. (tus padres) si tienen hambre y no quieren comer en casa

3. (tú y tus amigos) si quieren ver un partido de fútbol

4. (tú) si necesitas dinero

5. (tú y tus compañeros) si tienen mucha tarea

6. tu amigo/a _____ si quiere ponerse en forma

Sugerencias

ir al estadio	hacer ejercicio	ir al banco
mirar la televisión	buscar un trabajo	jugar a las cartas
ir al cine	ir a un restaurante	quedarse en casa
leer una novela	estudiar en casa	ir a la biblioteca
o revistas	levantar pesas	¿ ?

In **Lección 1**, you used singular reflexive pronouns to talk about daily activities.

Después de hacer ejercicio, **me** quito la ropa y **me** ducho.
After I exercise, I take off my clothes and take a shower.

Remember: Reflexive pronouns refer to the subject: nosotros/nos ustedes/se ellos/se ellas/se

MORE ABOUT DAILY ROUTINE
Reflexive Pronouns (Part 2)

A Here are the plural reflexive pronouns with the present-tense forms of the verb **levantarse**. Remember that reflexive pronouns come before the conjugated verb.

Present Tense of **levantarse** (Plural Forms)			
nosotros/nosotras	**nos**	levantamos	*we get up*
vosotros/vosotras	**os**	levantáis	*you (plural informal) get up*
ustedes	**se**	levantan	*you (plural) get up*
ellos/ellas	**se**	levantan	*they get up*

Mi hermano y yo **nos** levantamos a las ocho. Mis padres **se** levantan más temprano.
My brother and I get up at eight. My parents get up earlier.

B In verb combinations such as **gustar**, **querer**, or **ir a** + an infinitive, the reflexive pronoun that corresponds to the subject of the verb is attached to the infinitive.

—¿Te gusta queda**rte** en casa? —*Do you like to stay at home?*
—No, no me gusta queda**rme** en casa. —*No, I don't like to stay at home.*

—¿Por qué va Roberto al gimnasio? —*Why is Roberto going to the gym?*
—Quiere pone**rse** en forma. —*He wants to get in shape.*

—¿A qué hora van a acosta**rse**? —*What time are you going to go to bed?*
—Vamos a acosta**rnos** tarde. —*We're going to go to bed late.*

C Even if the subject is plural, the Spanish language uses the singular form to name body parts and clothes, except things that come in pairs, such as **manos** and **zapatos**.

Nos ponemos **el abrigo**. *We put on our coats.*

Se lavan **la cara**. *They wash their faces.*

Se secan **las manos**. *They dry their hands.*

El orden lógico

▶ Pregúntale a tu compañero/a qué hacen estas personas y en qué orden. Sigue el modelo.

In what order do people do these activities?

MODELO: tus amigos / se duchan, se quitan la ropa →

TÚ: ¿Qué hacen *tus amigos* primero, *se duchan* o *se quitan la ropa*?
COMPAÑERO/A: Primero *se quitan la ropa* y luego *se duchan*.

Reflexive pronouns come before the conjugated verb form.

1. tus amigos / se duchan, se quitan la ropa
2. los muchachos / se duchan, se levantan
3. tú / te bañas, te secas
4. ustedes / se acuestan, se ponen el pijama
5. los actores / se lavan la cara, se maquillan
6. nosotros / nos quitamos los zapatos, nos acostamos
7. tú y tus amigos/as / se peinan, se lavan el pelo
8. tu amiga / se pinta las uñas, se pone los guantes

La rutina diaria

Paso 1. Pregúntale a tu compañero/a si le gusta hacer estas cosas.

Ask your partner if he/she likes to do these things.

MODELO: acostarse tarde →

TÚ: ¿Te gusta *acostarte tarde*?
COMPAÑERO/A: Sí, me gusta *acostarme tarde*. (No, no me gusta *acostarme tarde*.)

Reflexive pronouns can be attached to the infinitive.

1. acostarse tarde
2. lavarse el pelo todos los días
3. quedarse en casa cuando hace mal tiempo
4. ponerse calcetines de muchos colores
5. ponerse perfume después de bañarse
6. ducharse con agua fría
7. quitarse los zapatos en clase
8. levantarse a las cinco de la mañana

Paso 2. Ahora dile a la clase qué cosas le gustan o no le gustan hacer a tu compañero/a, según las respuestas en el **Paso 1**.

Report your partner's answers to the class.

MODELO: acostarse tarde →
A ＿＿＿ le gusta (no le gusta) *acostarse tarde*.

Dúo **WELLA BALSAM** de acondicionador para cabellos secos,
castigados o teñidos, 500 mL, más champú, 200 mL,

Set **MITO:**
Eau de toilette con vaporizador, 100 mL, gel de ducha, 200 mL, after shave balsámico
100 mL, desodorante spray natural, 100 mL. Con obsequio de una bolsa fin de semana

5.750

palmente con la rese-
quedad, ya que está
hecho a base de
crema de cacao, un
excelente humectante

EJERCICIO 5 — Anuncios comerciales

Complete the dialogues.

▶ Luis Fernández García y sus amigos escuchan unos anuncios en la radio. Completa los diálogos con la forma correcta del verbo.

1. AMIGO: ¿Qué desodorante usa tu esposo?
   AMIGA: Le gusta (ponerte / ponerse) desodorante Fragante.
   AMIGO: ¡Fragante, el desodorante que ofrece gran fragancia y protección!

2. MARÍA: Rosa, a veces tú te pintas las uñas, ¿verdad?
   ROSA: Sí, María, de vez en cuando me gusta (pintarte / pintarme) las uñas con esmalte Rosamunda. ¡El esmalte de todas las jovencitas!

3. TOMÁS: Yo siempre me lavo el pelo con jabón.
   AMIGO: ¡Qué horror! ¿Cómo puedes (lavarnos / lavarte) el pelo con jabón? Yo prefiero (lavarse / lavarme) el pelo con Superlimpio, ¡el champú de los atletas!

4. CARLOS: En mi casa nos gusta (cepillarnos / cepillarse) los dientes con la pasta de dientes Sonrisa.
   AMIGA: ¡Qué coincidencia! A mis padres también les gusta (cepillarme / cepillarse) los dientes con Sonrisa, ¡la pasta de dientes para toda la familia!

5. AMANDA: Siempre me baño con jabón Limpiatodo.
   AMIGA: ¡Ay, Amanda, el jabón Limpiatodo no limpia nada! Tienes que (bañarse / bañarte) con el jabón Frescura, ¡el jabón preferido de todas las mujeres!

VOCABULARIO PALABRAS NUEVAS

La salud
la cortada
el/la médico
tener...
   catarro
   dolor
      de cabeza
      de garganta
   fiebre
   tos

Palabras de repaso: hacer ejercicio, practicar un deporte

Los remedios
la curita
el jarabe para la tos
la pastilla

Palabras semejantes: **el antibiótico, la vitamina**

Palabra de repaso: la aspirina

Los sustantivos
el alimento
la comida rápida
el consejo
el dedo
el dulce

la grasa
la miel
la siesta
el síntoma
el té

Palabras semejantes: **la caloría, la dieta, el estereotipo, los hábitos**

Palabras de repaso: la fruta, la hamburguesa, el hombre, la mujer, el niño/la niña, las papas fritas, el pastel, las verduras

Los verbos
creer
cuidar (de la salud)
curarse
dormir (ue)
   duermo / duermes
evitar
pensar (ie)
   pienso / piensas
poder (ue)
   puedo / puedes
ponerse en forma
prestar atención
quedarse

recomendar (ie)
   recomiendo / recomiendas
tomar el sol

Palabras de repaso:
acostarse (ue), comer, descansar, detestar, escuchar, hablar, ponerse, preferir (ie), tomar

Los adjetivos
contagioso/a
saludable

Palabra de repaso: enfermo/a

Los pronombres reflexivos
nos
se

Palabras útiles
aun
¡Caray!
Depende.
diariamente
Es absurdo.
(No) Tiene sentido.
Vamos a ver...

3 LA FAMILIA Y LAS EMOCIONES

«¡Qué bueno! Otra carta de Ernesto», exclama Felipe Iglesias. «Por fin llegan las últimas noticias de la Escuela Central.»

Sevilla, España.

MARÍA LUISA:	María José, ¿por qué estás tan triste?
MARÍA JOSÉ:	Porque mañana tengo un examen de historia dificilísimo y no entiendo nada.
MARÍA LUISA:	Bueno, yo te ayudo a repasar para el examen. ¿Está bien?

Ciudad de México, México.

«Mis hermanos Alejandro y Antonio son divertidos pero un poco traviesos», dice Alicia Vargas Dols. «A ver, chicos, cálmense. ¡Ya es hora de hacer la tarea!»

Madrid, España.

Hablan don Pancho y doña Matilde,
los abuelos de Luis Fernández...

«Cuando **nuestro nieto**
está enfermo, **nos
sentimos** preocupados.»

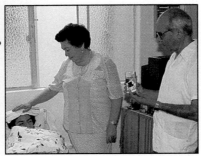

«Si **nuestra** hija
está contenta,
nuestros nietos
también están
contentos.»

Hablan los padres
de Luis...

«**Cada vez** que
nuestra hija **viaja, nos
sentimos** un poco
nerviosos.»

Ahora habla Luis...

«Mi hermano y yo **nos
llevamos muy bien**. Él
siempre sabe cuando
estoy **deprimido**.»

¡Y ahora habla
toda la familia... !

«Cuando estamos
todos juntos, ¡**nos
divertimos**
mucho!»

Y TÚ, ¿QUÉ DICES?

Conexión gramatical
Estudia las páginas 373–377
en **¿Por qué lo decimos así?**

ACTIVIDADES ORALES Y LECTURAS

1 • OPCIONES ¿Qué tipo de persona eres?

▶ Di **sí** o **no,** según tu experiencia. Luego comparte tus respuestas con tus compañeros.

Pick the one for you.

1. Cuando hago cosas con mi familia...
   a. me divierto mucho.
   b. me siento feliz.
   c. me siento cansado/a.
   d. me siento aburrido/a.
   e. ¿ ?

2. Cuando mis amigos no recuerdan mi cumpleaños...
   a. me siento triste.
   b. estoy de buen humor.
   c. me siento deprimido/a.
   d. estoy de mal humor.
   e. ¿ ?

3. Cuando tengo un problema...
   a. prefiero estar solo/a.
   b. hablo con mi consejero/a.
   c. me divierto con mis amigos.
   d. lloro en mi cuarto.
   e. ¿ ?

4. Antes de un examen...
   a. me siento un poco nervioso/a.
   b. tengo miedo.
   c. tengo dolor de estómago.
   d. me como las uñas.
   e. ¿ ?

5. Cuando saco buenas notas...
   a. me siento orgulloso/a.
   b. estoy súper contento/a.
   c. estoy de muy buen humor.
   d. lloro.
   e. ¿ ?

¡A charlar!

▶ Remember the verb **tener**? You learned to use it in expressions such as **tengo hambre** (*I'm hungry*) or **tengo sed** (*I'm thirsty*). Here are two new expressions with **tener** to help you express how you feel at certain times.

tener sueño
to be sleepy

tener miedo
to be afraid

How do you react when you feel this way?

▶ ¿Cómo reaccionas cuando te sientes así? Contesta las preguntas de tu compañero/a. Usa palabras de la lista o inventa otras respuestas.

> MODELO: estás enojado/a →
>
> COMPAÑERO/A: ¿Qué haces cuando *estás enojado/a*?
> TÚ: Cuando *estoy enojado/a, me quedo en mi cuarto y no hablo con nadie.*

Estados de ánimo

1. te sientes deprimido/a
2. estás de mal humor
3. estás un poco confundido/a
4. te sientes triste
5. tienes sueño
6. estás aburrido/a

Reacciones

no hablo con nadie
escucho música
hablo con un amigo o una
  amiga
me quedo en mi cuarto
voy de compras
salgo a pasear
leo las tiras cómicas
me acuesto temprano
como algo dulce
¿ ?

Y AHORA, ¡CON TU PROFESOR(A)! 〰〰〰〰〰〰〰〰

Interview your teacher.

▶ Hazle las siguientes preguntas a tu profesor(a).

¿Qué hace usted cuando está de buen humor? ¿y cuando está de mal humor?

Estos señores juegan al dominó en un parque de San Juan, Puerto Rico.

▶ Busca las definiciones para los parientes de doña Matilde, la abuela de Luis Fernández.

Find the correct definition.

1. mi cuñada
2. mi sobrino
3. mis nietos
4. mi cuñado
5. mis sobrinas
6. mi nieta

a. los hijos de mi hija
b. la esposa de mi hermano
c. el hijo de mi hermana
d. la hija de mi hija
e. el esposo de mi hermana
f. las hijas de mi hermano

¡A charlar!

▶ Here are more Spanish words for naming family members.

el sobrino
nephew
la sobrina
niece
el cuñado
brother-in-law
la cuñada
sister-in-law
el nieto
grandson
la nieta
granddaughter
los nietos
grandchildren

To say whether a relative is living or has died, use these expressions.

—**¿Tus abuelos están vivos?**
—*Are your grandparents still living?*
—**Mi abuela sí, pero mi abuelo (ya) murió.**
—*My grandmother, yes, but my grandfather is (already) dead.*

Y AHORA, ¿QUÉ DICES TÚ?

1. En tu opinión, ¿cómo es el padre ideal? ¿la madre ideal?

2. ¿Quién es tu pariente favorito? ¿Cómo es esa persona?

3. ¿Con qué parientes te llevas bien?

Complete the sentences.

▶ Completa las oraciones según la información del anuncio.

Me gusta vivir la vida llena de música. Me dicen que es porque soy joven, pero si vieran a mi abuela... Todo el tiempo oigo música y según el ánimo en que esté, siempre hay una canción que me va. Por eso escucho KQ-105, porque se parece a mí.

KQ 105 FM
La Primera

1. El anuncio es de...
   a. una tienda de discos.
   b. una estación de radio.
   c. un concierto de música clásica.

2. La persona que ves en el anuncio es...
   a. una chica que está de muy buen humor.
   b. una abuela que se siente cansada.
   c. una joven que está enojada.

3. Esta persona prefiere KQ-105 porque ofrecen...
   a. muchas canciones que le gustan.
   b. anuncios comerciales muy divertidos.
   c. comentarios de béisbol.

Y AHORA, ¿QUÉ DICES TÚ?

1. ¿Qué estación de radio te gusta escuchar? ¿Por qué?

2. ¿Qué tipo de música te gusta escuchar en la radio?

3. ¿Qué tipo de música recomiendas para un amigo o una amiga que se siente un poco triste?

▶ Hazle estas preguntas a tu compañero/a.

Interview your classmate.

Mis emociones

1. ¿Cómo te sientes antes de un examen? ¿y cuando hablas con una chica o un chico a quien admiras mucho?

2. ¿Cambias mucho de humor durante el día? ¿A qué hora del día estás más contento/a? ¿menos contento/a? ¿Por qué?

Mi familia

3. ¿Tienes una familia grande? ¿Hacen ustedes actividades juntos? ¿Cuándo? ¿Te llevas bien con tus padres? ¿y con otros miembros de la familia? ¿Qué hacen ustedes para divertirse?

4. ¿Están vivos todos tus abuelos? ¿Cuántos años tienen? ¿Ves a tus abuelos a menudo? ¿Te llevas bien con ellos? ¿Qué te gusta hacer con ellos?

5. ¿Se preocupan mucho tus padres por ti? ¿En qué circunstancias?

Mariana Peña con su familia en San Juan, Puerto Rico.

SORPRESA CULTURAL

¿SON FRÍOS LOS NORTEAMERICANOS?

One day after school, Juana, Víctor, and Felicia chat with Mr. Álvarez about the **sorpresas culturales** discussions in their Spanish class. He tells them a story about a student in his ESL class who recently moved from El Salvador and about the student's first impression of people in the United States.

[a]se... *stand close to each other*

Why did the new student have the impression that people in the United States are somewhat "cold"?

a. Many people in this country drink iced tea.

b. When people in this country have a conversation, they tend to stand farther apart than people from Spanish-speaking countries.

Of course, (b) is correct. The man from El Salvador did not yet know many people in this country. Being new to this culture, he was finding that figuring out the meaning of gestures and body language could be as confusing as learning the new language. In general, Salvadorans, like people from other Spanish-speaking countries, stand closer to each other when talking together than do most people in this country.

Thinking About *Culture*

▶ The next time you have a conversation with a friend, notice how close you stand as you talk to each other. During the conversation, slowly move closer to your friend, until you stand about a foot apart. Notice how your friend reacts.

¡TE INVITAMOS A LEER!

LAS FAMILIAS HISPANAS

PERO ANTES... ¿Tienes una familia grande o pequeña? ¿Te llevas bien con tus padres? ¿Hablas de tus problemas con un miembro de tu familia o prefieres hablar con un amigo o una amiga?

Find out what the pen pals have to say about their families.

Esto es lo que dicen nuestros amigos por correspondencia de sus familias.

Luis Fernández: «Mi familia es grande y muy unida, y está muy orgullosa de mí.»

Marisa Bolini: «Mi familia es lo más importante para mí. Siempre sabe cuando estoy triste o contenta. En mi corazón,° ellos siempre están primero.»

heart

Humberto Figueroa: «Me siento muy cerca de mi familia. Yo paso muchos fines de semana con ellos. A veces vamos a comer a un restaurante, y después vamos al cine o al teatro. ¡Y siempre nos divertimos mucho!»

Luis Fernández: «La opinión de un buen amigo es importante, pero más importante es la opinión de mi familia. Ellos me conocen° y se preocupan por mí.»

me... know me

Cuando estos estudiantes hablan de su familia, no hablan sólo de sus padres y hermanos. La familia incluye° también a los abuelos, tíos, primos, sobrinos, cuñados, padrinos° y, muchas veces, hasta a los amigos.

includes
godparents

Marisa Bolini: «Mi casa nunca está vacía.° La puerta siempre está abierta para los amigos. Todos son parte de nuestra familia.»

empty

¿QUÉ IDEAS CAPTASTE? Di si lo que dice cada uno de estos estudiantes es típico de una familia hispana, según la lectura.

MODELO: «Prefiero no salir a comer con mis padres.» →
No es típico.

1. Sara: «Tengo muchos hermanos.»
2. Ricardo: «Me gusta ir al cine con mis padres y mi hermanita.»
3. Alma: «Soy hija única.»
4. Rosalía: «Hablo de mis problemas con mi mamá.»
5. Leo: «Mi papá es mi mejor amigo.»
6. Lilia: «Me gusta salir con mis amigos, sin mi mamá.»
7. Martín: «Mi tía vive en mi casa con nosotros.»
8. Rogelio: «Mis amigos son como parte de mi familia.»

Un padre con su hijo en Caracas, Venezuela.

Una familia española en Sevilla, España.

GRAMÁTICA

HOW DO YOU FEEL?
Verbs Like *sentirse* (*ie*)

To describe emotional states, some verbs use reflexive pronouns, even though the pronouns don't convey the meaning of *-self*. Two verbs of this type are **sentirse** (*to feel*) and **divertirse** (*to have fun, to have a good time*). They are both stem-changing verbs. (The **e** of the stem changes to **ie** in all but the **nosotros** and **vosotros** forms.) Here are their present-tense forms.

Present Tense of **sentirse** (**ie**)

yo	me siento	nosotros/nosotras	nos sentimos
tú	te sientes	vosotros/vosotras	os sentís
usted	se siente	ustedes	se sienten
él/ella	se siente	ellos/ellas	se sienten

sentirse = to feel

e → ie (except in **nosotros** and **vosotros** forms)

Present Tense of **divertirse** (**ie**)

yo	me divierto	nosotros/nosotras	nos divertimos
tú	te diviertes	vosotros/vosotras	os divertís
usted	se divierte	ustedes	se divierten
él/ella	se divierte	ellos/ellas	se divierten

divertirse = to have fun, to have a good time

—¿**Te diviertes** cuando vas a una fiesta?

—Sí, pero a veces **me siento** un poco nervioso.

—*Do you have fun when you go to a party?*

—*Yes, but sometimes I feel a bit nervous.*

EJERCICIO 1   ¿Cómo te sientes?

Ask your partner how he/she feels.

▶ Pregúntale a tu compañero/a cómo se siente en estas circunstancias. Usa palabras de la lista.

MODELO: antes de un examen →

> TÚ: ¿Cómo te sientes *antes de un examen*?
> COMPAÑERO/A: Me siento *nervioso/a*.

1. antes de un examen
2. cuando tu amigo/a está de mal humor
3. cuando no duermes bien
4. cuando tu hermano/a se pone tu ropa
5. cuando sacas una «A» en español
6. durante una fiesta aburrida
7. después de comer tres hamburguesas
8. cuando tu profesor(a) cancela un examen
9. cuando llega la primavera

triste
enojado/a
contento/a
deprimido/a
preocupado/a
cansado/a
enfermo/a
nervioso/a
¿ ?

EJERCICIO 2   Reacciones típicas

How do these people feel?

▶ ¿Cuál es la reacción típica en estas situaciones? Completa las siguientes oraciones con la forma correcta del verbo **sentirse**. Usa palabras de la lista.

MODELO: Cuando llueve, el vendedor de paraguas... →
Cuando llueve, el vendedor de paraguas *se siente muy contento*.

1. Cuando llueve, el vendedor de paraguas...
2. Cuando mi amigo está enfermo, yo...
3. Cuando tenemos un examen, (nosotros)...
4. Cuando los estudiantes no estudian, la profesora...
5. Cuando no limpio mi cuarto, mi mamá...
6. Cuando no hay más boletos para un concierto, los jóvenes...
7. Cuando sacas una buena nota, tus padres...
8. Cuando mi amigo no recibe cartas de su novia...

de buen / mal humor	desilusionado/a	irritado/a	triste
contento/a	enojado/a	orgulloso/a	¿ ?
deprimido/a	entusiasmado/a	preocupado/a	

ETIQUETA PARA LA DISCOTECA

Si quieres brillar como una super-estrella de la pista, NO cometas estas serias violaciones:

• ¿Esperas que los chicos paguen siempre? No abuses tanto. Si van en grupo, lo normal es que cada uno se encargue de su entrada, y lo que coma o beba.

• Si vas con un amigo, no lo abandones toda la noche. No se trata de que te pases el tiempo pegada a él, pero tampoco te pierdas si aparece "algo mejor" (léase: un ejemplar).

• Cuando un chico que no te gusta te invite a bailar, trátalo con consideración. No te burles ni lo menosprecies. Dile, por ejemplo, que estás esperando por un amigo. De esta forma, cuando te vea bailar con otro, no se sentirá despreciado.

• Vas a divertirte y a pasarla bien, pero esto no es licencia para perder el control y dar tremendo espectáculo (gritos, vulgaridades, etc.).

EJERCICIO 3   Un baile

▶ Hay un baile en la Escuela Central, pero no todos los estudiantes se divierten. Completa el diálogo con la forma apropiada de los verbos **sentirse** y **divertirse**.

Complete the dialogue.

SRTA. GARCÍA:	¿Qué te pasa, Juana? ¿No ____ ____[1] en la fiesta?
JUANA:	No, Srta. García, no ____ ____[2] mucho. ____ ____[3] un poco cansada.
SRTA. GARCÍA:	¡Qué lástima! Y ustedes, chicos, ¿ ____ ____[4]?
PACO:	Esteban y yo ____ ____[5] muchísimo. Hay muchas chicas bonitas para bailar, pero Víctor no ____ ____.[6]
SRTA. GARCÍA:	¿Por qué?
PACO:	Porque él no sabe bailar muy bien y ____ ____[7] un poco nervioso.
SRTA. GARCÍA:	¡Pobrecito! Voy a hablar con él... Víctor, ¿por qué ____ ____[8] tan nervioso?
VÍCTOR:	Es que no sé bailar muy bien.
SRTA. GARCÍA:	¡Qué tontería! ¿Quieres bailar conmigo?
VÍCTOR:	¿Con usted? ¡Ahora ____ ____[9] súper bien!

The Possessive Adjectives *nuestro(s)*, *nuestra(s)*, *su(s)*

¿Recuerdas?

In **Unidad 2** you learned to express personal relationships and possession using the possessive adjectives **mi** (*my*), **tu** (*your*), and **su** (*your/his/her*).

—Luis, ¿cómo se llama **tu** tía?
—*Luis, what's your aunt's name?*

—¿**Mi** tía? Se llama Isabel.
—*My aunt? Her name is Isabel.*

Luis y **su** hermano mayor son buenos amigos.
Luis and his older brother are good friends,

Recall that possessive adjectives in Spanish are plural when the noun that follows is plural.

mis primos
my cousins

tus padres
your parents

sus hermanas
your/his/her sisters

A The possessive pronouns **su** and **sus** also mean *your* (when you address more than one person) or *their*.

> **su/sus** = *your (plural), their*

—Sr. y Sra. Fernández, ¿quiénes son los parientes favoritos de **sus** hijos?
—**Sus** abuelos y **su** tío.

—*Mr. and Mrs. Fernández, who are your children's favorite relatives?*
—*Their grandparents and their uncle.*

B The possessive adjective **nuestro** (*our*) has four forms: **nuestro, nuestra, nuestros, nuestras**. Each form agrees in number and gender with the noun that follows.

> **nuestro/a(s)** = *our*

	SINGULAR	PLURAL
MASCULINE	**nuestro** tío *our uncle*	**nuestros** tíos *our uncles*
FEMININE	**nuestra** tía *our aunt*	**nuestras** tías *our aunts*

Nuestros nietos son inteligentes.
Nuestra sobrina está contenta hoy.

Our grandchildren are intelligent.
Our niece is happy today.

> **Nuestro** agrees in number and gender with the nouns it modifies.

C Here is a summary of all the possessive adjectives you have learned so far.

	SINGULAR	PLURAL
my	**mi** hermano/hermana	**mis** hermanos/hermanas
your (informal)	**tu** hermano/hermana	**tus** hermanos/hermanas
your (polite), *his, her*	**su** hermano/hermana	**sus** hermanos/hermanas
our	**nuestro** hermano **nuestra** hermana	**nuestros** hermanos **nuestras** hermanas
your (plural), *their*	**su** hermano/hermana	**sus** hermanos/hermanas

▶ Arturo, el novio de Mercedes, no conoce bien a los miembros de la familia Fernández. Mercedes y Luis lo ayudan a identificar a varios miembros de la familia. Completa las siguientes oraciones con **nuestro**, **nuestra**, **nuestros** o **nuestras** y el pariente correcto.

Complete the sentences and identify the relatives.

> MODELO: _____ tía Isabel es la hermana de _____ (primo, sobrinas, papá). →
> *Nuestra* tía Isabel es la hermana de *nuestro* papá.

1. _____ tía Isabel es la hermana de _____ (primo, sobrinas, papá).

2. _____ abuelo Pancho es el esposo de _____ (nieta, abuela, primos).

3. _____ primo Benito es el sobrino de _____ (nietos, cuñados, padres).

4. _____ abuelos, Ramón y María, son los padres de _____ (papá, cuñado, hermana).

5. _____ tío Benjamín es el cuñado de _____ (mamá, primas, hijo).

▶ Ahora, Arturo les hace preguntas a Mercedes y a Luis sobre las fotos de su álbum. Completa los diálogos con **nuestro**, **nuestra**, **nuestros**, **nuestras**, **su** o **sus**.

Complete the dialogues.

> ARTURO: ¿Quién es este señor con la barba larga? ¿_____[1] tío?
> MERCEDES: No, _____[2] tío no tiene barba. Es un amigo de _____[3] padre.
> ARTURO: ¿Y esta señora de pelo rubio es _____[4] esposa?
> MERCEDES: Sí. Y los niños que ves delante de ellos son _____[5] hijos.
> LUIS: Pues aquí hay una foto de _____[6] abuelos Ramón y María. Están en _____[7] casa con _____[8] dos gatos, Silvestre y Penélope. ¡Son unos gatos muy divertidos y traviesos!

Raúl Galván con sus tíos y primos en Caracas, Venezuela.

VOCABULARIO PALABRAS NUEVAS

Los estados de ánimo
sentirse (ie) o estar...
  de buen humor
  confundido/a
  deprimido/a
  feliz
  de mal humor
  orgulloso/a
  súper contento/a
  triste

Palabras de repaso: aburrido/a, cansado/a, contento/a, enfermo/a, nervioso/a, preocupado/a

¡A charlar!
tener miedo
tener sueño

La familia
el cuñado / la cuñada
el hijito / la hijita
el nieto / la nieta
los nietos
el sobrino / la sobrina

está vivo/a
(ya) murió

Palabras de repaso: el abuelo/la abuela, el hermano/la hermana, el hijo/la hija, la madre/el padre, el pariente/la pariente, el primo / la prima, el tío/la tía

Los sustantivos
la canción
la circunstancia
la estación de radio

Palabras semejantes: **el comentario, la emoción**

Palabras de repaso: el amigo/la amiga, el concierto, el consejero/la consejera, el cuarto, el cumpleaños, el chico/la chica, el examen, el/la joven, la nota, la tienda (de discos), la tira cómica

Los verbos
cambiar
comerse (las uñas)
divertirse (ie)
  me divierto / te diviertes

llevarse (bien / mal)
llorar
preocuparse
reaccionar
recomendar (ie)
  recomiendo / recomiendas
recordar (ue)
  recuerdo / recuerdas
sentirse (ie)
  me siento / te sientes
viajar

Palabra semejante: **admirar**

Palabras de repaso: acostarse (ue), comer, escuchar, ir de compras, leer, quedarse, sacar, salir

Los adjetivos posesivos
nuestro/a
nuestros/as
su(s)

Palabras útiles
cada vez
tener dolor de estómago

SITUACIONES

Tú

You're babysitting a six-year-old boy while his parents are at work, and you're worried because the boy is not feeling well. Call the parents, describe the symptoms, and ask them what you have to do.

Hint: Before you do this activity, write down the symptoms so you can describe them to the parents.

Compañero/a

Your babysitter phones to say that your six-year-old son isn't feeling well. Find out what the symptoms are so you can tell the sitter what to do. You may decide you need to go home.

Hint: Before you do the activity, make a list of questions about how your child is feeling. Here are a few questions you might ask: What are the symptoms? Does he want to play today? Can he eat his meals? Is he crying?

Conversation Tip

When you need to ask for advice, it's important to stick to the facts and explain the circumstances very clearly. Here are some expressions that can help you do so.

¿Qué debo hacer?
¿Qué sugiere (sugieres)?
¿Qué le (te) parece?

When others ask you for advice, remember to use information questions like **¿quién?**, **¿qué?**, **¿dónde?**, and **¿cuándo?** to get all the facts. As you give advice, keep in mind expressions such as:

Puede (Puedes)...
Necesita (Necesitas)...
Tiene (Tienes) que...

¡TE INVITAMOS A ESCRIBIR!

LA RUTINA DIARIA DE LIDIA Y DE LEDA

Lidia y Leda tienen personalidades muy diferentes. Mira los dibujos de las dos muchachas. ¿Cómo son? ¿Cuáles son las diferencias entre ellas? ¿Puedes imaginar su rutina diaria?

Lidia   Leda

Primero, haz una lista...
de todas las actividades que sugieren los dibujos.

Make a list of everything you want to say.

Luego, organiza la información...
con un mapa semántico.

Organize your information.

Después, escoge...
un mínimo de tres actividades del mapa semántico para cada muchacha.

Por último, escribe una narración...

Write a narration.

describiendo la rutina de cada muchacha. Piensa en las diferencias entre ellas.

> Lidia se levanta temprano todos los días, pero Leda siempre se levanta tarde.

Si quieres, puedes hacer un dibujo para ilustrar la narración.

VOCABULARIO ÚTIL	
todos los días	pero
siempre	sin embargo
nunca	

Y AHORA, ¿QUÉ DECIMOS?

Paso 1. Mira otra vez las fotos en las páginas 326–327. Ahora ya puedes describirlas mejor, ¿verdad? Pues vamos a ver...

- ¿Qué hace la muchacha en la foto número 1? ¿Crees que es parte de su rutina diaria? ¿Qué joyas lleva ella hoy? ¿Se pinta las uñas?

- ¿Dónde está el muchacho de la foto número 2? Y tú, ¿qué haces para estar en forma? ¿Cómo te sientes después de hacer ejercicio?

- ¿En qué cuarto de la casa está la familia de la foto número 3? ¿Cómo se sienten ellos?

Paso 2. Piensa en tus rutinas para levantarte, acostarte, prepararte para una fiesta o para jugar a un deporte. ¿Qué haces primero, luego y después? Describe una de estas rutinas a tu compañero/a. Él o ella tiene que adivinar para qué te preparas.

FIESTAS Y CELEBRACIONES

¿QUÉ PODEMOS DECIR?

¿Qué fotos asocias con las siguientes descripciones?

- En España, a muchas personas les gusta participar en festivales tradicionales.

- A muchos jóvenes en el mundo hispano les gusta celebrar su cumpleaños con su familia.

- A estas personas les gusta comer en un restaurante.

Y ahora, ¿qué más puedes decir de estas fotos? ¿Quiénes son las personas en las fotos? ¿Dónde están? ¿Cómo se sienten? Y a ti, ¿te gusta hacer las mismas cosas?

Sevilla, España.

2

Ciudad de México, México.

382

LECCIÓN 1

VAMOS A UNA FIESTA
In this lesson you will:

■ **talk about family celebrations**

■ **talk about people you know**

LECCIÓN 2

VAMOS A COMER
In this lesson you will:

■ **talk about foods in the Spanish-speaking world**

■ **learn how to order a meal in Spanish**

LECCIÓN 3

LOS DÍAS FERIADOS
In this lesson you will:

■ **talk about holidays and other celebrations in the Spanish-speaking world**

■ **tell where you and others went to celebrate holidays**

Ciudad de México, México.

LECCIÓN 1
VAMOS A UNA FIESTA

«Ésta es mi prima Trinidad», dice Alicia Vargas Dols. «Toda la familia está en la iglesia para su primera comunión. La fotógrafa soy yo, por supuesto.»

Madrid, España.

Hoy es un día muy especial para María Luisa. Va a cumplir quince años. ¡Feliz cumpleaños, María Luisa!

Ciudad de México, México.

Lima, Perú.

«Yo quiero mucho a mis abuelitos, Ramón y Eugenia. ¡Nos llevamos requetebién!», dice Marta Cisneros. «Aquí estamos todos en casa, para celebrar su aniversario de bodas.»

Alicia y su familia asisten **al bautismo** de su primo.

La madrina **lo lleva en brazos**.
El padrino **lo besa**.

Humberto asiste a **la boda** de su tía Silvana.

Humberto saca fotos de **los invitados**.　Los padres **abrazan** a la novia.

La fiesta de quince años de María Luisa Torres

María Luisa **cumple** 15 años hoy. Sus parientes y amigos la **felicitan**.

Cuando los novios bailan **el vals**, todos **los** miran.

El aniversario de bodas de los Cisneros

Marta Cisneros **quiere** mucho a sus abuelos. Hoy ellos celebran sus **bodas de oro**. ¡Cincuenta años de **casados**! Toda la gente del vecindario **los conoce** y asiste a la fiesta.

Y TÚ, ¿QUÉ DICES?

Conexión gramatical
Estudia las páginas 394–398
en **¿Por qué lo decimos así?**

ACTIVIDADES ORALES Y LECTURAS

1 • OPCIONES   **Una prueba: Los modales y las fiestas**

What do you usually do?

▶ Cuando alguien te invita a una fiesta, ¿tienes buenos modales? Contesta las siguientes preguntas para saberlo.

1. Cuando recibes una invitación a una fiesta, ¿cuándo la contestas?
   a. Inmediatamente.
   b. Después de una semana.
   c. Casi nunca la contesto.

2. Estás en una fiesta y un amigo quiere presentarte a un invitado. ¿Qué dices?
   a. «¡Me gustaría conocerlo! ¿Cómo se llama?»
   b. «Estoy un poco nervioso/a, pero de todos modos, me gustaría conocerlo.»
   c. «No lo conozco y ¡no quiero conocerlo!»

3. Llegas a una fiesta y ves que hay mucha comida. También hay muchos invitados. ¿Qué haces?
   a. Como solamente un poco de todo.
   b. Busco la comida que más me gusta y la como.
   c. Grito «Tengo un hambre feroz», devoro toda la comida y no dejo nada para los otros invitados.

4. Un amigo te invita al aniversario de bodas de sus abuelos. Tú no los conoces. Cuando llegas a la fiesta, ¿qué haces?
   a. Saludo a los abuelos y los felicito.
   b. Busco a otros amigos y voy con ellos a felicitar a los abuelos.
   c. Me escondo en un rincón y no saludo a nadie.

5. Vas a la fiesta de una amiga y te diviertes mucho, pero después de la fiesta, ¡la casa es un desastre! Al día siguiente, ¿qué haces?
   a. Voy a la casa de mi amiga y la ayudo a limpiar.
   b. Mando una tarjeta y la felicito por el éxito de la fiesta.
   c. No hago nada.

Ahora suma los puntos para saber los resultados.

PUNTOS: $a = 2$ RESULTADOS: **8–10 puntos** — ¡Felicitaciones! Eres el invitado
$b = 1$ perfecto / la invitada perfecta. Todo el mundo te invita a fiestas,
$c = 0$ ¿verdad? **4–7 puntos** — Tu comportamiento es correcto. Sabes
disfrutar de las reuniones sociales sin olvidarte de la cortesía.
0–3 puntos — ¡Qué barbaridad! Debes mejorar tus modales; si
no, tus amigos no te van a invitar más a sus fiestas.

Las actividades y las celebraciones

Guess the celebration.

▶ Túrnate con tu compañero/a para adivinar la fiesta o celebración que asocian con cada actividad. **¡OJO!** Hay varias respuestas posibles.

MODELO: *Los novios bailan.* →

TÚ: Los novios bailan.
COMPAÑERO/A: Es *una boda*.

Compañero/a 1

1. Un niño sopla las velitas.

2. Una pareja celebra 40 años de casados.

3. Los músicos tocan y los invitados bailan.

4. Los padrinos besan al bebé.

5. Un fotógrafo saca fotos de la familia.

a. una fiesta sorpresa
b. una fiesta de Barmitzva
c. una boda
d. un aniversario de bodas
e. un bautismo
f. una fiesta de cumpleaños
g. una fiesta de fin de año escolar
h. una fiesta de quince años
i. ¿?

Compañero/a 2

1. Una amiga decora tu lóquer con globos y serpentinas.

2. Un cura felicita a los novios.

3. Una quinceañera abre los regalos.

4. Los estudiantes ponen música y bailan.

5. Los padres abrazan a su hijo que cumple 13 años.

3 • DIÁLOGO   Planes para una fiesta sorpresa

▶ Humberto hace planes para una fiesta sorpresa para el cumpleaños de Carolina. Habla por teléfono con Mariana Peña.

MARIANA: ¿Vas a invitar a Mario a la fiesta de Carolina?
HUMBERTO: ¿Mario? No lo conozco. ¿Quién es?
MARIANA: El vecino de Carolina. Es un chico muy chistoso.
HUMBERTO: Bueno, si es divertido, me gustaría conocerlo.

Y AHORA, PRACTICA CON TU COMPAÑERO/A 〜〜〜〜〜〜〜

TÚ: ¿A quién te gustaría invitar a tu próxima fiesta?
COMPAÑERO/A: Me gustaría invitar a _____.

TÚ: Ah, yo _____ conozco. ¡Qué buena idea!
(No _____ conozco. ¿Quién es?)

4 • CONVERSACIÓN   Entrevista: La fiesta ideal

▶ Conversa con tu compañero/a sobre la fiesta ideal. Piensen en los «ingredientes» para tener éxito en una fiesta y ¡hagan planes!

Talk about the ideal party.

MODELO: ¿Cuál es el mejor día para una fiesta? →

TÚ: ¿Cuál es el mejor día para una fiesta?
COMPAÑERO/A: El sábado.
TÚ: ¿Por qué?
COMPAÑERO/A: Porque no hay clases el domingo.
(Porque no tengo que levantarme temprano.)

1. ¿Cuál es el mejor día para una fiesta?
   a. el viernes   b. el sábado   c. ¿ ?

2. ¿Cuál es la hora más apropiada?
   a. a las seis   b. después de las diez   c. ¿ ?

3. ¿A cuántos invitados vas a invitar?
   a. menos de diez   b. más de diez   c. ¿ ?

4. ¿Qué comida vas a preparar?
   a. pastel y dulces   b. comida mexicana   c. ¿ ?

5. ¿Qué música vas a poner?
   a. rock   b. rap   c. ¿ ?

Describe Carolina's party.

▶ Describe la fiesta de Carolina Márquez.

Y AHORA, ¡CON TU PROFESOR(A)!

1. Normalmente, ¿le gusta ir a fiestas? ¿Prefiere dar una fiesta en su casa o ir a las fiestas de otros?

2. Cuando da una fiesta, ¿invita a muchas personas? ¿Cómo decide a quién va a invitar?

SORPRESA CULTURAL

¿QUIÉN TIENE BUENOS MODALES EN LA MESA?

It is now Chela and Felicia's turn to talk about cultural differences. One Saturday at the mall, they were watching a group of people having lunch in a restaurant. The people were speaking Spanish, and from their accent, Chela thought they were probably Cuban.

I THINK THEY'RE FROM CUBA. DO YOU NOTICE A DIFFERENCE IN THE WAY THEY EAT?

LET'S SEE... OF COURSE, CHELA. IT'S SO OBVIOUS.

Do you see what Felicia sees? Here are the differences in table manners that she noticed between the group of Cubans and the other people sitting in the restaurant.

a. Hispanics are usually silent at mealtimes, but most people in the United States talk during meals.

b. Hispanics usually rest both arms on the table while they eat, but most people in the United States tend to keep one hand below the table.

Thinking About
Culture

▶ In what hand do you hold your knife and fork when you eat meat? In other parts of the world, what utensils besides forks, knives, and spoons do people use for eating?

SKIM TO "GET THE GIST"

Skimming is a skill you probably have already developed in English. It is what you do to get a general idea of the day's news—or when you have only 10 minutes left before the chapter test in history and you haven't read the chapter! You sweep your eyes quickly over each page, noticing words and phrases and getting the main ideas as you go.

When you glance over a reading in Spanish, you will notice cognates, familiar words, and key phrases that will give you a general idea of what to expect when you begin to read the piece more carefully.

Skim quickly through the reading that follows and find the words or phrases that identify the main topic of each paragraph.

¡TE INVITAMOS A LEER!

LA FIESTA DE LOS QUINCE AÑOS

Find out about a very special birthday party.

PERO ANTES... ¿Cómo te gusta celebrar tu cumpleaños? ¿Qué cumpleaños es importante en los Estados Unidos?

La fiesta de los quince años es una celebración muy importante en Hispanoamérica. Para una joven, cumplir quince años representa que ya no es niña, sino° señorita. Esta ocasión se celebra tradicionalmente con una gran fiesta en la casa de la quinceañera o en un salón. Se les mandan invitaciones a los parientes, a los amigos y a los compañeros de la escuela.

but rather

En México, la quinceañera llega a la fiesta acompañada de un cortejo de° 14 amigas. Cada una de ellas representa un año de su vida. La quinceañera lleva un vestido blanco, muy bonito y elegante. Las 14 amigas llevan vestidos de otro color. A veces, las acompañan 14 muchachos o chambelanes° que llevan traje del mismo color.

acompañada... escorted by

escorts

El momento clave° de la fiesta es cuando el padre de la quinceañera la presenta en sociedad. Los invitados forman un

más importante

círculo y la quinceañera baila el vals con su padre primero y luego con su padrino. Después bailan las 14 muchachas con sus parejas y el resto de los invitados.

Hay también una gran variedad de comida y bebida y, por supuesto, un pastel de cumpleaños apropiado para la ocasión. Después de soplar las velitas, la quinceañera y sus amigos bailan hasta muy tarde y se divierten muchísimo al ritmo del rock, rap y ¡hasta de canciones tradicionales como el bolero!

¿QUÉ IDEAS CAPTASTE? Escoge la categoría correcta para cada descripción de la lista. **¡OJO!** A veces hay más de una categoría correcta.

Find the logical category.

MODELO: bailar con su padre → actividades de la quinceañera

Descripciones

a. bailar con su padre
b. los parientes
c. acompañar a la quinceañera
d. llevar un vestido blanco
e. los amigos
f. soplar las velitas
g. bailar
h. formar un círculo
i. los compañeros
j. el padrino

Categorías

1. los invitados
2. actividades de la quinceañera
3. actividades de los invitados

PRONUNCIACIÓN

THE LETTER d

In Spanish, the letter **d** is most often pronounced like *th* in the English *father* (na**d**a, me**d**io, parti**d**o, cómo**d**o, estu**d**ia).

When the **d** follows the letter **n** or **l**, it is similar to a hard *d*, as in the English word *candy* (gran**d**e, an**d**ar, fal**d**a, in**d**epen**d**iente).

At the end of a word, the letter **d** is pronounced very softly or not at all (verda**d**, salu**d**, Madri**d**, uste**d**).

PRÁCTICA Read these two sentences to practice the **d** sounds you have just read about.

David tiene mucha sed, ¿verdad?

chiles picantes

Dos alcaldes°   *mayors*
danzan el
fandango.

¿POR QUÉ LO DECIMOS ASÍ?

GRAMÁTICA

SAYING *HIM*, *HER*, AND *THEM*
Personal Direct Object Pronouns

¿Recuerdas?

▶ In **Unidad 5** you learned the direct object pronouns that refer to things: **lo/la** (*it*), **los/las** (*them*). Remember that these pronouns (1) replace direct object nouns, (2) agree in gender and number with the nouns they replace, and (3) appear immediately before a conjugated verb.

—¿Tienes **el regalo**?
—*Do you have the gift?*
—Sí, **lo** tengo.
—*Yes, I have it.*

—¿Quién escribe **las invitaciones**?
—*Who is writing the invitations?*
—María Luisa **las** escribe.
—*María Luisa is writing them.*

A When pronouns refer to persons, they are called *personal pronouns.*

—¿Ves a **Luis**?   —*Do you see Luis?*
—No, no **lo** veo.   —*No, I don't see him.*

—¿Esperas a **los invitados**?   —*Are you expecting the guests?*
—No, no **los** espero todavía. —*No, I don't expect them yet.*

—¿Quién besa primero a **la quinceañera**?   —*Who kisses the quinceañera first?*
—Su papá **la** besa.   —*Her dad kisses her.*

—¿Quieres a **tus hermanas**?   —*Do you love your sisters?*
—Sí, **las** quiero mucho.   —*Yes, I love them a lot.*

B You are already familiar with the pronouns **me** (*me*), **te** (*you* [informal]), and **nos** (*us*). Here is a list of all the personal direct object pronouns.

> **¡OJO! los** = *them (males, or males + females)*
> **las** = *them (all females)*

PERSONAL DIRECT OBJECT PRONOUNS			
me	*me*	**nos**	*us*
te	*you* (informal)	**os**	*you* (informal plural)
lo	*you* (masculine polite), *him*	**los**	*you, them* (masculine plural)
la	*you* (feminine polite), *her*	**las**	*you, them* (feminine plural)

> Direct object pronouns refer to persons.
> **me** = *me*
> **te** = *you* (*inf.*)
> **lo** = *you* (*masc. pol.*), *him*
> **la** = *you* (*fem. pol.*), *her*
> **nos** = *us*
> **os** = *you* (*inf. pl.*)
> **los** = *you, them* (*masc. pl.*)
> **las** = *you, them* (*fem. pl.*)

—¿**Me** invitas a la fiesta?   —*Are you inviting me to the party?*

—Claro que **te** invito.   —*Of course I'm inviting you.*

—¿**Nos** ayudas a preparar el pastel?   —*Will you help us make the cake?*

—Ahora no. **Los** ayudo más tarde.   —*Not now. I'll help you (all) later.*

C Here are several verbs you know that take a personal direct object pronoun when the action is directed to a person.

abrazar	*to hug*	invitar	*to invite*
ayudar	*to help*	llamar	*to call*
besar	*to kiss*	llevar	*to take* (somewhere);
buscar	*to look for*		*to carry*
comprender	*to understand*	mirar	*to look at; to watch*
conocer	*to know; to meet*	querer	*to love*
	(someone)	saludar	*to greet*
cuidar	*to take care of*	ver	*to see*
escuchar	*to listen to*	visitar	*to visit*
esperar	*to wait for; to expect*		

EJERCICIO 1　　　　**¿Quién invita a quién?**

▶ Cada club de la Escuela Central invita a personas famosas. Con tu compañero/a, pregunta y contesta según el modelo. Usa **lo, la, los** y **las** en las respuestas.

Match the clubs and the guests.

MODELO:　al arquitecto →

　　　　　　　TÚ:　¿Quién invita *al arquitecto*?
　COMPAÑERO/A:　*El club de arte lo* invita.

lo = one male
la = one female
los = all males, or males + females
las = all females

1. al arquitecto
2. a la campeona de tenis
3. a las pianistas
4. a los astrónomos
5. al senador
6. a las actrices

a. el club de deportes
b. el club de arte
c. el club de historia
d. el club de teatro
e. el club de música
f. el club de ciencias

Buenos Aires, Argentina: El club de tenis de un colegio argentino invita a un tenista profesional a dar clases.

EJERCICIO 2 — Relaciones entre amigos

Answer your partner's questions.

▶ Tu compañero/a te pregunta si tus amigos hacen estas cosas. Usa **a veces**, **siempre** o **casi nunca** para contestar.

MODELO: saludar en la escuela →

COMPAÑERO/A: *¿Te saludan en la escuela?*
TÚ: Sí, a veces *me saludan.*
(No, casi nunca *me saludan.*)

1. saludar en la escuela
2. visitar los fines de semana
3. llamar por teléfono por la tarde
4. esperar después de las clases
5. invitar a sus fiestas
6. ayudar con la tarea

EJERCICIO 3 — La telenovela «Los enamorados»

Complete the dialogues.

▶ En este episodio de la telenovela, Amada Santamaría y José Ángel Bueno están muy enamorados. Completa los diálogos con **me, te** o **nos**.

El sábado por la tarde...

me = me
te = you
nos = us

AMADA: Papá, esta noche voy a un baile.
SR. SANTAMARÍA: ¿Y quién _____¹ lleva?
AMADA: José, un chico muy serio e inteligente.
SR. SANTAMARÍA: Está bien, Amada. Pero tu mamá y yo _____² esperamos en casa a las once. Y si hay un problema, _____³ llamas y _____⁴ buscamos con el carro. ¡Si digo a las once es porque _____⁵ quiero!
AMADA (aparte): ¡A las once! ¡Qué anticuado! ¡Y dice que _____⁶ quiere!

El sábado por la noche...

JOSÉ ÁNGEL: Amada, cuando yo _____⁷ miro, me siento muy contento.
AMADA: Ay, mi Ángel, cuando tú _____⁸ miras soy la mujer más feliz del mundo.
JOSÉ ÁNGEL: Querida, ¿ _____⁹ quieres mucho?
AMADA: _____¹⁰ adoro, mi amor. Quiero estar contigo toda la vida, pero... hay un problema.
JOSÉ ÁNGEL: ¿Qué pasa, corazón?
AMADA: Tenemos que regresar a casa. Mis padres _____¹¹ esperan antes de las once. Mi papá es muy anticuado y _____¹² trata como a una niña de cinco años.
JOSÉ ÁNGEL: ¡Ay, pobrecita! Yo _____¹³ llevo a casa ahora mismo.
AMADA: Gracias, mi amor.
JOSÉ ÁNGEL: De nada, corazón.

DO YOU KNOW THEM?
The Verb *conocer*

A The verb **conocer** means *to know* in the sense of being familiar or acquainted with someone. It has regular **-er** verb endings, except for the **yo** form: **conozco**. Here are its present-tense forms.

conocer = to know (a person)
saber = to know (facts/ information)

Present Tense of **conocer**			
SINGULAR		PLURAL	
yo	**conozco**	nosotros/nosotras	conocemos
tú	conoces	vosotros/vosotras	conocéis
usted	conoce	ustedes	conocen
él/ella	conoce	ellos/ellas	conocen

conozco = I know (a person)

In the infinitive form, **conocer** can mean *to meet; to get to know*.

—**Quiero conocer a Eduardo.** —*I want to meet Eduardo*

—Mariana, ¿**conoces** a Gloria? —*Mariana, do you know Gloria?*
—Sí, la **conozco** muy bien. —*Yes, I know her very well.*

B When you speak of knowing a person, use the personal **a**.

—¿**Conocen** ustedes **a** la chica con el pelo castaño? —*Do you (all) know the girl with brown hair?*
—Sí, la **conocemos**. Se llama Gloria Ruiz. —*Yes, we know her. Her name is Gloria Ruiz.*

San Juan, Puerto Rico: Mariana les presenta a Eduardo y a Gloria.

Tell whether you know these people.

▶ Con tu compañero/a, inventa preguntas y respuestas según el modelo. **¡OJO!** Usa **lo, la, los** o **las** en las respuestas.

MODELO: ¿al director / a la directora de la escuela? →

TÚ: ¿Conoces *al director de la escuela*?
COMPAÑERO/A: Sí, *lo* conozco. Es el Sr. (*López*).
(No, no *lo* conozco.)

TÚ: ¿Conoces *a la directora de la escuela*?
COMPAÑERO/A: No, no *la* conozco.

¿Conoces...

a + el = al

1. al director / a la directora de la escuela?

2. al secretario / a la secretaria de la escuela?

3. a la enfermera de la escuela?

4. a todas las profesoras de educación física?

5. a todos los consejeros?

6. al presidente / a la presidenta del club de español?

7. al entrenador / a la entrenadora de fútbol americano?

8. al director / a la directora de la banda?

Complete the sentences.

▶ Primero, completa las oraciones con la forma correcta de **conocer** y la **a** personal. Luego decide si es **cierto** o **falso**.

MODELO: Ana Alicia / Chela → *Ana Alicia* conoce a *Chela*. Es *cierto*.

1. Ana Alicia / Chela

2. los estudiantes de la Srta. García / José Campos

3. yo / Marisa Bolini

4. mis padres / mi mejor amigo/a

5. tú / el director de cine Steven Spielberg

6. mis amigos y yo / los padres de Luis Fernández

7. la Srta. García / Sr. Álvarez

8. los amigos por correspondencia de Puerto Rico / Felipe Iglesias

VOCABULARIO PALABRAS NUEVAS

Fiestas y celebraciones
el aniversario de bodas
el bautismo
la boda
las bodas de oro
las decoraciones
la fiesta de Barmitzva
la fiesta de fin de año (escolar)
la fiesta de quince años
la fiesta sorpresa
el globo
la invitación
el ponche
las serpentinas
las velitas

Palabras de repaso: el
cumpleaños, el pastel, el
regalo, la tarjeta

Actividades relacionadas con las fiestas
abrazar
besar
casarse
conocer
   conozco / conoces
cumplir años
decorar
disfrutar
felicitar
poner música
querer (ie)
   quiero / quieres

recibir
soplar (las velitas)

Palabras de repaso: celebrar,
presentar, saludar

Las personas
el cura
el fotógrafo / la fotógrafa
el invitado / la invitada
la madrina
el músico
el novio / la novia
el padrino
la quinceañera

Palabras de repaso: los
abuelos, el bebé, los padres, los
parientes

Los sustantivos
el comportamiento
el éxito
los modales
el rincón
el vals

Palabra semejante: **la cortesía**

Los verbos
dejar
esconderse
gritar

llevar (en brazos)
mejorar
olvidarse (de)

Palabra semejante: **devorar**

Los adjetivos
casado/a
feroz
satisfecho/a

Palabra semejante: **correcto/a**

Los pronombres
lo/la, los/las
me
nos
te

Palabras útiles
alguien
de todos modos
inmediatamente
me gustaría
mejor
se me olvidó
te gustaría
un poco de todo

Palabras del texto
el punto
el resultado
suma
túrnate

VAMOS A COMER

Buenos Aires, Argentina.

«En este restaurante puedes disfrutar de un típico asado argentino», dice Marisa Bolini. «Mmm, ¡qué sabrosa está la carne!»

Restaurante-Cafetería

El Figón de Benavente

Pza. del Angel, 1 - Tno 531 89 65 - 28012 - MADRID

DESAYUNO 180

CHOCOLATE — 200
y CHURRO o PORRAS
<u>PARA LLEVAR</u>

CHURROS — 15 pts (Unidad)
PORRAS — 20 pts (Unidad)

Madrid, España:
Un menú para el desayuno.

Sevilla, España.

FELIPE: ¡Esta paella está deliciosa hoy!

SRA. IGLESIAS: ¿Cómo que hoy? ¡Mi paella siempre es buena!

FELIPE: Pero mamá, ¡es un chiste! Nadie hace paellas tan sabrosas como tú.

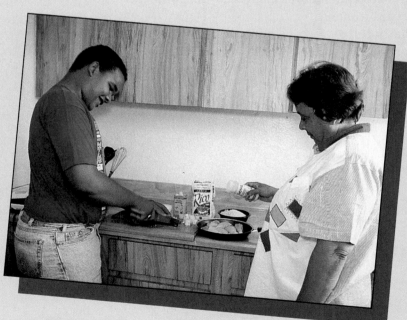

San Juan, Puerto Rico.

Los domingos por la mañana, siempre puedes encontrar a Humberto, el «gran chef», en la cocina. ¿Qué hay para comer hoy? Arroz con pollo y tostones, la comida favorita de toda la familia.

VOCABULARIO

En los Estados Unidos, Esteban cena con su familia en un restaurante mexicano.

- la carne de res
- el arroz con guisantes
- las chuletas de cerdo
- los frijoles
- el bróculi
- la piña
- los plátanos
- las fresas
- el melón
- la sandía
- las habichuelas

ESTEBAN: **¿Sirven enchiladas?**

MESERO: **Por supuesto. Servimos** enchiladas de pollo y de **carne de res.**

ESTEBAN: Entonces quiero una enchilada de pollo, pero no muy **picante**, por favor.

MESERO: ¿Y para tomar?

ESTEBAN: **Una botella** de agua mineral. ¿Puede **traerla** ahora mismo?

MESERO: **En seguida** la traigo.

En España, Alicia y su mamá cenan juntas en un restaurante.

- el café
- el té
- la tortilla
- las espinacas
- el flan
- las uvas
- las salchichas
- los espárragos
- el bistec

ALICIA: ¿Qué verduras sirven hoy?

MESERO: Esta noche servimos **espárragos, espinacas** y **zanahorias.**

ALICIA: Entonces voy a **pedir** espárragos.

Y TÚ, ¿QUÉ DICES?

Conexión gramatical
Estudia las páginas 410–414
en **¿Por qué lo decimos así?**

ACTIVIDADES ORALES Y LECTURAS

1 • OPCIONES   **Los alimentos en casa y en los restaurantes**

Paso 1. ¿Con qué frecuencia desayunas estos alimentos?

How often do you eat the following for breakfast?

	CON MUCHA FRECUENCIA	UNA O DOS VECES A LA SEMANA	CASI NUNCA
1. huevos fritos con tocino	☐	☐	☐
2. panqueques	☐	☐	☐
3. pan tostado con mantequilla	☐	☐	☐
4. café con leche	☐	☐	☐
5. cereal con fruta	☐	☐	☐
6. ¿ ?	☐	☐	☐

Paso 2. Cuando vas a un restaurante, ¿qué plato pides?

What do you order?

	SÍ	NO
1. pollo	☐	☐
2. bistec	☐	☐
3. chuletas de cerdo	☐	☐
4. pescado	☐	☐
5. hamburguesas	☐	☐
6. ¿ ?	☐	☐

¡A charlar!

Here are some ways to say why you like or dislike a particular dish:

Sabe bien / mal.	*It tastes good/bad.*
Está agrio/a.	*It's sour.*
Está salado/a.	*It's salty.*
Está dulce.	*It's sweet.*
Está picante.	*It's spicy.*

Paso 3. ¿Sirven estos postres en tu restaurante favorito?

Do they serve these desserts?

	SÍ	NO	NO SÉ
1. flan	☐	☐	☐
2. helado de fresas o vainilla	☐	☐	☐
3. pastel de manzana	☐	☐	☐
4. frutas frescas, como piña, sandía o uvas	☐	☐	☐
5. ¿ ?	☐	☐	☐

Mis bebidas favoritas

Find out what your partner would prefer.

▶ Pregúntale a tu compañero/a qué bebidas pide en cada situación.

un refresco	una taza de café / té
una taza de chocolate caliente	un vaso de leche / agua fría
un vaso de ponche	una botella de agua mineral

MODELO:

> TÚ: ¿Qué pides cuando *tienes mucho frío*?
>
> COMPAÑERO/A: Normalmente, pido *una taza de chocolate caliente*.

¿Qué pides cuando...

1. desayunas por la mañana?
2. comes algo picante?
3. estás enfermo/a?
4. comes carne muy salada?
5. no puedes dormir?
6. estás en una fiesta?
7. cenas con tu familia en un restaurante?
8. ¿ ?

Busca el error

Find the word or phrase that doesn't belong.

▶ Di qué palabra o frase no pertenece a la lista y explica por qué.

MODELO: el melón, las uvas, la salchicha, el plátano →
La salchicha no pertenece porque *no es una fruta. La salchicha es carne.*

Categorías

1. el bróculi, los espárragos, las espinacas, el helado
2. el café, el té, la sandía, la leche
3. el flan, el helado, el pastel, el jamón
4. las chuletas de cerdo, el bistec, el pollo, el chocolate caliente
5. la piña, el melón, las habichuelas, las toronjas

carne
fruta
verdura
postre
bebida

Busca las diferencias

► Con tu compañero/a, busca las nueve diferencias que hay entre estos dibujos del restaurante Super Joe's. Aquí tienes unas pistas de ayuda.

Find the differences.

PISTAS

1. Miren a las personas que piden la cuenta.

2. Miren a las personas que sirven o preparan la comida.

MODELO: En el dibujo A, Joe prepara las hamburguesas, pero en el dibujo B, Ernesto prepara las hamburguesas.

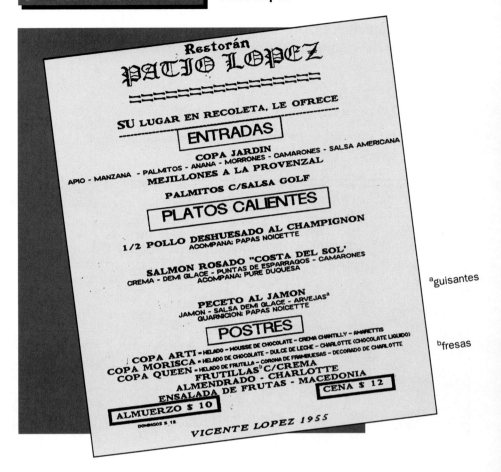

^aguisantes

^bfresas

Say true or false.

▶ Mira el menú del restaurante argentino Patio López, y di si las siguientes oraciones son **ciertas** o **falsas.**

1. Patio López es un restaurante vegetariano.

2. Puedes pedir pollo y pescado como platos calientes.

3. De verduras, Patio López ofrece espárragos y guisantes.

4. De postre, Patio López sirve helados y ensalada de frutas.

5. El almuerzo es más caro que la cena.

Y AHORA, ¿QUÉ DICES TÚ? 〰〰〰〰〰〰〰〰〰〰〰

What would you order at Patio López?

▶ Imagínate que vas a comer en Patio López. Contesta las siguientes preguntas.

1. ¿Qué vas a pedir de entrada?

2. ¿Qué plato caliente prefieres? ¿y qué postre?

Compara tus respuestas con las de tu compañero/a.

VISTAZO CULTURAL

LOS SORBETES DE FRUTA

En los países hispanos hay una abundancia de frutas tropicales. Con
ellas se hacen sorbetes (jugos) de mango, papaya, piña y muchas
otras frutas. Son refrescos deliciosos y naturales.

*Se vende jugo (zumo) de
frutas en Madrid, España...*

*y en Caracas,
Venezuela...*

*y también en la Ciudad
de México, México.*

OTRAS VOCES

PREGUNTAS: «¿Qué te gusta comer? ¿Qué comidas no te gustan?»

Read what foods these Hispanic teens prefer.

María Gabriela Mellace
Tucumán, Argentina

«Me gustan las verduras y las frutas y soy una "adicta" al dulce de leche.° No me gustan las sopas ni los pescados u° otros animales marinos. Un almuerzo ideal para mí consiste en asado criollo,° ensalada y frutillas° como postre. ¡Mmm!...»

dulce... *dessert made from condensed milk*
ni... *neither fish nor*

asado... *barbecue, Argentine style / fresas*

José Alberto Rojas Chacón
Alajuela, Costa Rica

«Me gusta comer filetes de res y de cerdo, patatas,° comida china, pizza, hamburguesas, etcétera. No me gustan las verduras como el ayote° o el arracachá.° Una cena ideal para mí es el arroz con frijolitos, tamales (un platillo típico costarricense), puré de patatas y té frío.»

papas

squash / celery

Y AHORA, ¿QUÉ DICES TÚ?

1. ¿Te gustan algunas de las comidas que ellos mencionan? ¿Cuáles?
2. ¿Cuál es tu almuerzo o cena ideal?

P RONUNCIACIÓN

THE LETTER r WITH CONSONANTS

When the letter **r** precedes or follows any consonant except **n** or **l**, it is pronounced as a single tap. When it follows an **n** or an **l**, it is usually a trilled **r** (several taps).

PRÁCTICA Listen to your teacher, and then pronounce these popular tongue twisters.

Consonant + **r**:

Tres tristes tigres
tragan trigo en tres tristes trastos.
*(Three sad tigers
gulp wheat from three sad bowls.)*

r + consonant:

Compre poca capa° parda porque
el que poca capa parda compra,
poca capa parda paga.

°outer
cigar
leaf

And now try this silly sentence to practice the sound of **l** or **n** + **r**:

¡Honramos a Enrique Conrado alrededor del radio!

*Caracas, Venezuela:
Un restaurante chino.*

Una frutería en Sevilla, España.

¿POR QUÉ LO DECIMOS ASÍ?

ORDERING AND SERVING FOOD
The Verbs *pedir* (*i*) and *servir* (*i*)

To talk about ordering and serving food, use the stem-changing verbs **pedir** (*to order; to ask for*) and **servir** (*to serve*). The **e** of their stems changes to **i** in all the present-tense forms except **nosotros** and **vosotros**.

> **¡OJO!** Pedir = to ask for. The "for" is included in the verb; you don't need to add it in Spanish. **Nunca pide leche.** = He never asks for milk.

> **servir** = to serve

> **e → i** (except in **nosotros** and **vosotros** forms)

Present Tense of **pedir** (i)

yo	pido	nosotros/nosotras	pedimos
tú	pides	vosotros/vosotras	pedís
usted	pide	ustedes	piden
él/ella	pide	ellos/ellas	piden

Present Tense of **servir** (i)

yo	sirvo	nosotros/nosotras	servimos
tú	sirves	vosotros/vosotras	servís
usted	sirve	ustedes	sirven
él/ella	sirve	ellos/ellas	sirven

—¿Qué **pides** en un restaurante mexicano?
—Siempre **pido** tacos de pollo.

—*What do you order in a Mexican restaurant?*
—*I always order chicken tacos.*

—¿Qué platos buenos **sirven** aquí?
—**Sirven** unos sándwiches de jamón deliciosos.

—*What good dishes do they serve here?*
—*They serve delicious ham sandwiches.*

Ciudad de México, México: Un platillo de enchiladas.

Un platillo de tacos en la Ciudad de México, México.

El menú de un restaurante típico en la Ciudad de México, México.

EJERCICIO 1 — Comida mexicana

▶ Imagínate que estás en un restaurante mexicano por primera vez. Pregúntale al mesero o a la mesera si sirven estas comidas.

MODELO: pizza →

TÚ: ¿Sirven *pizza*?
MESERO/A: No, señor(ita). No servimos *pizza*.

1. pizza
2. chile con carne
3. tacos de pollo
4. enchiladas suizas
5. hamburguesas
6. burritos de carne
7. espaguetis
8. tamales
9. salchichas

Ask the waiter or waitress whether these foods are served.

sirven = you (plural) serve
servimos = we serve

Complete the conversation with the appropriate form of **pedir**.

▶ Humberto lleva a sus amigos a un restaurante en el Viejo San Juan. Completa la conversación con **pido, pides, pide, pedimos** o **piden**.

pido = I order
pides = you (informal) order
pide = he/she orders
pedimos = we order
piden = they order

MARIANA:	Ay, no sé qué comer. ¿_____¹ arroz o fritura de pescado?
HUMBERTO:	Aquí yo siempre _____² arroz con pollo. Pero el pescado es muy sabroso también.
MARIANA:	Entonces, voy a pedir fritura de pescado.
EDUARDO:	Bueno, si tú _____³ pescado y Humberto _____⁴ pollo, yo _____⁵ carne asada con papas fritas. ¿Y tú, Carolina?
CAROLINA:	No sé. No tengo mucha hambre. ¿Por qué no _____⁶ ustedes un plato de tostones y lo compartimos?
EDUARDO:	Buena idea. Y de postre, ¿tú y yo _____⁷ pastel y lo compartimos también?
HUMBERTO:	¡Qué chistoso, Eduardo! No, chico, en este restaurante cada uno _____⁸ su propio postre.

Tell what these people are doing.

▶ Imagínate que estás en un restaurante con tu familia. Describe lo que pasa. Usa el verbo **pedir** y palabras de cada columna.

MODELO: Un cliente vegetariano →
            Un cliente vegetariano pide zanahorias y bróculi.

1. un cliente vegetariano
2. dos niños que quieren algo dulce
3. un cliente que está a dieta
4. una joven que quiere carne
5. una señora que quiere pagar
6. yo
7. mamá y yo
8. una familia mexicana

a. más helado
b. enchiladas
c. la cuenta
d. bistec con guisantes
e. una ensalada de lechuga
f. los refrescos
g. zanahorias y bróculi
h. arroz con frijoles
i. ¿ ?

I'M GOING TO DO IT
Direct Object Pronouns with Infinitives

In verb combinations such as **ir a** + an infinitive, the direct object pronoun may come *before the conjugated verb* or it may be *attached to the infinitive*.

—¿Cuándo vas a servir los refrescos?

—When are you going to serve the soft drinks?

—Voy a servir**los** más tarde. (**Los** voy a servir más tarde.)

—I'm going to serve them later.

—¿Vas a servir la fruta ahora?

—Are you going to serve the fruit now?

—Sí, pero primero voy a lavar**la**. (Sí, pero primero **la** voy a lavar.)

—Yes, but first I'm going to rinse it.

—¿Vas a invitar**me**?

—Are you going to invite me?

—Claro que voy a invitar**te**. (Claro que **te** voy a invitar.)

—Of course I'm going to invite you.

Several verb-infinitive combinations you have learned:
ir a + inf. = *to be going to* (*do something*)
poder + inf. = *to be able to* (*do something*)
preferir + inf. = *to prefer to* (*do something*)
querer + inf. = *to want to* (*do something*)
saber + inf. = *to know how to* (*do something*)
tener que + inf. = *to have to* (*do something*)

EJERCICIO 4

¿Qué pueden comer los vegetarianos?

Talk about foods vegetarians may eat.

▶ Con tu compañero/a, decidan si las comidas de la lista forman parte de la dieta vegetariana.

MODELOS: el bistec →

TÚ: ¿Pueden comer *bistec*?
COMPAÑERO/A: No, no pueden comerlo. (No, no *lo* pueden comer.)

la ensalada →

TÚ: ¿Pueden comer *ensalada*?
COMPAÑERO/A: Sí, pueden comerla. (Sí, *la* pueden comer.)

1. el tocino
2. los guisantes
3. la carne asada
4. las chuletas de cerdo
5. las espinacas
6. el jamón
7. los plátanos
8. los frijoles
9. la sandía

¿Recuerdas?

▶ In **Unidad 5**, **Lección 3**, and **Unidad 7**, **Lección 1**, you learned impersonal and personal direct object pronouns. Here is the complete list. (Remember that direct object pronouns come *before* the conjugated verb forms.)

me	*me*
te	*you* (informal)
lo	*you* (masculine polite)
	him, it (masculine singular)
la	*you* (feminine polite)
	her, it (feminine singular)
nos	*us*
os	*you* (informal plural)
los	*you* (masculine plural)
	them (masculine plural)
las	*you* (feminine plural)
	them (feminine plural)

¿Qué van a hacer estas personas?

Use pronouns to tell what people will do with these things.

▶ Con tu compañero/a, pregunta y contesta con una actividad y un pronombre apropiado.

MODELO: la muchacha con los discos compactos →

TÚ: ¿Qué va a hacer *la muchacha con los discos compactos*?
COMPAÑERO/A: Va a *escucharlos.*

1. la muchacha con los discos compactos
2. el joven con la guitarra
3. la niña con las tiras cómicas
4. la profesora con los exámenes
5. el muchacho con el video
6. el estudiante con los apuntes
7. la chica con el refresco
8. el atleta con las pesas

a. tomar...
b. levantar...
c. escuchar...
d. ver...
e. repasar...
f. tocar...
g. corregir...
h. leer...

Dos chicas en Caracas, Venezuela, hacen la tarea.

María Luisa toca la guitarra; Ángela y Luis la escuchan.

VOCABULARIO PALABRAS NUEVAS

Las bebidas
el café
el café con leche
el chocolate caliente
el té

la botella
la taza
el vaso

Palabras de repaso: el agua mineral, el batido, el jugo, la leche, el ponche, el refresco

El postre
el flan

Palabras de repaso: la ensalada de fruta, el helado, el pastel, el yogur

Las frutas
las fresas
el melón
la piña
los plátanos
la sandía
la toronja
las uvas

Palabra de repaso: la manzana

Los vegetales
el bróculi
los espárragos

las espinacas
los frijoles
los guisantes
las habichuelas
la zanahoria

El desayuno
los huevos fritos
el pan tostado
los panqueques
el tocino

Palabras de repaso: el cereal, la mantequilla

La carne
el bistec
la carne de res
la chuleta de cerdo
la salchicha

Palabras de repaso: la hamburguesa, el jamón, el pescado, el pollo

Otros alimentos
la enchilada
la tortilla (*Spain*)

Palabra de repaso: el arroz

¡A charlar!
Sabe bien / mal.

Está agrio/a.
Está dulce.
Está picante.
Está salado/a.

Los sustantivos
la cuenta
el plato

Palabra de repaso: el mesero / la mesera

Los verbos
pedir (i)
    pido/pides
servir (i)
    sirvo/sirves

Palabras de repaso: cenar, desayunar

Palabras útiles
en seguida
por supuesto

Palabra del texto
pertenece

Palabra semejante: **el error**

LECCIÓN 3
LOS DÍAS FERIADOS

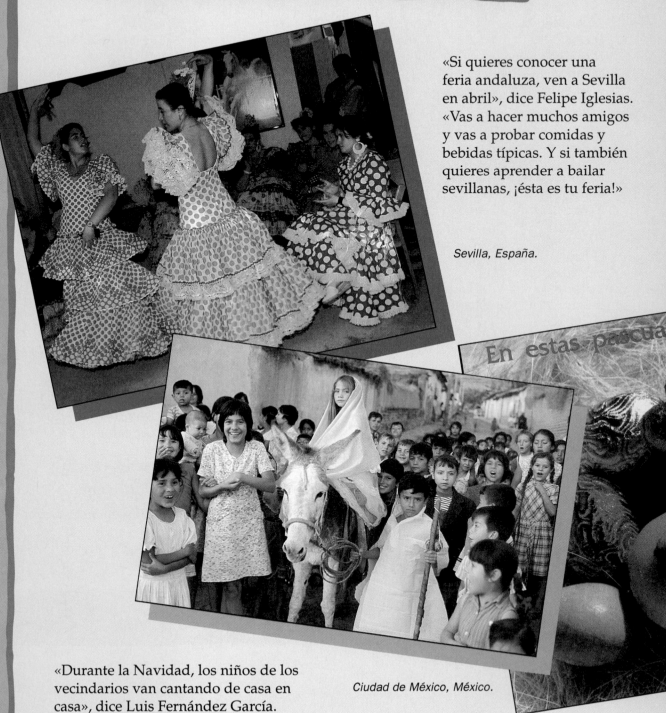

«Si quieres conocer una feria andaluza, ven a Sevilla en abril», dice Felipe Iglesias. «Vas a hacer muchos amigos y vas a probar comidas y bebidas típicas. Y si también quieres aprender a bailar sevillanas, ¡ésta es tu feria!»

Sevilla, España.

En estas pascua

«Durante la Navidad, los niños de los vecindarios van cantando de casa en casa», dice Luis Fernández García. «Todos los invitan a compartir dulces y pasteles típicos de las fiestas navideñas.»

Ciudad de México, México.

Alicia Vargas Dols y su familia siempre celebran el Año Nuevo juntos. Una costumbre típica española es comer doce uvas para saludar el nuevo año.

Madrid, España.

conoce tu ciudad

PARA MI MADRE
En el Día de las Madres

la víspera de Año Nuevo (31 de diciembre) en Buenos Aires

las campanas

los fuegos artificiales

A medianoche las campanas de la iglesia anuncian el comienzo del año nuevo. El señor Bolini le da un beso a su hija y le desea un ¡Feliz Año Nuevo!

el Día de los Enamorados en San Juan

el corazón

el ramo de flores

Eduardo les da flores a sus amigas.

la Semana Santa, las Pascuas en Sevilla

El domingo de Pascuas, Felipe Iglesias fue a misa con su familia.

VOCABULARIO

el Día de la Independencia en la Ciudad de México

El 16 de septiembre, María Luisa Torres y Ángela Robles fueron al Zócalo para ver un desfile.

el Día de los Muertos en la Ciudad de México (2 de noviembre)

el cementerio

la tumba

la calavera

El 2 de noviembre la familia de Luis Fernández les lleva comida y flores a los parientes difuntos.

la Nochebuena y la Navidad en San Juan

Paola y Pedro, los hermanos de Carolina Márquez, le piden un gatito a Papá Noel.

Y TÚ, ¿QUÉ DICES?

Conexión gramatical
Estudia las páginas 425–432
en **¿Por qué lo decimos así?**

ACTIVIDADES ORALES Y LECTURAS

1 • PIÉNSALO TÚ   Asociaciones: Los días feriados

▶ Lee las definiciones y di a qué día feriado se refieren.

Tell what holiday is being described.

1. En este día especial un novio le da a su novia una tarjeta que dice «Te quiero».

2. Este día es para recordar a los parientes difuntos.

3. Durante este día feriado la gente hace picnics en el parque. Hay banderas por todas partes y muchas personas participan en desfiles. Por la noche hay fuegos artificiales.

4. Es una fiesta religiosa que celebra el nacimiento de Jesús. Muchos asisten a misa.

5. A la medianoche, las campanas de la iglesia anuncian el comienzo del primer día del año. Mucha gente lo celebra con fiestas.

6. Durante este día feriado en los Estados Unidos, las familias preparan pavo asado y le dan gracias a Dios por la comida.

a. el Día de los Muertos
b. el Día de Acción de Gracias
c. la Navidad
d. el Día de la Independencia
e. el Día de los Enamorados
f. el Año Nuevo

¡A charlar!

▶ Here are some expressions that people often say to each other on holidays or other special occasions.

¡Feliz cumpleaños!
¡Feliz aniversario!
¡Felicidades! /
   ¡Felicitaciones!
Te quiero.
Gracias por el regalo.
¡Feliz Navidad y
   Próspero Año Nuevo!
¡Felices Pascuas!

Feliz Pascua Florida

Talk about presents for special occasions.

▶ Pregúntale a tu compañero/a qué regalos les da y qué les dice a sus parientes y amigos en estos días especiales.

MODELO:

TÚ: Para *Navidad*, ¿qué le das a *tu mejor amigo/a*?

COMPAÑERO/A: Le doy *libros*.

TÚ: ¿Y qué le dices?

COMPAÑERO/A: Le digo *¡Feliz Navidad!*

Para...

1. Navidad o Jánuca

2. el Día del Padre

3. el Día de la Madre

4. el Día de los Enamorados

5. el cumpleaños de un pariente

6. la graduación de un compañero o de una compañera

Y AHORA, ¡CON TU PROFESOR(A)!

1. ¿En qué ocasiones recibe usted muchos regalos? ¿Quién le trae regalos?

2. ¿En qué ocasiones manda usted tarjetas? ¿A quién le manda usted tarjetas?

3. ¿Cuál es su día feriado favorito? ¿Qué hace usted para celebrarlo? ¿Con quién lo celebra?

¡A charlar!

▶ Here are the names of some U.S. holidays you can talk about in Spanish class. Match the holidays and the descriptions. Give the date for each holiday this year.

1. el Día de los Presidentes

2. el Día del Trabajador

3. el Día de las Brujas

4. el cumpleaños de Martin Luther King, Jr.

5. el Día de los Veteranos

a. Los niños van de puerta en puerta para pedir dulces. Se ponen máscaras y disfraces.

b. En este día de fiesta en septiembre la gente hace picnics.

c. En este día de enero, recordamos el cumpleaños del líder de la lucha por los derechos civiles.

d. En este día de fiesta celebramos los cumpleaños de Lincoln y Washington.

e. Es un día en que recordamos a todos los soldados.

NAVIDAD ES TIEMPO DE PAZ Y CONCORDIA...

... DE BUENA VOLUNTAD CON EL PRÓJIMO...

...DE AMOR ENTRE LOS HOMBRES Y DE BUENOS PROPÓSITOS PARA CON LA FAMILIA...

¿POR QUÉ INSISTES, PUES, EN PREPARARNOS LA COMIDA?

¿Cómo es tu memoria?

Find out where your partner went.

▶ Pregúntale a tu compañero/a adónde fue el año pasado para celebrar estos días especiales.

MODELO: para celebrar tu cumpleaños →

TÚ: ¿Adónde fuiste el año pasado *para celebrar tu cumpleaños*?
COMPAÑERO/A: Fui *a un restaurante*.

TÚ: ¿Con quién fuiste?
COMPAÑERO/A: Fui con *mi familia*.

Compañero/a 1

1. para el domingo de Pascuas
2. para la Navidad o Jánuca
3. para el Día de Acción de Gracias

Compañero/a 2

1. para la víspera de Año Nuevo
2. para el Día de las Brujas
3. para el Día de la Independencia

Lugares

a la playa   a la iglesia
al cementerio   a un parque
a una fiesta   al templo
a un restaurante   a la casa de...
al desfile   ¿ ?

Los días feriados y las actividades

▶ Los estudiantes de la Srta. García hablan de los días feriados.

PACO: Normalmente, ¿qué haces el Día de la Independencia?
FELICIA: Por la mañana, voy al centro y veo el desfile.
PACO: ¿Y por la noche?
FELICIA: Voy al parque para ver los fuegos artificiales.

Y AHORA, PRACTICA CON TU COMPAÑERO/A 〜〜〜〜〜〜〜

TÚ: ¿Qué haces el/la _____?
COMPAÑERO/A: Normalmente, _____ y _____.

TÚ: ¿Con quién _____?
COMPAÑERO/A: Con _____ o, a veces, con _____.

¡TE INVITAMOS A LEER!

LOS DÍAS FERIADOS Y LAS CELEBRACIONES

PERO ANTES… ¿Qué celebraciones te gustan? Ahora vas a aprender cómo se celebran ciertas fiestas en el mundo hispano.

Find out how certain holidays are celebrated in Spain and Latin America.

La víspera de Año Nuevo en Madrid, España.

La familia de Alicia Vargas Dols en Madrid, España, celebra el último día del año con una comida. A medianoche, cuando suenan las 12 campanadas° del reloj de la Puerta del Sol, cada miembro de la familia come 12 uvas, una por cada campanada. Según la tradición, las uvas traen suerte para el año que comienza.

strokes of a bell

La Semana Santa en Guatemala.

En Semana Santa, los estudiantes están de vacaciones para celebrar las Pascuas. En Hispanoamérica y España hay grandes fiestas populares durante esta semana. La celebración de Semana Santa en Sevilla, España, es famosa en todo el mundo.

El 6 de enero es el Día de los Reyes Magos.° Según la tradición, los tres reyes, Gaspar, Melchor y Baltasar, quienes le llevaron° regalos al niño Jesús, regresan todos los años con juguetes para los niños. La noche anterior, antes de acostarse, los niños dejan agua y paja° para los camellos junto a° sus zapatos. Y en la mañana del 6 de enero, encuentran regalos en los zapatos

Día... *Three Kings' Day (Epiphany)*

quienes... *who brought*

straw

junto... *next to*

La víspera del Día de los Reyes Magos en Puerto Rico.

El 2 de noviembre, el Día de los Muertos, es un día feriado bastante importante en Hispanoamérica, y muy especialmente en México. Allí, la gente va a los cementerios. También hace altares en la casa para honrar a sus parientes difuntos°. Los niños comen dulces típicos en forma de esqueletos y de calaveras hechos° especialmente para este día.

para... *to honor their deceased ancestors*

made

Una pastelería en la Ciudad de México, México.

¿QUÉ IDEAS CAPTASTE? Completa las oraciones según la lectura.

1. En España, se celebra el 31 de diciembre con ____
   a. un baile.
   b. una comida con la familia.
   c. una ceremonia religiosa.

2. A medianoche, los miembros de la familia ____
   a. van a dormir.
   b. les dan 12 besos a sus amigos.
   c. comen 12 uvas.

3. Durante la Semana Santa, los estudiantes están ____
   a. en la escuela.
   b. de vacaciones.
   c. en el cementerio.

4. El 6 de enero, ____ les trae(n) regalos a los niños.
   a. los Reyes Magos
   b. los abuelos
   c. Papá Noel

5. Antes de acostarse, los niños dejan ____ para los camellos.
   a. sus calcetines
   b. regalos
   c. agua y paja

6. Durante el Día de los Muertos en México, la gente visita el cementerio para ____
   a. hablar con sus parientes.
   b. comprar flores.
   c. honrar a los difuntos.

RETRATO CULTURAL

JOSÉ GUADALUPE POSADA (1851–1913)

El Día de los Muertos es una celebración muy especial en México. Y
los grabados° del artista mexicano José Guadalupe Posada se asocian
con este día. Las calaveras, muy típicas de esa celebración, aparecen°
con frecuencia en sus 20.000 grabados. El grabado que ves aquí se
llama *Calavera de los ciclistas*. Está en el Museo de Arte Moderno de
Nueva York.

engravings

appear

TELL ME THE TRUTH
Indirect Object Pronouns

> **ORIENTACIÓN**
>
> An *indirect object* tells *to whom* or *for whom* something is done. In the sentence "I'm giving you and your sister a puppy," *sister* is an indirect object noun and *you* is an indirect object pronoun.

A Except for **le** and **les**, indirect object pronouns are the same as direct object pronouns. Here is a list of all the indirect object pronouns.

INDIRECT OBJECT PRONOUNS			
me	(*to/for*) *me*	**nos**	(*to/for*) *us*
te	(*to/for*) *you* (informal)	**os**	(*to/for*) *you* (informal plural)
le	(*to/for*) *you* (polite)	**les**	(*to/for*) *you* (plural)
le	(*to/for*) *him, her*	**les**	(*to/for*) *them*

—¿**Nos** prestas la cámara?
—**Les** presto la cámara si **me** prestan la videocasetera.

—*Will you lend us the camera?*
—*I'll lend you the camera if you lend me the videocassette player.*

Indirect object pronouns are the same as direct object pronouns, except for le and les.
me = (*to/for*) *me*
te = (*to/for*) *you* (*inf.*)
le = (*to/for*) *you* (*pol.*)
le = (*to/for*) *him, her*
nos = (*to/for*) *us*
os = (*to/for*) *you* (*inf. pl.*)
les = (*to/for*) *you* (*pl.*)
les = (*to/for*) *them*

Madrid, España: Alicia le escribe una carta a una amiga.

B Indirect object pronouns accompany or replace indirect object nouns. Note that you always use the indirect object pronoun in Spanish even when the indirect object noun is present.

Remember to use indirect object pronouns even when the indirect object noun is present. **Le doy un regalo a mi mamá.**

—¿**Les** mandas flores **a tus abuelos**?
—Sí, **les** mando flores para su aniversario.

—*Are you sending flowers to your grandparents?*
—*Yes, I'm sending them flowers for their anniversary.*

—¿**Le** escribes muchas cartas **a tu hermana**?
—Sí, **le** escribo todos los días.

—*Do you write many letters to your sister?*
—*Yes, I write her every day.*

C To clarify exactly who is meant by **le** and **les**, you can use the preposition **a** + a name, noun, or pronoun.

Use **a** + name/noun/pronoun to clarify who is meant by **le** and **les**.

—¿**Le** escribes **a Mariana** o **a Humberto**?
—**Le** escribo **a ella**, no **a él**.

—*Are you writing to Mariana or to Humberto?*
—*I'm writing to her, not to him.*

To ask to or for whom something is done, use the questions ¿**A quién le... ?** for one person and ¿**A quiénes les... ?** for more than one.

Use ¿**A quién le... ?** for one person; ¿**A quiénes les...?** for more than one person.

—¿**A quién le** compras un regalo?
—**A ella.**

—*For whom are you buying a present?*
—*For her.*

—¿**A quiénes les** dices secretos?
—**A mis hermanos.**

—*To whom do you tell secrets?*
—*To my brothers.*

D Like direct object pronouns, indirect object pronouns can go before the conjugated verb or they may be attached to an infinitive.

Indirect object pronouns can go before the conjugated verb or may be attached to an infinitive.

Te mando una tarjeta.

I'm sending you a card.

Te voy a mandar una tarjeta. (Voy a mandar**te** una tarjeta.)

I'm going to send you a card.

E Here are several verbs you know that frequently take indirect objects.

comprar	explicar	preguntar
contestar	hablar	presentar
creer	leer	prestar
dar	llevar	regalar
decir	mandar	servir (i)
escribir	pedir (i)	traer

Make up
questions and
answers.

▶ Con tu compañero/a, inventa preguntas y respuestas según el modelo.

MODELO: prestar dinero →

The object
pronoun comes
before the conju-
gated verb;
me = me
te = you (inf.)

TÚ: ¿Quién te *presta dinero*?
COMPAÑERO/A: Mi mamá (Mi amigo/a) me *presta dinero*.

1. prestar dinero
2. comprar ropa nueva
3. presentar a nuevos amigos
4. regalar revistas
5. explicar las lecciones
6. mandar tarjetas de cumpleaños
7. traer dulces
8. escribir cartas

Raúl mira revistas en un quiosco de Caracas, Venezuela.

Dos mujeres jóvenes en una tienda de ropa de Caracas, Venezuela.

Study Hint

▶ Are you having trouble understanding the difference between *direct* and *indirect* objects? That's not unusual. Try looking at it this way: A *direct* object answers the questions "Whom?" or "What?" with respect to the verb. An *indirect* object answers the questions "To whom?" or "For whom?"

In the sentence "My brother tells me jokes," the verb is *tells*. So the answer to "Tells *what*?" is the direct object, *jokes*. The answer to the question "Tells jokes *to whom*?" is the indirect object, *me*.

Sorpresas para todos

▶ María Luisa Torres planea varias sorpresas para su familia y amigos. Di lo que va a hacer para cada uno, según el contexto. Usa **le** o **les**.

MODELO: A mamá le gustan las joyas de plata. →
Voy a *comprarle una pulsera.*

1. A mamá le gustan las joyas de plata.
2. A los abuelos les gusta escuchar música.
3. A papá le gusta sacar fotos.
4. A Pancho y a Luis les gusta comer bien.
5. A mi primo Gregorio le gusta leer poesía.
6. A María José le gusta toda mi ropa.
7. A mis tíos les gusta comer dulces.
8. A Leticia y a Ángela les gusta ver videos.

a. mandar dulces
b. regalar una cámara
c. comprar una pulsera
d. prestar mi chaqueta favorita
e. cantar una canción
f. alquilar una película
g. servir una comida especial
h. escribir un poema

Regalos de Navidad

▶ Juanito Fernández habla de los regalos de Navidad que su familia va a recibir. Completa el párrafo con **me, te, le, nos** o **les**. ¡OJO! Las frases en itálica indican la persona apropiada.

Ya sé cuáles son casi todos los regalos de la Navidad. Mi papá _____[1] va a regalar un anillo *a mi mamá* y ella _____[2] va a regalar *a él* una chaqueta de cuero. *A mí* _____[3] van a comprar patines nuevos y *a mi hermana Mercedes* _____[4] van a regalar una videocasetera. Creo que *a Luis y a Jorge* _____[5] van a comprar ropa nueva, pero no estoy seguro. Mis abuelos, claro está, siempre _____[6] traen regalos *a mí y a mis hermanos*, pero la verdad es que no sé qué _____[7] van a regalar este año. Y a ti, ¿qué _____[8] van a regalar?

GIVING AND TELLING
The Verbs *dar* and *decir*

Two verbs that frequently take an indirect object are **dar** (*to give*) and **decir** (*to say; to tell*). Note that **dar** has regular **-ar** endings except for the **yo** form: **doy**. Here are its present-tense forms.

dar = to give
doy = I give

Present Tense of **dar**		
SINGULAR	PLURAL	
yo **doy**	nosotros/nosotras	damos
tú das	vosotros/vosotras	dais
usted da	ustedes	dan
él/ella da	ellos/ellas	dan

—Mamá, ¿me **das** una galletita? —*Mom, (will you) give me a cookie?*

—No. Si te **doy** una galletita ahora, no vas a comer después. —*No. If I give you a cookie now, you won't eat later.*

Decir is also irregular in the **yo** form (**digo**), and the **e** of the stem changes to **i** in all forms except **nosotros** and **vosotros**. Here are its present-tense forms.

decir = to say; to tell
digo = I say; I tell
e → i (except in **nosotros** and **vosotros** forms)

Present Tense of **decir**		
SINGULAR	PLURAL	
yo **digo**	nosotros/nosotras	decimos
tú dices	vosotros/vosotras	decís
usted dice	ustedes	dicen
él/ella dice	ellos/ellas	dicen

—¿Qué le **dices** a una persona que te **da** un libro? —*What do you say to someone who gives you a book?*

—Le **digo** «Muchas gracias». —*I tell him/her, "Thank you very much."*

«Muchas gracias por el regalo.»

Complete the
conversations.

Esteban tiene la costumbre de intercambiar cosas. Completa las
conversaciones con **doy**, **das**, **da**, **damos** o **dan**.

doy = I give
das = you (infor-
mal) give
da = you (polite)
give; he/she
gives
damos = we
give
dan = you
(plural) give;
they give

—Víctor, ¿qué me ____¹ si yo te ____² mis apuntes de historia?
—Te ____³ mis apuntes de ciencias.

—Ernesto y Roberto, ¿qué me ____⁴ si les ____⁵ los apuntes de
ciencias?
—Te ____⁶ estas galletitas.

—Srta. García, ¿qué me ____⁷ usted si le ____⁸ dos galletitas?
—Te ____⁹ una manzana.

—Chicas, ¿qué me ____¹⁰ si les ____¹¹ esta manzana?
—Te ____¹² un beso.

Complete the
sentences and
tell whether they
are true.

Primero, completa cada oración con **digo**, **dices**, **dice**, **decimos** o
dicen. Luego di si es cierto o no.

digo = I say
dices = you
(informal) say
dice = you
(polite) say;
he/she says
decimos = we
say
dicen = you
(plural) say; they
say

MODELO: Tus amigos te ____ «Feliz cumpleaños» en enero. →
Tus amigos te *dicen* «Feliz cumpleaños» en enero. No
es cierto. Me dicen «Feliz cumpleaños» en mayo. (Es
cierto.)

1. Tus amigos te ____ «Feliz cumpleaños» en enero.

2. Tu profesor te ____ «Feliz Navidad» en diciembre.

3. El Día de los Enamorados, tu amigo o amiga te ____ «Te
quiero».

4. En Pascuas, los padres les ____ a los niños «Vamos a decorar
los huevos».

5. El primero de enero, nosotros les ____ a todos «Feliz Día de
Acción de Gracias».

6. En el otoño, tú le ____ a tu mamá «Feliz Día de la Madre».

*Un pastel de
cumpleaños en
San Juan,
Puerto Rico.*

WHERE DID YOU GO?
Past Tense (Preterite) of the Verb *ir*

ORIENTACIÓN

The *past tense* refers to events that have already happened. For example: "Yesterday *I played* tennis." In English, most past-tense verbs have the regular ending *-ed*: *talked, listened, played, worked*. Many common verbs, however, have irregular past-tense forms: *ate, ran, sang, gave, took, won, wrote*.

To ask questions or make negative statements about the past in English, you often use the word *did* + the main verb: "*Did you win* the game?" "Where *did they go* yesterday?" "They *didn't go* to school." In Spanish, however, you simply use the past-tense verb form.

Up to this point you have used Spanish to talk about events in the present. In this lesson you will use the past tense (preterite) of the verb **ir** (*to go*).

Past Tense of **ir**		
yo	**fui**	*I went*
tú	**fuiste**	*you (informal) went*
usted	**fue**	*you (polite) went*
él/ella	**fue**	*he/she went*
nosotros/nosotras	**fuimos**	*we went*
vosotros/vosotras	**fuisteis**	*you (informal plural) went*
ustedes	**fueron**	*you (plural) went*
ellos/ellas	**fueron**	*they went*

¡OJO! The past-tense forms of **ir** do not resemble the infinitive.

—Julio, ¿**fuiste** al desfile el domingo?
—No, no **fui** al desfile porque **fui** al campo con Marcos.

—Julio, *did you go to the parade on Sunday?*
—No, *I didn't go to the parade because I went to the country with Marcos.*

—¿Y adónde **fueron** ustedes el sábado por la noche?
—**Fuimos** al cine.

—*And where did you (all) go Saturday night?*
—*We went to the movies.*

In a question or negative statement, the English equivalent of all forms = did . . . go? / didn't go.

EJERCICIO 6 ¿Adónde fuiste?

Ask where your partner went last week.

▶ Pregúntale a tu compañero/a adónde fue la semana pasada.

MODELO: una fiesta →

TÚ: ¿Fuiste a *una fiesta*?
COMPAÑERO/A: Sí, fui a *una fiesta*.
(No, no fui a *una fiesta* pero fui a *un concierto de rock*.)

1. una fiesta
2. el cine
3. un concierto de rock
4. el teatro
5. el museo
6. el centro comercial
7. un partido de fútbol americano
8. una tienda de discos

EJERCICIO 7 Saludos de Madrid

Complete the letter.

▶ Leticia y su familia están de vacaciones en Madrid. Leticia le escribe una carta a su amiga María Luisa. Completa la carta con **fui**, **fuiste**, **fue**, **fuimos** o **fueron**.

¡Hola, María Luisa!

    ¿Cómo estás? Yo estoy súper bien. Madrid es una ciudad maravillosa. Hay muchas cosas para hacer y ver. Ayer por la mañana nosotros ____[1] al Museo del Prado para ver los cuadros de Goya y de El Greco. ¡Son magníficos! Por la tarde, mamá ____[2] de compras al Corte Inglés, una gran tienda donde venden de todo. Yo ____[3] sola a la Plaza Mayor para merendar y mirar a la gente que pasa por allí. Mi papá y mis hermanos ____[4] al Parque del Buen Retiro. Por la noche, todos nosotros ____[5] a un restaurante muy famoso que se llama Casa Botín. Después de cenar, mis padres ____[6] al Teatro Español para ver una obra de Lope de Vega. Mis hermanos y yo ____[7] a una discoteca divertidísima. Esta mañana, yo ____[8] de compras por la Gran Vía, que está muy cerca del hotel. Venden cosas muy bonitas, pero... ¡los precios son carísimos!

    Bueno, querida María Luisa, te mando más noticias de Madrid en dos o tres días.

Muchos cariños,
Leticia

VOCABULARIO PALABRAS NUEVAS

Los días feriados
el Día de Acción de Gracias
Jánuca
las Pascuas
la Semana Santa
la víspera de Año Nuevo

Dios
Papá Noel

Palabras de repaso: el Día de la
Independencia, el Día de la
Madre, el Día del Padre, el Día
de los Enamorados, la
Navidad

Los sustantivos
el beso
la calavera
la campana
el cementerio
el comienzo
el corazón
los derechos civiles
el desfile
el disfraz
los fuegos artificiales
el líder
la máscara

la medianoche
el nacimiento
el pavo asado
el ramo (de flores)
el soldado
el templo

Palabras semejantes: **la
graduación, la ocasión**

¡A charlar!
¡Felicidades! / ¡Felicitaciones!
¡Feliz aniversario!
¡Feliz cumpleaños!
¡Feliz Navidad y Próspero
    Año Nuevo!
¡Felices Pascuas!
Gracias por el regalo.
Te quiero.

el Día de las Brujas
el Día de los Presidentes
el Día de los Veteranos
el Día del Trabajador

Palabra de repaso: el
cumpleaños de Martin Luther
King, Jr.

Los verbos
anunciar
dar
    doy / das
decir
    digo / dices
desear
durar
ir (*past*)
    fui / fuiste
recordar (ue)
    recuerdo / recuerdas

El adjetivo
difunto/a

Los pronombres
le/les
me
nos
te

Palabras útiles
el año pasado
dar gracias
de puerta en puerta

Conversation Tip

▶ When you cannot accept an invitation, it's important to decline politely so that you don't hurt the other person's feelings. Try to say something positive about the invitation and explain why you can't go. Here are some suggestions:

Lo siento mucho, pero tengo otros planes.
I'm really sorry, but I have other plans.

Me gustaría ir, pero no puedo. Tengo que trabajar esa noche.
I'd really like to go, but I can't. I have to work that night.

¡Qué lástima! No estoy libre esa noche.
What a shame! I'm not free that evening.

When someone declines your invitation, it's also important to let the person know that you aren't offended. Here are some useful replies:

No te preocupes. Voy a invitarte la próxima vez.
Don't worry about it. I'll invite you the next time.

Es una lástima, pero comprendo.
It's too bad, but I understand.

SITUACIONES

Tú
Call up a friend and invite him or her to a special party. Be sure to give the date, time, and place of the party and the type of clothing people will be wearing. You may need to explain how to get to the party.

Hint: Before you do the activity, decide the date, time, place, and kind of party you plan to give. Review directions for getting to the party.

Compañero/a
A friend calls and invites you to a party. Unfortunately, you're busy that night and can't accept the invitation. Decline the invitation.

Hint: Before you do the activity, write down the reasons why you can't go to the party so that you can refuse the invitation politely.

¿Sabías que...

- el tomate es una fruta?

- hay más de treinta variedades de chiles?

- el plato más popular en los Estados Unidos es el pollo frito?

- la palabra «¡Olé!» que gritan los españoles durante las corridas de toros° es de origen árabe y viene del° nombre de Allah?

corridas... *bullfights*
viene... *comes from*

¡TE INVITAMOS A ESCRIBIR!

UNA INVITACIÓN

Imagínate que tu clase va a invitar a una persona que es de España o Hispanoamérica para compartir su cultura y experiencia con ustedes. Puede ser un amigo o una amiga, una persona que vive en tu vecindario o ciudad, un(a) estudiante de intercambio, etcétera. Ahora tienes que escribirle una invitación formal en nombre de la clase.

Primero, piensa...
en lo que ustedes quieren aprender de esa visita. ¿De qué temas van a hablar? ¿Van a hablar español solamente? ¿Quieren ver fotos y otras cosas del país de esa persona?

Decide what you want to find out.

Luego, organiza tu información...
en categorías como las siguientes:

a. fecha, hora y lugar
b. propósito de la visita
c. comidas y refrescos que piensan servir
d. otras personas a quienes piensan invitar (otras clases de español, reporteros del periódico de la escuela, etcétera.)

Organize your information.

Por último, escribe la invitación.
Si quieres, puedes seguir el modelo de la página 436 como guía.

Write the invitation.

MODELO:

Estimado Sr. / Sra. / Srta. (Dr. / Dra.)...
Nos gustaría invitarlo / invitarla a usted a visitar
nuestra clase de español el día 12 de abril, a las 2:00 de
la tarde en el auditorio de la Escuela Central para...
Pensamos invitar a otras clases de español también.
Vamos a servirles a los invitados ponche y galletitas. Si
necesita más información, puede comunicarse con...

Atentamente,

Y AHORA, ¿QUÉ DECIMOS?

Paso 1. **Mira otra vez las fotografías de las páginas 382–383 y contesta las siguientes preguntas.**

■ ¿Se preparan para un desfile las personas en la foto número 1? ¿Qué día feriado piensas que celebran ellos? Y tú, ¿cuál es tu día feriado favorito? ¿Es necesario llevar disfraz para esta ocasión?

■ ¿Qué comida come la familia en la foto número 2? ¿Dónde están ellos? ¿Dónde prefieres comer, en casa o en un restaurante? ¿Comes a menudo en restaurantes? ¿Para qué ocasiones? ¿Con quién?

■ ¿Qué hace la chica en la foto número 3? ¿Qué cumpleaños piensas que celebra ella? Y tú, ¿cuántos años vas a cumplir este año?

Paso 2. **Prepara una invitación en español para una fiesta en honor de tu próximo cumpleaños para mandarles a tus invitados. Incluye la siguiente información:**

■ el lugar, el día y la hora de la fiesta

■ las actividades que van a hacer durante la fiesta

■ si es necesario o no llevar disfraz

Y ¡no olvides de incluir tu número de teléfono y una fecha de contestación!

NOVEDADES 3

AMIGOS
DE LA MUSICA
DISQUERIAS

LA ONDA
DE LOS
SHOPPINGS

ÍDOLOS
MUSICALES:
PABLO RUIZ
Y MAGNETO

CONTENIDO

Portada: Grupo de amigos en un centro comercial de Buenos Aires, Argentina

EL PÍCARO PACO

Agenda Musical

Aquí tienes un cantante y un grupo musical muy populares en Hispanoamérica y España.

PABLO RUIZ

Este joven cantante argentino viene de una familia de músicos. Su madre y su abuela fueron[1] cantantes de ópera, y sus hermanos cantan en grupos de rock. En 1988, a los 12 años, Pablo hace su primer disco, «Mi chica ideal». Desde ese entonces[2] Pablo es el ídolo de miles de adolescentes porque las letras[3] y ritmos de sus canciones están dedicadas[4] a los superjóvenes. Tiene discos de oro y platino y, según sus admiradoras, su último disco «Irresistible» es tan irresistible como[5] él.

[1] *were*
[2] Desde... *Since then*
[3] *lyrics*
[4] están... *are addressed*
[5] tan... *as irresistable as*

MAGNETO

Magneto es uno de los grupos mexicanos más populares entre los jóvenes del mundo hispano. Sus cinco integrantes:[6] Alex, Charlie, Alan, Elías y Mauri son talentosos, simpáticos, muy guapos y, por supuesto, tienen muchos fans. Entre sus últimos éxitos musicales están los álbumes «Cuarenta grados» y «Vuela, vuela». A pesar de[7] su fama, continúan con sus estudios. Alex estudia música; Alan, comunicación; Mauri, administración de empresas;[8] Carlos, ingeniería; y Elías, cine.

[6] *members*
[7] A pesar de... *In spite of*
[8] administración... *business administration*

Tito Comprende

Querido Tito:

Tengo 13 años y me siento como el Patito feo[1] de mi clase. Soy el único que tiene frenos. Mi sonrisa metálica me deprime, especialmente cuando pienso que tengo que llevar frenos[2] ¡por tres años más! ¿Qué hago?

Jorge en Costa Rica

Querido Jorge:

Hoy en día la mayoría de los muchachos y muchachas de 13 a 16 años tienen frenos. Pero ésta no es una condición permanente. Piensa que a los 16 años tus dientes van a estar derechitos[3] y vas a tener una sonrisa para hacer anuncios comerciales. ¡Ten paciencia!

Tu amigo Tito

[1]Patito... *Ugly duckling*
[2]*braces*
[3]*straight*

LA ONDA DEL SHOPPING

En las grandes ciudades de Hispanoamérica, el pasatiempo favorito de los chicos y chicas es ir a pasear al centro comercial o, como ellos dicen, «el shopping».

¿Qué es el shopping?

El shopping es un lugar divertido y seguro[1] donde los chicos se encuentran con[2] sus amigos y compañeros del colegio.

¿Qué hacen allí?

Aunque[3] los jóvenes son grandes consumidores, estos chicos no van sólo a comprar. Miran escaparates, charlan, escuchan música, compran discos, comen comida rápida, hacen nuevos amigos... ¡No se aburren ni un minuto! Así que si quieres encontrarte con un amigo o amiga, basta decir[4] en qué shopping y delante de qué tienda van a encontrarse. Por ejemplo: «Te veo mañana enfrente de la heladería a las 3:00 de la tarde... ¡Chau!»

[1]*safe*
[2]se... *meet*
[3]*Even though*
[4]basta... *just say*

TEST DE LA  AMISTAD

Haz este test y descubre cómo te llevas con tus amigos.

1

¿Sales con tus amigos los fines de semana?
- **a.** siempre
- **b.** a veces
- **c.** nunca

2

¿Te peleas con tus amigos?
- **a.** nunca
- **b.** a veces
- **c.** siempre

3

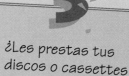

¿Les prestas tus discos o cassettes nuevos o ropa?
- **a.** siempre
- **b.** a veces
- **c.** nunca

4

¿Te diviertes con ellos?
- **a.** siempre
- **b.** a veces
- **c.** nunca

5

¿Te cuentan sus problemas?
- **a.** siempre
- **b.** a veces
- **c.** nunca

6

¿Les das regalos de cumpleaños?
- **a.** siempre
- **b.** a veces
- **c.** nunca

7

¿Los visitas cuando están enfermos?
- **a.** siempre
- **b.** a veces
- **c.** nunca

8

¿Te enojas si se ponen la misma ropa que tú?
- **a.** siempre
- **b.** a veces
- **c.** nunca

RESULTADOS

Puntaje: *a* = tres puntos; *b* = dos puntos; *c* = un punto

19–24 puntos: Quieres a tus amigos y te llevas bien con ellos. Eres extrovertido/a y generoso/a. ¡Felicitaciones! Es obvio que aprecias la amistad.

12–18 puntos: Te llevas bien con tus amigos pero a veces prefieres estar solo/a. La individualidad es una característica muy positiva, pero no olvides que la amistad es también muy importante.

8–11 puntos: ¡Caramba! Necesitas darle más importancia a la amistad. Trata de ser más paciente y tolerante con tus amigos. ¡Suerte!

MI CASA ES TU CASA

¿QUÉ PODEMOS DECIR?

Mira las fotografías. ¿Qué fotos asocias con las siguientes descripciones?

- En el mundo hispano, muchas personas viven en edificios de apartamentos.
- Estos chicos prefieren quedarse en casa.
- A esta familia le gusta trabajar afuera, en el jardín de su casa.

Y ahora, ¿qué más puedes decir de estas fotos? ¿Quiénes son las personas en las fotos número 2 y 3? ¿De dónde son? ¿Qué diferencias ves entre las casas hispanas y las casas en este país?

Caracas, Venezuela.

Caracas, Venezuela.

LECCIÓN 1

LAS ACTIVIDADES EN CASA

In this lesson you will:

- learn names for rooms and parts of a house
- talk about activities that take place at home
- talk about activities going on right now

LECCIÓN 2

¿QUÉ HAY EN TU CASA?

In this lesson you will:

- talk about furniture and appliances in a house
- make comparisons
- use adjectives to point out people and things

LECCIÓN 3

ACTIVIDADES DE LA SEMANA PASADA

In this lesson you will:

- talk about what you and your friends did recently
- express negative reactions

Sevilla, España.

1 LAS ACTIVIDADES EN CASA

Aquí vive Humberto Figueroa.
Su casa está en el Viejo San Juan.

San Juan, Puerto Rico.

El vecindario donde vive Alicia
Vargas Dols es muy viejo, pero
también es muy pintoresco.

Madrid, España.

San Juan, Puerto Rico.

Mariana Peña vive en una casa en las afueras
de San Juan. Su casa tiene un jardín muy bonito.

LA CASA DE LA FAMILIA CISNEROS

Querido Víctor: Aquí te mando un plano de mi casa y unas fotos de mi familia.

3. Mamá y yo estamos en **la cocina, preparando** el almuerzo.

4. Ésta es mi prima Carolina. **Está en el comedor poniendo la mesa**.

5. Mi hermano Miguel **está lavando** su bicicleta en el jardín. ¡Cómo trabaja este chico!

1. A mi papá le gusta leer en **la sala**. Aquí **está leyendo** su revista favorita.

6. Perla, nuestra gata, **está jugando** en el patio, **como de costumbre**. ¡Miau!

2. **¡Qué fastidio!** Aquí **estoy limpiando mi dormitorio**.

Y TÚ, ¿QUÉ DICES?

Conexión gramatical
Estudia las páginas 454–456
en **¿Por qué lo decimos así?**

ACTIVIDADES ORALES Y LECTURAS

1 • OPCIONES   **Mi casa**

▶ Indica las respuestas apropiadas según tu experiencia. Luego comparte la información con tus compañeros.

Pick the ones for you.

1. Vivo en...
   a. una casa.
   b. un edificio de apartamentos.
   c. un rascacielos.
   d. ¿ ?

2. Mi casa/edificio tiene...
   a. dos pisos.
   b. un solo piso.
   c. más de tres pisos.
   d. ¿ ?

3. En mi casa/edificio hay...
   a. un jardín.
   b. un patio.
   c. un garaje.
   d. ¿ ?

4. Mi casa/apartamento tiene...
   a. un solo dormitorio.
   b. dos o más dormitorios.
   c. un baño.
   d. ¿ ?

5. El cuarto más cómodo es...
   a. el comedor.
   b. mi dormitorio.
   c. el baño.
   d. ¿ ?

6. El cuarto más incómodo es...
   a. la sala.
   b. la cocina.
   c. el sótano.
   d. ¿ ?

7. Toda mi familia tiene que...
   a. ayudar en la cocina.
   b. limpiar el baño.
   c. hacer las camas.
   d. ¿ ?

el décimo (10°) piso

el noveno (9°) piso

el octavo (8°) piso

el séptimo (7°) piso

el sexto (6°) piso

el quinto (5°) piso

el cuarto (4°) piso

el tercer (3er) piso

el segundo (2°) piso

el primer (1er) piso

la planta baja

¡A charlar!

▶ If you live in a tall building and want to refer to a particular floor, use **el** + an ordinal number + **piso** (*floor*). In Spanish-speaking countries, the first (ground) floor is called **la planta baja**, the second floor is **el primer piso**, the third is **el segundo piso**, and so on. The drawing to the left shows floors numbered in the Spanish system from the ground floor to the tenth.

Tell whether these activities are strange or normal.

▶ Di si las siguientes actividades son extrañas o normales.

MODELOS:

Un bebé está sacando la basura. → *¡Es extraño!*

Un pez está nadando. → *Es normal.*

1. Un hombre está cocinando en la cocina.

2. Una criada está haciendo la cama.

3. Un perro está poniendo la mesa.

4. Una tarántula está durmiendo en el jardín.

5. Un niño está limpiando su dormitorio.

6. Una mujer está lavando el carro en el comedor.

7. Dos hermanos están comiendo en la sala.

8. Un elefante está mirando la televisión.

3 • INTERACCIÓN   **Asociaciones**

Where do you do the following?

▶ Pregúntale a tu compañero/a en qué parte de su casa/apartamento hace estas actividades.

MODELO: cepillarse los dientes →

TÚ: Normalmente, ¿dónde *te cepillas los dientes*?

COMPAÑERO/A: *Me cepillo los dientes en el baño.*

1. lavar los platos
2. cenar
3. estudiar
4. lavarse el pelo
5. dormir
6. guardar las cosas viejas
7. mirar la televisión
8. lavar la ropa sucia

en la sala
en el jardín
en la cocina
en el garaje
en el comedor
en el sótano
en el baño
en mi dormitorio

> Di quién tiene que hacer estas actividades en tu
> casa/apartamento.

*Tell who does the
following things
in your house.*

MODELOS: poner la mesa → Por lo general, yo tengo que *poner
la mesa.*

cortar el césped → Nadie. No tenemos que *cortar el
césped porque vivimos en un apartamento.*

1. lavar la ropa   3. sacar la basura   5. cocinar
2. planchar   4. hacer las camas   6. lavar el carro

Y AHORA, ¡CON TU PROFESOR(A)!

1. ¿Qué quehaceres no le gusta hacer? ¿Por qué?

2. ¿Quién pone la mesa en su casa/apartamento? ¿Quién cocina?
   Y ¿quién lava los platos después?

3. ¿Qué quehaceres hace usted todos los días? ¿Qué quehaceres hace
   dos o tres veces a la semana?

San Juan, Puerto Rico: Mariana está lavando los platos.

Tell what is happening in Luis's house.

▶ Describe dónde están y qué están haciendo los miembros de la familia Fernández.

RETRATO CULTURAL

ANTONIO GAUDÍ (1852–1926)

- Lugar de nacimiento: Reus, España
- Profesión: Arquitecto y escultor°

sculptor

La Casa Batlló en Barcelona, España.

La Casa Batlló fue diseñada° por el famoso arquitecto y escultor catalán Antonio Gaudí en el año 1904. Está en el Paseo de Gracia, Barcelona, y tiene una fachada° de mosaicos multicolores. El estilo de Gaudí es original, con formas sinuosas° y temas naturalistas y orgánicos, como hojas° y plantas. Otros ejemplos importantes de la arquitectura de Gaudí son la iglesia de la Sagrada Familia, la Casa Milá, el Parque Güell y el Palacio Güell.

fue... was designed

front, façade
wavy
leaves

¡TE INVITAMOS A LEER!

ALICIA Y LOS FANTASMAS°

ghosts

PERO ANTES... ¿Vives en un apartamento o en una casa? ¿Es vieja tu casa? Mira las fotos. ¿Dónde vive Alicia? ¿Cómo es el edificio?

> **Read about where Alicia lives**

Esteban:

¡Qué alegría recibir tu carta! Las fotos de tu casa son muy bonitas. ¡Y qué grande es!

Yo vivo en un edificio de pisos.° Es un edificio viejo porque está en un barrio antiguo. Creo que es de la década de los años 20. De noche las escaleras° hacen ruidos° misteriosos como en las películas de terror. Doña Dolores, la vecina° del primer piso, dice que aquí hay fantasmas. Yo no creo en los fantasmas. ¿Y tú?

Bueno, con o sin fantasmas, mi piso es muy bonito. Tiene una sala, comedor, cocina, baño y tres dormitorios. El dormitorio más grande es el de mis padres, el otro, también grande, es el de mis dos hermanos y el más pequeño es el mío.

Es verdad que mi dormitorio es pequeño, pero tiene mucha luz.° Tengo carteles de arte y de grupos de música en la pared. Además hay una cama antigua de madera° (era de° la casa de mis abuelos), una cómoda° también de madera, un ropero° que siempre es un desastre, dos lámparas modernas, estantes° para mis libros y mi escritorio.

Hasta pronto, Esteban. ¡Y cuidado con los fantasmas!

Alicia Vargas Dols

P.D.: ¡Escribe pronto!

apartamentos (Spain)

stairs / noises

neighbor

light

de... wooden / era... it belonged to dresser / closet shelves

Mi edificio de pisos. Es viejo, pero bonito, ¿verdad?

Esteban, éste
es mi cuarto.
¿Te gusta o
te parece un
desastre?

¿QUÉ IDEAS CAPTASTE? Lee la lista de cosas que Alicia menciona en su carta. Luego busca un adjetivo para describir cada cosa. Puedes usar el mismo adjetivo varias veces.

Find a word to describe each item.

MODELO: la casa de Esteban →
La casa de Esteban es bonita y grande.

1. la casa de Esteban
2. el edificio de pisos
3. el piso de Alicia
4. el barrio de Alicia
5. los ruidos de las escaleras
6. los fantasmas
7. el dormitorio de los padres
8. el dormitorio de Alicia
9. la cama de Alicia

a. bonito
b. grande
c. viejo
d. imaginario
e. misterioso
f. pequeño

Y AHORA, ¿QUÉ DICES TÚ?

1. ¿Vives en una casa o en un edificio de apartamentos?
2. Si vives en un edificio, ¿en qué piso está tu apartamento?
3. Si vives en una casa de dos o más pisos, ¿en qué piso está tu dormitorio? ¿la sala? ¿el baño?

¿POR QUÉ LO DECIMOS ASÍ?

GRAMÁTICA

WHAT ARE YOU DOING?
The Present Progressive

> In Spanish, the present progressive describes an action occurring right now. To describe actions in the general present, use the present tense. Compare these actions: Juan **está estudiando** matemáticas. = Juan is studying math right now. Juan **estudia** matemáticas este año. = Juan is studying math this year.

ORIENTACIÓN

The *present progressive* expresses an action that is going on in the present. The *present participle* is the *-ing* form of a verb. English forms the present progressive using the verb *to be* + a present participle (*I am studying, she is reading, we are walking*). Spanish uses the verb **estar** (*to be*) to express a present progressive action.

A Spanish speakers use the present progressive to describe an action that is taking place *as they speak*. To express the present progressive in Spanish, use the form of **estar** that agrees with the subject + a present participle.

—¿Qué **estás haciendo** ahora?   —*What are you doing now?*
—**Estoy estudiando**.   —*I'm studying.*

B To form a present participle, drop the ending (**-ar, -er, -ir**) from the infinitive and then add **-ando** to the stem of **-ar** verbs and **-iendo** to the stem of **-er** or **-ir** verbs.

> **-ndo** = *-ing*
> **estar** + **-ndo** = *to be doing (something)*

jug**ar**	→	(jug + **ando**)	→	**jugando**	*playing*
com**er**	→	(com + **iendo**)	→	**comiendo**	*eating*
escrib**ir**	→	(escrib + **iendo**)	→	**escribiendo**	*writing*

> **-ar** → **-ando**
> **-er/-ir** → **-iendo**

Examples of **estar** + **-ndo** *Verb Forms*		
estoy	hablando	*I am talking*
estás	comiendo	*you (informal) are eating*
está	caminando	*you (polite) are walking*
está	estudiando	*he/she is studying*
estamos	escribiendo	*we are writing*
estáis	corriendo	*you (informal plural) are running*
están	aprendiendo	*you (plural) are learning*
están	limpiando	*they are cleaning*

C If the stem of an **-er** or **-ir** verb ends in a vowel, change **-iendo** to **-yendo**.

vowel + **-er/-ir**
→ **-yendo**

leer   → (le + **yendo**)   → **leyendo**   *reading*
traer   → (tra + **yendo**) → **trayendo**   *bringing*

—Patricia, ¿qué estás **leyendo**?   —*Patricia, what are you reading?*
—Estoy **leyendo** el periódico.   —*I'm reading the paper.*

To form the present participle of the verb **dormir**, change the **o** of the stem to **u** and add **-iendo**.

dormir   →   durmiendo   *sleeping*

—¿Qué está **haciendo** Paco?   —*What's Paco doing?*
—Está **durmiendo** en este   —*He's sleeping at the moment.*
momento.

EJERCICIO 1   ¿Qué están haciendo?

▶ La clase de español da una fiesta en la escuela. Mira el dibujo y pregúntale a tu compañero/a lo que está pasando. Sigue el modelo.

Tell what is happening in the drawing.

MODELO: la Srta. García →

TÚ: ¿Qué está haciendo *la Srta. García*?
COMPAÑERO/A: Está *bailando con Ernesto.*

1. la Srta. García
2. Paco y Roberto
3. Felicia
4. Ana Alicia y Chela
5. Joe y Beatriz
6. Víctor
7. Juana
8. el Sr. Álvarez

a. leyendo una novela
b. trayendo la comida
c. bailando con Ernesto
d. cantando
e. durmiendo
f. tocando la guitarra
g. cocinando
h. charlando
i. comiendo tacos
j. escuchando música

Pick an activity that each person might be doing.

▶ Imagínate que son las cuatro de la tarde. ¿Qué están haciendo estas personas? Usa tu imaginación y escoge una actividad lógica para cada una. Sigue el modelo.

MODELO: el director / la directora de la escuela →

TÚ: ¿Qué está haciendo *la directora de la escuela*?

COMPAÑERO/A: Está *hablando con los consejeros*.

1. el director / la directora de la escuela
2. tu mamá o tu papá
3. tu mejor amigo/a
4. el bibliotecario / la bibliotecaria
5. tus compañeros de español
6. el equipo de fútbol
7. los estudiantes de inglés
8. ¿y tú?

a. escuchando al profesor / a la profesora
b. trabajando
c. leyendo el ejercicio
d. escribiendo una composición
e. jugando un partido
f. hablando con los consejeros
g. practicando en el campo de deportes
h. buscando libros
i. hablando con un compañero / una compañera
j. comiendo
k. limpiando la casa
l. haciendo la tarea
m. ¿ ?

Complete each sentence.

▶ Un amigo te cuenta sobre las actividades extracurriculares de su escuela. Completa cada oración lógicamente. Sigue el modelo.

MODELO: El club de español _____.→
El club de español *está viajando por México*.

-ar → -ando
-er/-ir → -iendo

1. El club de español _____.
2. Un grupo de estudiantes _____.
3. El equipo de educación física _____.
4. La clase de arte _____.
5. El club de teatro _____.

a. visitar el museo de arte moderno
b. participar en un maratón
c. viajar por México
d. asistir a una comedia musical
e. escribir cartas a sus amigos por correspondencia
f. entrevistar a un actor famoso

VOCABULARIO PALABRAS NUEVAS

Los cuartos
la cocina
el comedor
el dormitorio
el jardín
la sala
el sótano

Palabras semejantes: **el garaje, el patio**

Palabras de repaso: el baño, la casa, el cuarto, el edificio de apartamentos, el rascacielos

Los quehaceres
cocinar
cortar el césped
hacer las camas

lavar
  el carro
  los platos
  la ropa
planchar
sacar la basura

Palabra de repaso: poner la mesa

¡A charlar!
el piso
la planta baja

primer
segundo
tercer
cuarto
quinto
sexto

séptimo
octavo
noveno
décimo

Los sustantivos
la criada
el pez

Palabra semejante: **la tarántula**

Los adjetivos
cómodo/a
incómodo/a
sucio/a

Palabras útiles
como de costumbre
más de
¡Qué fastidio!

LECCIÓN 2

¿QUÉ HAY EN TU CASA?

Hola, Felicia:

Te mando unas fotos de mi casa en Caracas. Como ves, mi dormitorio no es tan grande como el dormitorio de mis hermanas, pero es muy cómodo.

· 2 ·

Por supuesto, mis hermanas son menos ordenadas que yo. ¡Tienen ropa por todas partes!

· 3 ·

Tengo una colección fantástica de discos compactos de música latinoamericana.

·4·

La cocina es muy moderna. ¡Hasta tenemos un horno de microondas! Es el nuevo «juguete» de mi familia.
Saludos. Tu amigo,
Raúl Gaván

SUPER GANGAS

FIESTA DE NAVIDAD
DEL ¡30% - 40% - 50% O MAS!

multimueble

CANDELARIA: Peligro a Pele El Ojo. Final Av. Mexico. Media Cuadra del Metro Parque Carabobo y Lic. Andres Bello
Abierto: Lunes a Sábado de 9:00 a.m. a 1:00 p.m. y de 2:00 p.m. a 7:00 p.m.
PRECIOS ESPECIALES

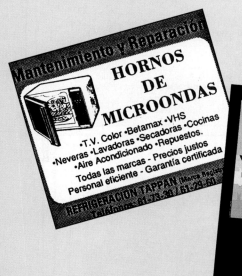

Mantenimiento y Reparación

HORNOS DE MICROONDAS

•T.V. Color •Betamax •VHS
•Neveras •Lavadoras •Secadoras •Cocinas
•Aire Acondicionado •Repuestos
Todas las marcas - Precios justos
Personal eficiente - Garantía certificada

REFRIGERACION TAPPAN (Marca Registrada)

FERIATER

del 27 de septiembre al 2 de octubre
30 FERIA INTERNACIONAL DEL MUEBLE DE VALENCIA·ESPAÑA

36 ANIVERSARIO

Hoy mismo venga a su Bazar Bolívar y aproveche sus Ofertas para adquirir muebles, cortinas, alfombras, adornos y todo lo que necesite para su hogar u oficina.

Venga personalmente o llame a nuestro Dpto. de Decoración y un experto Decorador la ayudará a realizar lo que usted desea.

EL MARQUES: 239.30.09 - 239.04.43
239.06.22 - 239.08.76
SAB. GRANDE: 762.06.61 el 64 - 762.77.82

Visite nuestros Departamentos de:
TELA DE VESTIR - LENCERIA
ELECTRODOMESTICOS - LINEA BLANCA, ETC.

bazar bolívar

ABRA SUS PUERTAS A RAINBOW

LA UNICA MULTI-ASPIRADORA
A BASE DE AGUA Y AIRE EN MOVIMIENTO

Cuando el representante de Rainbow toque a su puerta, atiéndalo y verá que su concepto de limpieza cambiará

...¡y más!

RAINBOW
¡EN ARCOIRIS DE SALUD Y MEJOR LIMPIEZA!
TEL. 268-6400

Así se dice...

VOCABULARIO

LA CASA DE LA FAMILIA FERNÁNDEZ

las cortinas de tela

el ropero

el baño

el dormitorio

el televisor

el dormitorio

el dormitorio

el espejo de vidrio

los estantes

EN ONDA

la cama

la cómoda de madera

el comedor

ESTE SILLÓN ES MÁS PEQUEÑO QUE ESE SOFÁ, POR SUPUESTO.

la lámpara

la sala

los gabinetes

el refrigerador

LA ESTUFA NO ES TAN RÁPIDA COMO EL MICROONDAS.

el sillón

el horno de microondas

la alfombra

el fregadero

el sofá

la cocina

la estufa

 460 *cuatrocientos sesenta*

UNIDAD 8

Y TÚ, ¿QUÉ DICES?

Conexión gramatical
Estudia las páginas 468–472
en **¿Por qué lo decimos así?**

ACTIVIDADES ORALES Y LECTURAS

1 • OPCIONES   ¿Cómo es tu casa?

▶ Indica las opciones apropiadas. Luego comparte la información con tus compañeros.

Pick the ones for you.

1. En mi casa hay...
   a. muchos estantes con libros.
   b. cortinas en todas las ventanas.
   c. muebles modernos.
   d. alfombras en todos los cuartos.
   e. ¿ ?

2. Mi dormitorio es... la sala.
   a. más pequeño que
   b. casi tan grande como
   c. más bonito que
   d. menos ordenado que
   e. ¿ ?

3. En mi dormitorio hay...
   a. dos camas.
   b. una cama.
   c. carteles de mi cantante favorito.
   d. un espejo.
   e. ¿ ?

4. En nuestra sala puedes ver...
   a. un televisor de pantalla grande.
   b. un sofá cómodo y bonito.
   c. una lámpara antigua.
   d. un estéreo.
   e. ¿ ?

5. En la cocina de nuestra casa hay...
   a. un horno de microondas.
   b. un lavaplatos.
   c. gabinetes de madera.
   d. un refrigerador.
   e. ¿ ?

Find a definition for each item.

▶ Lee las definiciones y di a qué mueble o aparato se refieren.

a. el espejo
b. la cama
c. el ropero
d. el horno de microondas

e. el refrigerador
f. las cortinas
g. el sillón

Definiciones

1. Es un mueble de madera. Es más grande que una cómoda y tiene ropa.

2. Es un mueble para sentarse. No es tan grande como un sofá. Puede ser de tela, de plástico o de cuero.

3. Este aparato está en la cocina. Es de metal y es tan útil como una estufa. Lo usas para guardar la comida.

4. Este mueble está en todos los dormitorios. Por lo general, es más cómodo para dormir que un sofá.

5. Las pones en las ventanas. Son de tela y pueden ser tan largas como las ventanas o más largas que ellas.

6. Lo usas para cocinar. Es más práctico que un horno común porque es más rápido.

7. Este objeto es de vidrio o de plástico. Puede ser más pequeño que una cartera o tan grande como una pared. Lo usas para mirarte cuando te peinas o te pones la ropa.

Frigorífico **PHILIPS ARG-637**, capacidad de 280 L, descongelación automática, dimensiones: 159 x 55 x 59 cm,

49.500

Horno microondas **PANASONIC NN-5252**, capacidad de 23 L, plato giratorio, potencia variable de 100 a 900 W,

24.900

▶ Busca las nueve diferencias entre los dos dibujos.

Find the nine differences.

MODELO: La lámpara en el dibujo B es más antigua que la
         lámpara en el dibujo A.

VOCABULARIO ÚTIL

más... que	feo/a
menos... que	largo/a
alto/a	moderno/a
antiguo/a	pequeño/a
bonito/a	viejo/a

▶ **Choose a present for each person.**

▶ Mira estos anuncios y escoge el regalo ideal para cada una de las siguientes personas.

Juguetes que chillan, no tóxicos, $5,5

Portacolgadores para la tabla de planchar............................$7,0

Figuras de payasos en cerámica, en varios modelos...................$7,0

Vela perfumada.................$7,0

• Escoba para barrer suavemente.............. $3,5	• Cepillo con asa $7,0
• Cepillo de fregadero........................... $3,5	• Cubo de esponjas, en color rojo $10,5
• Variedad de limpiadores para fregadero $5,5	• Escobilla de goma, con palo largo $10,5
• Paquete de prácticas restregaderas $5,5	• Paquete de 10 almohadillas para la limpieza $10,5
• Plumero para la limpieza, con palo de 19 pulgadas...... $5,5	

1. una persona que plancha mucha ropa
2. una niña de nueve años
3. una persona que tiene un perro
4. una pareja que vive en una casa nueva

▶ **Interview your classmate.**

▶ Entrevista a tu compañero/a. Luego comparte las respuestas con la clase.

1. ¿Qué es más divertido, ...
   a. invitar a tus amigos a tu casa o ir a la casa de ellos? ¿Por qué?
   b. comer en casa o cenar en un restaurante? ¿Por qué?
   c. ver videos en casa o ir al cine? ¿Por qué?

2. ¿Qué es menos desagradable, ...
   a. sacar la basura o cortar el césped? ¿Por qué?
   b. preparar la comida o lavar la ropa sucia? ¿Por qué?
   c. poner la mesa o lavar los platos? ¿Por qué?

Y en tu casa...

1. ¿Cuál es más grande, tu dormitorio o la sala?
2. ¿Dónde hay menos muebles, en el comedor o en la sala?
3. ¿Cuál es más pequeño, el baño o la cocina?

VISTAZO CULTURAL

LA ARQUITECTURA DEL MUNDO HISPANO

¿Cómo te imaginas una casa o edificio típicos de España c América
Latina? Pues aquí tienes varios ejemplos.

Esta casa en Cartagena,
Colombia, representa la
arquitectura colonial.

Éste es el patio de una
casa en la ciudad de
Carmona, España.

La Casa Pueblo fue
diseñada° por Carlos Páez
Vilaró, un artista uruguayo.
Está en Punta del Este,
una playa del Uruguay.

fue... was designed

La Iglesia de la Virgen Milagrosa fue
diseñada por Félix Candela. Está en
la Colonia Navarte, en la Ciudad de
México, México.

LECCIÓN 2

¡TE INVITAMOS A LEER!

OTRAS VOCES

PREGUNTAS: «¿Qué hay en tu cuarto? De todas las cosas que tienes, ¿cuál es tu favorita?»

Find out what two Hispanic teens have in their rooms.

Diana Lucero Hernández
Cali, Colombia

«Bueno, tengo mi cama, mi mesita de noche, mi radio despertador,° un cuadro de la Virgen, un baúl de mimbre,° un escritorio con una pequeña biblioteca,° muñecos,° fotos y un clóset en donde tengo mi ropa y mis zapatos. En el baúl tengo cosas que he recolectado° como calcomanías,° libros y otras cosas personales. Todas son mis favoritas porque me las dio° alguien especial.»

radio... *clock radio*
baúl... *wicker trunk*
bookcase / dolls

he... *I have collected*
stickers

me... *gave them to me*

María Gabriela Mellace
Tucumán, Argentina

«Las cosas materiales en mi dormitorio son mis cassettes, mis CDs, mi radiograbador, mi Walkman, libros (de texto, ciencia ficción y literatura), mis flautas dulces,° mis partituras,° mi maquillaje y perfumes, cosméticos, cartas y tarjetas, fotos, carteles y mis muebles: un escritorio, mi cama, una silla, un sofá, un librero,° una mesa de luz° y mi ropa. De lo que tengo, mi radio, mis flautas y partituras son mis favoritas porque me gusta escuchar y hacer música.»

flautas... *recorders (musical instruments)*
libros de música

estante / mesa... *night table*

cuatrocientos sesenta y seis

Y AHORA, ¿QUÉ DICES TÚ?

1. Describe tu dormitorio. ¿Qué muebles hay? ¿Qué otras cosas hay?

2. De todas tus cosas, ¿cuál es tu favorita? ¿Por qué?

PRONUNCIACIÓN

PRACTICE WITH /

The letter **l** is pronounced like the *l* in the English *last*, with the tongue right against the back of the teeth. It is not at all like the *l* at the end of the English *call*, with the tongue pulled back from the teeth.

PRÁCTICA Listen to your teacher, and then practice this tongue twister.

Lana, Lena, Lina y Lulú
van y ven al bobo bebé.
Al bobo bebé van y ven
Lana, Lena, Lina y Lulú.

¿POR QUÉ LO DECIMOS ASÍ?

GRAMÁTICA

WHAT'S THE DIFFERENCE?
Comparisons with *más/menos... que, tan... como*

**más/menos...
que = more/
less . . . than**

A To make comparisons of more or less, you can use **más** or **menos** + an adjective + **que**.

Juana es **más curiosa que** Chela.	*Juana is more curious than Chela.*
Las cortinas son **más largas que** las ventanas.	*The curtains are longer than the windows.*
La alfombra es **menos cara que** la lámpara.	*The rug is less expensive than the lamp.*

**tan... como =
as . . . as**

B To make comparisons of equality, use **tan** + an adjective + **como**.

Yo soy **tan alto como** los estantes.	*I'm as tall as the bookshelves.*
El baño es **tan moderno como** la cocina.	*The bathroom is as modern as the kitchen.*

¿Recuerdas?

Since **Unidad 1**, you have used the words **más** or **menos** + an adjective to compare people or things.

—¿Quién es **más organizado,** Esteban o Víctor?
—*Who is more organized, Esteban or Víctor?*
—Víctor es **más organizado**.
—*Víctor is more organized.*

—¿Cuál es **menos cómodo,** el sofá o el sillón?
—*Which is less comfortable, the sofa or the armchair?*
—El sofá es **menos cómodo**.
—*The sofa is less comfortable.*

C Note that the adjective used in a comparison agrees in gender and number with the first noun of the comparison.

The adjective agrees in gender and number with the first noun of the comparison.

El sillón es tan **cómodo** como el sofá.	*The armchair is as comfortable as the sofa.*
La cómoda es más **alta** que el espejo.	*The dresser is taller than the mirror.*

Raúl habla con su hermana Andrea en su dormitorio en Caracas, Venezuela.

▶ Eduardo y Humberto están delante de un escaparate, comparando los precios de varios artículos. Mira el dibujo y di de qué artículo están hablando.

Decide which item is being described.

1. Es más caro que el televisor, pero menos caro que la computadora.

2. Es tan barata como los patines.

3. Es más caro que el video, pero más barato que el radio portátil.

4. Es más barata que el televisor y más cara que la bicicleta.

5. Es menos caro que el video.

6. Es más cara que la lámpara y tan cara como la bicicleta.

7. Es más barato que la lámpara y más caro que el reloj.

8. Es más caro que la cámara, pero más barato que el estéreo.

Estos músicos tocan música folklórica en Caracas, Venezuela.

Un anuncio para el conjunto popular U2 en Madrid, España.

EJERCICIO 2 ¿Qué piensas tú?

Make comparisons using **más** (**más** = more).

Paso 1. Pregúntale a tu compañero/a su opinión sobre estas cosas. Haz comparaciones con **más**.

> MODELO: un elefante o un tigre (inteligente) →
>
> > TÚ: ¿Cuál es más *inteligente, un elefante o un tigre?*
> > COMPAÑERO/A: (*Un elefante*) es más *inteligente.*

1. un elefante o un tigre (inteligente)
2. una bicicleta o una motocicleta (rápida)
3. una película de aventuras o una película romántica (divertida)
4. el ciclismo o la natación (difícil)
5. el dinero o la salud (importante)

Make comparisons using **menos** (**menos** = less).

Paso 2. Ahora, pregúntale a tu compañero/a su opinión sobre estas cosas. Haz comparaciones con **menos**.

> MODELO: el béisbol o el golf (difícil) →
>
> > TÚ: ¿Cuál es menos *difícil, el béisbol o el golf?*
> > COMPAÑERO/A: (*El golf*) es menos *difícil.*

1. el béisbol o el golf (difícil)
2. la música rock o la música folklórica (popular)
3. un carro pequeño o un carro grande (cómodo)
4. un examen o una fiesta (divertido/a)
5. un reloj de plástico o un reloj de oro (caro)

▶ Haz comparaciones con **más/menos... que** o **tan... como** según tu opinión. Sigue el modelo.

Make comparisons.

MODELO: (caro) un disco compacto / un cassette →
Un disco compacto es más caro que un cassette.
(*Un disco compacto es tan caro como un cassette.*)

¡OJO! Adjectives agree with the first noun of the comparison.

1. (caro)   un disco compacto / un cassette
                 una patineta / una bicicleta

2. (cómodo)   una cama / un sofá cama
                 una silla / un sillón

3. (divertido)   el béisbol / el fútbol
                 la radio / la televisión

4. (barato)   un bate / una raqueta
                 una mochila de cuero / una bolsa de tela

5. (eficiente)   una computadora / una máquina de escribir
                 una estufa / un horno de microondas

POINTING THINGS OUT
Demonstrative Adjectives: *ese, esa, esos, esas*

A One set of Spanish demonstrative adjectives that corresponds to English *that/those* refers to things nearer to the listener than to the speaker.

—¿Te gusta **ese** sillón?
—No, es muy incómodo.

—*Do you like that armchair?*
—*No, it's very uncomfortable.*

ese/esa = that
esos/esas = those

—¿Quiénes son **esas** chicas?
—Son las hermanas de Raúl.

—*Who are those girls?*
—*They're Raúl's sisters.*

B Remember that demonstrative adjectives come before the noun. Like other adjectives, they agree in gender and number with the noun they modify.

Demonstrative adjectives come before the noun.

¿Recuerdas?

▶ In **Unidad 4** you learned the Spanish demonstrative adjectives that correspond to the English *this/these*. Those adjectives refer to people and things near the speaker.

	SINGULAR	PLURAL
MASCULINE	**este** libro	**estos** libros
FEMININE	**esta** chica	**estas** chicas

	SINGULAR	PLURAL
MASCULINE	**ese** espejo	**esos** espejos
FEMININE	**esa** lámpara	**esas** lámparas

¿Dónde pongo los muebles?

Tell where you will put each of these items.

▶ Imagínate que tienes que decorar tu casa y decidir dónde poner los muebles y aparatos. Haz oraciones con **ese, esa, esos** o **esas** y un cuarto o lugar apropiado.

MODELO: sillón viejo →
Voy a poner *ese sillón viejo* en *mi cuarto.*

Demonstrative adjectives agree in number and gender with the nouns they modify.

1. sillón viejo
2. gabinetes de madera
3. cortinas de plástico
4. sillas de metal
5. horno eléctrico
6. estantes blancos
7. alfombra oriental
8. lámparas de vidrio

a. la cocina
b. el comedor
c. el baño
d. el patio
e. mi cuarto
f. la sala
g. el garaje

EJERCICIO 5 **De compras**

Complete the dialogue using ese, esa, esos, or esas.

▶ Carolina Márquez y su hermana Raquel van de compras en San Juan, Puerto Rico. Completa la conversación con **ese, esa, esos** o **esas.**

Delante de una mueblería...

CAROLINA: ¿Te gusta ____¹ sofá verde?
RAQUEL: Mmm. Prefiero ____² sillón con las flores amarillas.
CAROLINA: ¿Y ____³ sillas modernas de plástico?
RAQUEL: Son bonitas, pero un poco incómodas, ¿no?
CAROLINA: Es verdad. ¿Quieres mirar otras cosas?
RAQUEL: Sí. ¿Por qué no vamos a ____⁴ tienda de ropa que está en la esquina?

Delante de la tienda de ropa...

CAROLINA: ¿Te gusta ____⁵ vestido morado?
RAQUEL: ¡Ay no, es horrible!
CAROLINA: ¿Y ____⁶ camisetas verdes?
RAQUEL: Son bonitas, pero el verde no es mi color favorito.
CAROLINA: ____⁷ pantalones de cuero son muy elegantes, ¿no?
RAQUEL: Sí, pero son muy caros.
CAROLINA: ¡Ay, Raquelita, no es fácil ir de compras contigo!

VOCABULARIO PALABRAS NUEVAS

Los muebles y aparatos
la alfombra
la cómoda
las cortinas
el espejo
los estantes
la estufa
el fregadero
los gabinetes
el horno
el horno de microondas
la lámpara
el lavaplatos
la pantalla
el refrigerador
el ropero
el sillón

Palabra semejante: **el sofá**

Palabras de repaso: la cama, el cartel, el cuadro, el espejo, el estéreo, el televisor

Los materiales
de madera
de tela
de vidrio

Palabras semejantes: **de metal, de plástico**

Palabra de repaso: de cuero

Los verbos
mirarse
sentarse (ie)
    me siento / te sientas

Los adjetivos
antiguo/a
desagradable
ese/esa
esos/esas
rápido/a

Palabras semejantes:
atractivo/a, moderno/a, práctico/a

Palabras de repaso: bonito/a, favorito/a, feo/a, grande, largo/a, ordenado/a, pequeño/a, sucio/a, útil

Las comparaciones
más... que
menos... que
tan... como

Palabras útiles
en busca de
por supuesto

Palabra del texto
se refieren

ACTIVIDADES DE LA SEMANA PASADA

Raúl Galván: «Por la tarde fui al quiosco de la esquina para buscar libros y revistas de ciencia ficción. Los cuentos de monstruos, extraterrestres, robots y viajes espaciales son fascinantes.»

Caracas, Venezuela.

Madrid, España.

Alicia Vargas Dols: «El sábado pasado Miguel y yo fuimos a este teatro en Madrid para ver un ballet.»

Julio Bustamante: «Ayer pasé el día en el campo con unos compañeros de mi escuela. ¡Caminamos más de 40 kilómetros! Ahora, por supuesto, ¡estoy requetecansado!»

San José, Costa Rica.

Los Miserables
EL MUSICAL MÁS POPULAR DEL MUNDO

1993-94

Temporada

ORQUESTA Y CORO NACIONALES DE ESPAÑA

OCTUBRE

Concierto **1** Ciclo I
ORQUESTA SINFONICA DE ASTURIAS

Director Jesse Levine
Solista Stephan Kates (violoncello)

Julián Orbón	Danzas sinfónicas
Béla Bartók	Música para cuerda, percusión y celesta, SZ 106
Ernest Bloch	Schelomo
Samuel Barber	Meditación y danza de la venganza de Medea, opus 23 a

Orquesta Sinfónica de Asturias

Concierto **2** Ciclo II
ORQUESTA Y CORO NACIONALES DE ESPAÑA

Director titular Aldo Ceccato

Johann Sebastian Bach	Cantata BWV 195 "Denn Gerechten muss das Licht" (Primera vez OCNE)
Johann Sebastian Bach-Igor Stravinsky	Variaciones corales sobre "Von Himmel hoch" (Primera vez OCNE)
Piotr Ilich Chaikovsky	Sinfonía núm. 1 en sol menor, opus 13 "Sueños de invierno"

BN°

Servicio de Información Bibliográfica
Obras de Consulta
Salón General de Lectura

MINISTERIO DE CULTURA
BIBLIOTECA NACIONAL
Paseo de Recoletos, 20 - 28071 MADRID
Teléf. 34-(9)1-580 78 00

¿QUÉ **HICIERON** LOS AMIGOS POR CORRESPONDENCIA **EL FIN DE SEMANA PASADO**?

Marisa Bolini: Buenos Aires, Argentina

El sábado por la mañana **me levanté** tarde. ¡Casi a las diez!

Más tarde, mis amigos y yo fuimos **al centro de reciclaje. Separamos** el papel, **las latas** y las botellas de vidrio.

Por la tarde, **jugué** al tenis con Adriana. **Nadie ganó** el partido porque **empezó** a llover.

Eduardo Rivas: San Juan, Puerto Rico

El sábado por la tarde, Eduardo **cortó** el césped y luego **lavó** el carro.

Por la noche, Eduardo y sus amigos **pescaron** y **cocinaron** juntos.

Esa noche, Eduardo **se acostó** muy tarde. ¡**Qué cansancio**!

María Luisa Torres: Ciudad de México, México

El domingo **pasado**, mi familia y yo **pasamos** el día en el campo.

Allí **saqué** muchas fotos.

Mamá **preparó** tamales para la cena. Mmm, ¡qué deliciosos!

Y TÚ, ¿QUÉ DICES?

ACTIVIDADES ORALES Y LECTURAS

Conexión gramatical
Estudia las páginas 487–493
en **¿Por qué lo decimos así?**

1 • OPCIONES   ¿Qué hiciste?

▶ Di **sí** o **no**, según tu experiencia. Después comparte tus respuestas con tus compañeros.

Say whether you did these activities.

1. Esta mañana, yo...
   a. me levanté a las siete.
   b. preparé el desayuno.
   c. desayuné con mi familia.
   d. limpié mi cuarto antes de salir.
   e. ¿ ?

2. Ayer por la tarde, yo...
   a. me quedé en casa.
   b. cociné para mi familia.
   c. trabajé afuera en el jardín.
   d. estudié un poco.
   e. ¿ ?

3. Anoche, antes de acostarme, ...
   a. lavé los platos.
   b. saqué la basura.
   c. repasé mis lecciones.
   d. me cepillé los dientes.
   e. ¿ ?

4. El sábado pasado, mis amigos y yo...
   a. pasamos el día en el campo.
   b. miramos los escaparates de las tiendas.
   c. alquilamos videos.
   d. reciclamos latas y envases de vidrio.
   e. ¿ ?

¡A charlar!

▶ Here are useful expressions for talking about past activities.

anoche
last night
ayer
yesterday
anteayer
the day before yesterday
la semana pasada
last week
el mes/año pasado
last month/year

Talk about what the Puerto Rican pen pals did.

▶ Conversa con tu compañero/a sobre lo que hicieron nuestros amigos de Puerto Rico.

TÚ:	¿Qué hizo *Carolina el viernes*?
COMPAÑERO/A:	*Lavó su vestido y lo planchó para ir a una fiesta.*

TÚ:	¿Quién *se quedó en casa el sábado*?
COMPAÑERO/A:	*Mariana.*

¡A charlar!

▶ To ask what someone did, use the past-tense forms of **hacer**.

—Mariana, ¿qué **hiciste** anoche?
—*Mariana, what did you do last night?*
—No **hice** nada.
—*I didn't do anything.*
—Y Carolina, ¿qué **hizo**?
—*And what did Carolina do?*
—Estudió para un examen.
—*She studied for a test.*

You will learn all past forms of **hacer** in **Unidad 9, Lección 2.**

	EL VIERNES	EL SÁBADO	EL DOMINGO
Carolina	Lavó su vestido y lo planchó para ir a una fiesta.	Bailó toda la noche.	Se levantó tarde.
Eduardo	Jugó al fútbol con sus amigos.	Tocó la batería en una boda.	Descansó en la playa.
Humberto	Limpió su cuarto.	Pasó el día en el campo.	Cantó en el coro de la iglesia.
Mariana	Tomó una clase de violín.	Se quedó en casa y miró la televisión.	Repasó sus lecciones para un examen.

Y AHORA, ¡CON TU PROFESOR(A)!

1. ¿A qué hora se levantó esta mañana? ¿Qué hizo después? ¿A qué hora llegó a la escuela?

2. ¿Cuándo fue la última vez que limpió su casa? ¿que lavó la ropa? ¿que cocinó? ¿que sacó la basura?

Eduardo y Humberto juegan al fútbol americano con sus amigos en San Juan, Puerto Rico.

▶ Pregúntale a tu compañero/a cuándo fue la última vez que hizo estas actividades.

When did you do these things?

MODELO:

TÚ: ¿Cuándo (fue la última vez que) miraste la televisión?

COMPAÑERO/A: *Miré la televisión anoche. (Nunca. No miro la televisión.)*

1. ¿Cuándo reciclaste papel o envases de vidrio en tu casa?

2. ¿Cuándo hablaste con un amigo o una amiga por teléfono?

3. ¿Cuándo limpiaste tu cuarto?

4. ¿Cuándo alquilaste una película?

5. ¿Cuándo pescaste?

6. ¿Cuándo sacaste la basura?

7. ¿Cuándo miraste el cielo o las estrellas?

8. ¿Cuándo te acostaste tarde?

VOCABULARIO ÚTIL

ayer	la semana pasada
anoche	ayer por la mañana/tarde/noche
anteayer	el lunes/martes/... pasado
esta mañana	nunca

Qué Reciclar

Plástico, Vidrio, Metal & Papel de Aluminio

Sí

- Botellas y jarras plásticas
  (limpiadores, soda, jugos, leche, agua, etc.)
- Botellas de vidrio
  (jugo, vino, etc.)
- Envases de vidrio
  (mayonesa, mermelada, etc.)
- Latas
  (atún, sopa, alimento para mascotas, etc.)
- Papel de aluminio y estaño
  (platos para pastel y para comida que se lleva a casa)

No

- ✗ "Styrofoam"
  (vasos, cajas de huevos, etc.)
- ✗ Papel plastificado
  (cajas de leche, envolturas de caramelos)
- ✗ Bolsas de plástico, plástico de envolver o rollos de película
  (para envolver sandwiches, víveres, bolsas de lavado en seco)
- ✗ Utensilios, platos, tazas, tazones, bandejas de plástico
- ✗ Electrodomésticos, juguetes, muebles
- ✗ Envases de aerosol o atomizadores
- ✗ Latas de pintura o envases de productos químicos
- ✗ Objectos de cerámica
- ✗ Bombillas
- ✗ Espejos
- ✗ Tapas o coberturas

Si usted no ha estado reciclando estos artículos, ¡comience ahora mismo! Simplemente enjuague el artículo y colóquelo en el recipiente designado para el reciclaje en su edificio.

5¢ de depósito: *Traiga las botellas y latas con derecho a depósito de vuelta a la tienda para obtener el reembolso. Si no, colóquelas en su recipiente para reciclaje.*

Talk about last week's activities.

▶ Conversa con tu compañero/a sobre las actividades de la semana pasada.

MODELO: el sábado pasado →

TÚ: ¿Qué hiciste *el sábado pasado*?
COMPAÑERO/A: *Fui a una fiesta.*

TÚ: ¿Y qué *hiciste en la fiesta*?
COMPAÑERO/A: Pues... *bailé y conversé con mis amigos.*

1. ayer por la tarde
2. anoche
3. esta mañana
4. el lunes por la noche
5. el sábado pasado
6. ¿ ?

bailar
jugar con videojuegos
quedarse en casa
alquilar una película
almorzar con mis abuelos
sacar fotos
lavar la ropa
tocar la guitarra
escuchar un disco compacto
conversar con amigos
buscar un libro en la biblioteca
¿ ?

María Luisa saca fotos en la Ciudad de México, México.

María Luisa baila en una fiesta en la Ciudad de México, México.

El fin de semana de Chela

▶ ¿Qué hizo Chela el fin de semana pasado?

Tell what Chela did during the weekend.

EL VIERNES

EL SÁBADO

EL DOMINGO

Interview your classmate.

▶ Hazle las siguientes preguntas a tu compañero/a.

Esta mañana...

1. ¿A qué hora te levantaste? ¿Te bañaste o te duchaste?
2. ¿Qué desayunaste?
3. ¿A qué hora llegaste a la escuela?

Anoche...

4. ¿Estudiaste? ¿Miraste la televisión? ¿Hablaste por teléfono con tus amigos?
5. ¿A qué hora cenaste?
6. ¿A qué hora te acostaste?

El fin de semana pasado...

7. ¿Limpiaste tu cuarto?
8. ¿Practicaste algún deporte? ¿cuál? ¿con quién?
9. ¿Miraste el cielo? ¿Contaste las estrellas?

Marisa habla por teléfono con una amiga en Buenos Aires, Argentina.

Buenos Aires, Argentina: Marisa mira su telenovela favorita.

SORPRESA CULTURAL

¡NUNCA LOS LAVAMOS ASÍ!

Miss García and her Spanish class are again discussing cultural differences. Víctor's grandmother is from Mexico, so she shares one of her observations about culture in the United States.

Can you guess why Víctor's grandmother has the impression that people in this country are more wasteful than Mexicans?

a. She notices that Americans leave many dirty dishes.

b. She thinks that people in this country waste a lot of water.

If you guessed (b), you know what Víctor's grandmother is thinking. Her impression of customs in this country is based primarily on what she sees on television and on what her friends tell her. She knows that in many American homes people wash dishes in a sink full of hot, sudsy water—or in a dishwasher. In Mexico and other Latin American countries, people do not fill the sink with water to wash dishes. Instead, they mix a little soap and water in a small container and wash each dish separately. Afterward, they rinse all the dishes quickly before drying them. While this may seem more time-consuming, you can see how much water is saved.

Thinking About
Culture

Television programs from the United States are broadcast all over the world. How accurately do they convey life in the United States to people in other countries? Can you see why many Hispanics get the impression that Americans are wasteful?

¡TE INVITAMOS A LEER!

EL CAMPEÓN°

champion

PERO ANTES... ¿Te gusta andar en bicicleta? ¿Te gusta el ciclismo? ¿Sabes la diferencia entre andar en bicicleta y hacer ciclismo?

Read about Felipe's bicycle race.

Estimado Ernesto:

El domingo pasado... ¡gané la carrera de bicicletas más importante de Sevilla! Ayer salió° esta nota en el periódico *La Voz de Andalucía*. Te mando el artículo y espero que te guste° tanto como a mí. Escríbeme pronto.

appeared

espero... *I hope that you like it*

Tu amigo,
Felipe

Nuevo Campeón de Ciclismo para Sevilla

Con un gran público presente, el domingo pasado se corrió[a] la Copa[b] de Sevilla. Como de costumbre, esta carrera de ciclismo fue organizada[c] por el Club Deportivo Sevilla. El nuevo campeón juvenil de ciclismo, Felipe Iglesias, llegó en primer lugar con un tiempo de 1 hora, 45 minutos y 2 segundos. Su promedio de velocidad[d] fue excelente: ¡20 kilómetros por hora!

Por la noche, se celebró la ocasión con una gran fiesta en el Club donde el joven campeón recibió su trofeo,[e] La Copa de Oro Juvenil. Felipe, muy emocionado, dijo[f]: «Me entrené muy duro[g] por varios meses y así gané. Pero este triunfo es para mi familia, que me ayudó en todo momento. ¡Gracias!»

Al nuevo campeón siempre le gustaron los deportes. Jugó al fútbol desde muy pequeño y hoy juega en el equipo de su colegio. Felipe vive con sus padres, Alejandro Iglesias y Sofía Montes de Iglesias, en un cortijo[h] cerca de Sevilla. Esperamos que así como hoy ganó la Copa de Sevilla, alguna vez gane la Copa de España.

Felipe Iglesias, nuevo campeón de la Copa de Sevilla.

[a]se... *was run*
[b]*Cup*
[c]fue... *was organized*
[d]promedio... *average speed*
[e]*trophy*
[f]*said* / [g]*Me... I trained very hard*
[h]*farm*

¿QUÉ IDEAS CAPTASTE? Escoge las palabras correctas para completar cada oración, según la información en el artículo.

> Complete the sentences with the correct choice.

1. La Copa de Sevilla es una carrera de (caballos / bicicletas).

2. Felipe llegó en (primer / último) lugar.

3. Su promedio de velocidad fue (20 / 45) kilómetros por hora.

4. Felipe celebró su victoria el (lunes / domingo) por la noche.

5. En la fiesta, Felipe recibió (un trofeo / una bicicleta).

6. Felipe dijo que se entrenó muy duro por varios (días / meses).

7. Felipe (practica / no practica) otros deportes.

8. La familia Iglesias vive en (la ciudad / el campo).

1. ¿Qué deportes practica? ¿Jugó en algún equipo de la escuela?
2. ¿Participó alguna vez en una carrera de bicicletas? ¿Y en un maratón?

PRONUNCIACIÓN

PRACTICE WITH *za*, *ce*, *ci*, *zo*, AND *zu*

You have learned that, for most Spanish speakers, the letter *z* is pronounced just like the letter *s*. This is also true for the letter *c* before *e* or *i*.*

PRÁCTICA Listen to your teacher, then pronounce these sounds.

za, ce, ci, zo, zu

Now practice these sounds as you describe these silly creatures.

El zorro zuato° corta zacate.   *silly*

¡Cielos! El cerdo está otra vez en el césped de la plaza.

El ciempiés es bastante civilizado.

_____
*See note in "**Pronunciación:** *s* and *z*," **Unidad 1**, p. 68.

¿POR QUÉ LO DECIMOS ASÍ?

GRAMÁTICA

TELLING WHAT YOU DID (PART 1)
Past Tense (Preterite) of Regular -ar Verbs

A As in the present tense, past-tense (preterite) endings change according to the subject. To conjugate any regular **-ar** verb in the past tense, drop the **-ar** and add the following endings: **-é, -aste, -ó; -amos, (-asteis), -aron.** To conjugate **escuchar** (*to listen*), for example, add the endings to the stem **escuch-**. In the following table, note the ending that corresponds to each subject pronoun.

Past Tense (Preterite) of **escuchar**		
yo	escuch**é**	*I listened*
tú	escuch**aste**	*you* (informal) *listened*
usted	escuch**ó**	*you* (polite) *listened*
él/ella	escuch**ó**	*he/she listened*
nosotros/nosotras	escuch**amos**	*we listened*
vosotros/vosotras	escuch**asteis**	*you* (informal plural) *listened*
ustedes	escuch**aron**	*you* (plural) *listened*
ellos/ellas	escuch**aron**	*they listened*

—¿**Escuchaste** el nuevo disco?

—Sí, lo **escuché** y Chela también lo **escuchó**. Pero Juana **no** lo **escuchó**.

—*Did you listen to the new record?*

—*Yes, I listened to it and Chela did too. But Juana didn't listen to it.*

B The **nosotros** form is the same in the present and in the preterite of **-ar** verbs. You can usually tell from context which tense is appropriate.

Hablamos con el Sr. Álvarez todos los días.

Juana y yo **hablamos** por teléfono anoche.

We talk to Mr. Álvarez every day.

Juana and I talked on the telephone last night.

¿Recuerdas?

▶ In **Unidad 7** you learned the past-tense forms of the verb **ir** (*to go*), to ask or tell where someone went. You learned that in a question or negative statement, the English equivalent of all forms is *did . . . go*: "Did they go to school? We didn't go." The past-tense forms of **ir** are unusual because they do not resemble the infinitive.

yo... **é**
tú... **aste**
usted... **ó**
él/ella... **ó**
nosotros/as... **amos**
ustedes... **aron**
ellos/as... **aron**

In a question or a negative statement, the English equivalent of all forms = Did . . . listen

*Remember to watch for words such as **anoche**, **ayer**, **la semana pasada** to help you recognize the past tense.*

¡OJO! There are no stem vowel changes in **-ar** verbs in the past tense.

C The stem vowels of **-ar** verbs do *not* change in the past tense, even in verbs with a present-tense stem change.

—Julio, ¿te ac**o**staste tarde anoche?

—Sí, me ac**o**sté tarde. Casi siempre me ac**ue**sto tarde.

—Julio, did you go to bed late last night?

—Yes, I went to bed late. I almost always go to bed late.

EJERCICIO 1   ¿Qué hiciste ayer?

Ask your classmate what he/she did yesterday.

▶ Pregúntale a tu compañero/a qué hizo ayer.

MODELO: escuchar la radio →

TÚ: ¿*Escuchaste la radio*?

COMPAÑERO/A: *Sí, escuché la radio. (No, no escuché la radio, pero miré la televisión.)*

1. escuchar la radio
2. limpiar tu cuarto
3. reciclar papel o botellas
4. usar la computadora
5. lavar los platos
6. trabajar en el jardín
7. mirar la televisión
8. preparar el desayuno

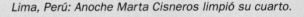
Lima, Perú: Anoche Marta Cisneros limpió su cuarto.

Felipe Iglesias trabajó en el jardín con su familia en Sevilla, España.

EJERCICIO 2　Actividades típicas

▶ Di qué hicieron estas personas, según el contexto.

Tell what the following people did.

MODELOS:　la entrenadora →
　　　　　La entrenadora *ayudó al equipo de fútbol.*

　　　　　los astrónomos →
　　　　　Los astrónomos *contaron las estrellas.*

1.　la entrenadora

2.　los astrónomos

3.　la astronauta

4.　el presidente

5.　los estudiantes

6.　los secretarios

a.　caminar en el espacio
b.　contestar el teléfono
c.　hablar por televisión
d.　estudiar para un examen
e.　contar las estrellas
f.　ayudar al equipo de fútbol

EJERCICIO 3　¿Qué compraste?

▶ Humberto Figueroa, Eduardo Rivas y Mariana Peña hablan de los discos que compraron. Completa el diálogo con **compré, compraste, compró, compramos** o **compraron**.

Complete the dialogue with the appropriate form of *comprar*.

HUMBERTO:　Mariana, ¿dónde ____¹ este cassette? Tiene canciones buenísimas.

MARIANA:　Lo ____² en la nueva tienda de discos, al lado del Café La Paz. También ____³ ese disco compacto de Luis Miguel.

HUMBERTO:　¡No me digas! Creo que ésa es la tienda donde Eduardo y yo ____⁴ el último disco de Juan Luis Guerra.

EDUARDO:　Tiene música moderna, pop, rap, clásica... de todo y ¡barato! Hasta mis padres ____⁵ uno.

MARIANA:　Y ustedes, ¿____⁶ algún cassette interesante hoy?

HUMBERTO:　¡Sí! Eduardo y yo ____⁷ uno fantástico de Jon Secada que ganó un Grammy. ¿Quieres escucharlo?

MARIANA:　¡Por supuesto!

Un empleado del hotel contesta el teléfono en San Juan, Puerto Rico.

HOW DO YOU SPELL IT? (PART 1)
Spelling Changes in the Past Tense: *-ar* Verbs

Some -ar verbs have spelling changes in the past tense of the yo form.

Verbs ending in -car:
c → qu.

A In the past tense, some **-ar** verbs have a spelling change in the **yo** form. This keeps the pronunciation from changing.

Verbs that end in **-car** (**buscar, explicar, sacar, tocar**) change the **c** of the stem to **qu**. This keeps the *k* sound before the **-é** ending. Here are the past-tense forms of **sacar** (*to take out*).

Past Tense (Preterite) of **sacar**		
SINGULAR	PLURAL	
yo saqué	nosotros/nosotras sacamos	
tú sacaste	vosotros/vosotras sacasteis	
usted sacó	ustedes sacaron	
él/ella sacó	ellos/ellas sacaron	

—¿Qué libro **sacaste** de la biblioteca?
—**Saqué** uno de aventuras.

—*What book did you take out of the library?*
—*I took out one on adventures.*

Verbs ending in -gar:
g → gu.

B Verbs that end in **-gar** (**jugar, llegar, pagar**) change the **g** of the stem to **gu**. This keeps the hard *g* sound before the **-é** ending. Here are the past-tense forms of **jugar** (*to play*).

Past Tense (Preterite) of **jugar**		
SINGULAR	PLURAL	
yo jugué	nosotros/nosotras jugamos	
tú jugaste	vosotros/vosotras jugasteis	
usted jugó	ustedes jugaron	
él/ella jugó	ellos/ellas jugaron	

—¿Quién **jugó** al tenis con Chela?
—Yo **jugué** con ella ayer por la mañana.

—*Who played tennis with Chela?*
—*I played with her yesterday morning.*

C Verbs that end in **-zar** (**almorzar, empezar**) change the **z** of the stem to **c** before the **-é** ending because modern Spanish does not use the combinations **ze** and **zi**. Here are the past-tense forms of **almorzar** (*to lunch*).

Verbs ending in
-zar:
z → c.

Past Tense (Preterite) of **almorzar**	
SINGULAR	PLURAL
yo almorcé	nosotros/nosotras almorzamos
tú almorzaste	vosotros/vosotras almorzasteis
usted almorzó	ustedes almorzaron
él/ella almorzó	ellos/ellas almorzaron

—¿Ya **almorzaste**? —*Did you already eat lunch?*
—Sí, **almorcé** a las once. —*Yes, I ate lunch at eleven.*

EJERCICIO 4   **¿Cómo es tu memoria?**

Can you
remember what
you did lately?

▶ ¿Puedes contestar estas preguntas sobre las actividades de los últimos días?

MODELO: ¿A qué jugaste el sábado? →
                Jugué al béisbol.

c → qu
g → gu
z → c

1. ¿A qué jugaste el sábado?

2. ¿Qué deporte(s) practicaste la semana pasada?

3. ¿Dónde almorzaste anteayer?

4. ¿Qué libro (película, disco) sacaste de la biblioteca?

5. ¿A qué hora llegaste hoy a la escuela?

6. ¿Qué buscaste en tu lóquer esta mañana?

7. ¿Qué le explicaste a un compañero o a una compañera de clase?

8. ¿A qué hora empezaste tu tarea anoche?

EJERCICIO 5   **¡Qué mala suerte!**

Complete the
sentences on
p. 492 with a
logical verb in
the past tense.

▶ Humberto nos cuenta lo que le pasó. Completa sus oraciones en la página 492 con un verbo lógico de la lista.

almorzar	jugar	pescar
buscar	llegar	sacar

1. Ayer fui a pescar, pero ¡no _____ nada!

2. Luego empezó a llover. Entonces, _____ una toalla para secarme... ¡pero no la encontré!

3. Esta mañana, _____ tardísimo a la clase de inglés y la profesora se enojó.

4. Al mediodía, me quedé en la biblioteca para estudiar y no _____ . Ahora, claro está, ¡tengo un hambre feroz!

5. Por la tarde, _____ al fútbol con el equipo de mi escuela, pero no ganamos.

6. Bueno, por fin me pasó algo bueno. ¡ _____ una «A» en ciencias!

EXPRESSING NEGATIVE IDEAS
Negative and Affirmative Words

A You have already used the negative words below to indicate negative situations. You have also used the contrasting affirmative words to express the opposite situations.

NEGATIVE		AFFIRMATIVE	
nada	*nothing, (not) anything*	**algo**	*something*
nadie	*nobody, no one, (not) anyone*	**alguien**	*anyone, someone*
nunca	*never, (not) ever*	**siempre**	*always*

—**¿Alguien** tiene mis discos?   —*Does anyone have my records?*
—**Nadie** los tiene.   —*No one has them.*

—**¿Siempre** vas al campo los fines de semana?   —*Do you always go to the country on weekends?*
—**Nunca** voy al campo.   —*I never go to the country.*

B Like **no**, these negative words can go before the verb. But if a negative word *follows* the verb, the word **no** precedes the verb.

—¿Pescaste algo?   —*Did you catch anything?*
—No, **no** pesqué **nada**.   —*No, I didn't catch anything.*

—**¿No** van **nunca** a la playa?   —*Don't you ever go to the beach?*
—No, **nunca** vamos.   —*No, we never go.*

—¿Quién vive en la luna?   —*Who lives on the moon?*
—**No** vive **nadie** en la luna.   —*No one lives on the moon.*
(**Nadie** vive en la luna.)

¿Recuerdas?

▶ In **Unidad 1** you learned to make a sentence negative by putting the word **no** before the verb.

Vivo en el campo.
I live in the country.

No **vivo en el campo.**
I don't live in the country.

Mi casa tiene jardín.
My house has a garden.

Mi casa *no* **tiene jardín.**
My house doesn't have a garden.

negative + verb
or no + verb +
negative

EJERCICIO 6 — Cambio de rutina

▶ Durante las vacaciones, Luis Fernández cambia su rutina diaria. Di lo que hace o no hace, usando **siempre** o **nunca**. Sigue los modelos.

> **Tell what Luis probably does or does not do during vacation.**

MODELOS: estudiar → Nunca *estudia*. (No *estudia* nunca.)

visitar a sus amigos → Siempre *visita a sus amigos*.

1. estudiar
2. visitar a sus amigos
3. ir a la escuela
4. levantarse tarde
5. llevar uniforme
6. hablar con sus profesores
7. jugar al fútbol
8. acostarse tarde

> **nunca** = never, not ever
> **nunca** + verb or **no** + verb + **nunca**
> **siempre** = always

EJERCICIO 7 — De mal humor

▶ Imagínate que estás de mal humor. Tu amigo/a te hace estas preguntas. Completa el diálogo con **nada, nadie** o **nunca**.

> **Complete the dialogue.**

MODELO:

AMIGO/A: ¿Qué estás haciendo ahora?
TÚ: No estoy haciendo *nada*.

> **nada** = nothing, not anything
> **nadie** = no one, not anyone
> **nunca** = never, not ever

AMIGO/A: ¿Cuándo vas a comer?
TÚ: No sé. No hay ___[1] en el refrigerador.
AMIGO/A: ¿Alguien cocina en tu casa?
TÚ: No, en mi casa ___[2] cocina.
AMIGO/A: Entonces, ¿quieres comer algo?
TÚ: No, gracias. No quiero comer ___[3] ahora. No tengo hambre.
AMIGO/A: ¿Quieres ir al centro comercial esta tarde?
TÚ: No, ___[4] tengo tiempo para ir de compras.
AMIGO/A: ¿Con quién vas a salir este fin de semana?
TÚ: No voy a salir con ___.[5] Estoy un poco cansado/a.
AMIGO/A: Entonces, ¿por qué no vas al campo por unos días?
TÚ: ___[6] voy allí. No me gusta.

Ángela habla con Luis y Francisco en un centro comercial en la Ciudad de México, México.

VOCABULARIO PALABRAS NUEVAS

El campo
el árbol
el cielo
la estrella
la luna

Palabras de repaso: el césped,
el jardín

Los sustantivos
la batería
el centro de reciclaje
el coro
el envase
la lata

Palabras de repaso: la basura,
la boda, la botella, el carro, la
casa, la clase, el cuarto, el
deporte, el desayuno, el
escaparate, el examen, la
familia, la fiesta, la foto, la
guitarra, la iglesia, la lección,
el papel, el partido, la película,
el plato, la playa, la televisión,
la tienda, el vestido, el video,
el videojuego, el vidrio, el
violín

Los verbos en el pasado
acostarse
    me acosté / se acostó
almorzar
    almorcé / almorzó
alquilar
    alquilé / alquiló
bailar
    bailé / bailó
bañarse
    me bañé / se bañó

buscar
    busqué / buscó
cantar
    canté / cantó
cepillarse
    me cepillé / se cepilló
cocinar
    cociné / cocinó
conversar
    conversé / conversó
cortar
    corté / cortó
descansar
    descansé / descansó
ducharse
    me duché / se duchó
empezar
    empecé / empezó
estudiar
    estudié / estudió
ganar
    gané / ganó
hablar
    hablé / habló
hacer
    hice / hiciste / hizo /
        hicieron
jugar
    jugué / jugó
lavar
    lavé / lavó
levantarse
    me levanté / se levantó
limpiar
    limpié / limpió
mirar
    miré / miró
pasar
    pasé / pasó
pescar
    pesqué / pescó

planchar
    planché / planchó
practicar
    practiqué / practicó
preparar
    preparé / preparó
quedarse
    me quedé / se quedó
reciclar
    reciclé / recicló
repasar
    repasé / repasó
sacar
    saqué / sacó
separar
    separé / separó
tocar
    toqué / tocó
tomar
    tomé / tomó
trabajar
    trabajé / trabajó

¡A charlar!
anoche
anteayer
ayer
el fin de semana pasado
el mes / año pasado
la semana pasada

¿Qué hiciste?
¿Qué hizo?
No hice nada.

Palabra útil
¡Qué cansancio!

Tú

You think it's very important for the environment that as many products as possible be recycled. Your partner, on the other hand, thinks recycling is too much trouble and doesn't want to bother. Try to persuade your partner that it is useful and easy.

Hint: Before you do this activity, think of materials people can recycle, recycling centers in your town, and reasons why recycling is important. Include items like **Todo el mundo empieza a reciclar** and **Es muy importante reciclar en las ciudades.**

Compañero/a

You know that many people think it's very important to recycle glass, plastic, and paper items, but you think recycling is too much trouble, so you throw everything away. When your partner tries to persuade you to recycle everything you can, explain your reasons for not doing so. Listen carefully, though, because your partner may have some good points!

Hint: Before you do the activity, jot down all the arguments against recycling you've heard. Include items like **Nadie en mi familia recicla** and **Nunca tengo tiempo para reciclar.**

Conversation Tip

▶ The best way to persuade people is to give them the facts, right? However, companies often try to convince us to buy their products by telling us that some famous person thinks the product is great or that no one should be without it. This technique isn't very logical, but it often works. Here are some phrases to use when you're trying to persuade someone to do something.

Todo el mundo necesita...
A Michael Jordan le gusta...
Es mejor...
Nunca hago esto.
No hago nada sin...

¿SABÍAS QUE...

- nadie sabe de dónde son los perros?

- nadie sabe cuántas Islas Filipinas hay?

- hay menos homicidios per capita en España que en cualquier otro país europeo?

- nadie sabe quién fue° el inventor de los lentes?   was

- cuatro de cada diez norteamericanos admiten leer en el baño?

¡TE INVITAMOS A ESCRIBIR!

TU CASA IDEAL

Imagínate que tú eres rico/a y famoso/a. Vas a construir la casa de tus sueños. Por supuesto, ¡el precio no es importante! Describe la casa, por dentro y por fuera.

Think about the type of house you'll need.

Primero, piensa...
en tu situación personal. Por ejemplo, ¿quién vive contigo? ¿Tienes familia? ¿criada? ¿Hay animales? ¿Cuáles son las actividades que te gusta hacer? ¿Cuáles son las reglas de tu casa?

Luego, organiza tus ideas...
con un mapa semántico. Puedes empezar con la frase principal: **mi casa ideal**. Algunas ideas secundarias que puedes incluir son la ubicación (campo o ciudad), los cuartos, los colores, los muebles. Algunas palabras útiles: **cómodo/a**, **hermoso/a**, **lujoso/a**, **enorme**, **formal**, **impresionante**.

Por último, escribe una composición...
usando la información de tu mapa semántico. Si quieres, haz un dibujo de la casa para ilustrar tu composición.

Y AHORA, ¿QUÉ DECIMOS?

Paso 1. **Mira otra vez las fotografías en las páginas 442–443. ¿Qué más puedes decir de ellas?**

■ ¿Qué medios de transporte y edificios ves en la foto número 1?

■ ¿En qué cuarto están los jóvenes en la foto número 2? ¿Qué están haciendo ellos? ¿Hiciste tú esta actividad? ¿Cuándo?

■ ¿Están dentro o fuera de la casa las personas en la foto número 3? ¿Qué están haciendo? ¿Charlaste con tus amigos/as esta mañana?

Paso 2. **Imagínate que durante el verano trabajas para «Casas para todas», una agencia de inmuebles.° Prepara un anuncio para el periódico local para vender una casa. Busca una foto de una casa especial en un periódico o una revista vieja o dibuja una. Incluye la siguiente información para la casa en venta:**

agencia...
real estate agency

■ ¿Dónde está la casa?

■ ¿De qué color es?

■ ¿Cuántas habitaciones y baños tiene?

■ ¿Qué muebles y aparatos eléctricos están incluidos?

■ ¿Qué cuartos o características especiales tiere? ¿Hay piscina?

Y por último, no te olvides de dibujar un cartel enfrente de la casa que diga «Se vende».

UNIDAD 9

EXPERIENCIAS Y RECUERDOS

Teotihuacán, México.

¿QUÉ PODEMOS DECIR?

Mira las fotografías. ¿Qué fotos asocias con las siguientes descripciones?

- Un lugar donde aprendes de otras civilizaciones y culturas
- Una actividad relacionada con el fin del año escolar
- Una actividad relacionada con un deporte

Ahora, ¿qué más puedes decir de estas fotos? ¿Dónde están estos jóvenes? ¿Qué hacen? ¿Qué estación del año es? ¿Se divierten?

Ciudad de México, México.

1

3

San Juan, Puerto Rico.

LECCIÓN 1

OCASIONES ESPECIALES
In this lesson you will:

- **talk about things you, your family, and your friends have done together in the past**

LECCIÓN 2

DE VIAJE
In this lesson you will:

- **talk about trips that you took with family or friends**

LECCIÓN 3

RECUERDOS DE ESTE AÑO
In this lesson you will:

- **talk about special events of this past year**

LECCIÓN 1

OCASIONES ESPECIALES

«El verano pasado practiqué tenis todos los días en el club», dice Marisa Bolini. «Participé en un campeonato de tenis para juniors y ¡gané este trofeo!»

MINISTERIO DE CULTURA

MUSEO NACIONAL CENTRO DE ARTE
REINA SOFIA

ENTRADA

400 Pesetas

№ 2386

Buenos Aires, Argentina.

Durante las vacaciones de primavera, Mariana Peña asistió con sus padres a la boda de su tía en Nueva York. Allí conoció a mucha gente joven y se divirtió muchísimo.

San Juan, Puerto Rico.

«Cuando voy de excursión a los parques nacionales me gusta sacar fotos de la naturaleza», dice Julio Bustamente. «Necesito una cámara nueva. Tiene que ser buena, pero ¡no muy cara!»

San José, Costa Rica.

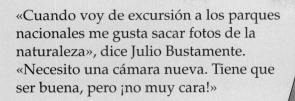

Felicia **asistió** a un concierto de rock por primera vez.

Esteban **recibió un trofeo** por su **participación** en **el campeonato** de fútbol.

Paco **conoció** a una chica muy simpática en una fiesta de Año Nuevo.

La Srta. García y el Sr. Álvarez **comieron** en un restaurante elegante para celebrar el cumpleaños de ella.

VOCABULARIO

¿QUÉ HICIERON ESTE AÑO?

Juana **actuó** en una obra de teatro de la escuela y recibió **un gran aplauso**.

Víctor y su familia **asistieron** a la boda de una prima en México.

Esteban **aprendió** a **manejar** el carro.

Y TÚ, ¿QUÉ DICES?

Conexión gramatical
Estudia las páginas 510–514
en **¿Por qué lo decimos así?**

ACTIVIDADES ORALES Y LECTURAS

1 • OPCIONES   **Días especiales**

▶ Di qué hiciste en las siguientes ocasiones. Luego comparte la
información con tus compañeros.

*Pick the best
answer for you.*

1. El 4 de julio, yo...
   a. fui a un picnic en el campo.
   b. decidí participar en un desfile.
   c. vi los fuegos artificiales.
   d. ¿ ?

2. El día de mi cumpleaños, mis amigos y yo...
   a. salimos a bailar.
   b. dimos una fiesta.
   c. comimos pastel y helado.
   d. ¿ ?

3. El año pasado para Navidad, mi familia y yo...
   a. les escribimos muchas tarjetas a
      nuestros parientes y amigos.
   b. abrimos regalos antes del desayuno.
   c. encendimos las luces del árbol.
   d. ¿ ?

4. Durante las vacaciones de verano, yo...
   a. aprendí a manejar el carro.
   b. leí muchas novelas.
   c. fui a acampar en las montañas.
   d. ¿ ?

Talk about what each person did.

▶ Éstas son las experiencias especiales del año pasado de algunas personas de la Escuela Central. ¿Qué hizo cada una?

¿CUÁNDO?	¿QUIÉN?	¿QUÉ HIZO?
septiembre	Sr. Álvarez	salió con la Srta. García por primera vez
	Felicia	cumplió 14 años
	Esteban	vendió su bicicleta
octubre	Ana Alicia	asistió a una fiesta del Día de las Brujas
	Esteban	aprendió a manejar el carro
	Sr. Álvarez	comió en un restaurante elegante con la Srta. García
noviembre	Chela	recibió una invitación para visitar una universidad
	Esteban	sufrió un pequeño accidente con el carro
	Juana	vio una obra de teatro en español
diciembre	José Campos	fue a Puerto Rico para visitar a sus parientes
	Sr. Álvarez	le dio un collar de perlas a la Srta. García para Navidad
	Paco	conoció a una chica muy bonita en el baile de Año Nuevo

MODELOS:

TÚ: ¿Quién *recibió una invitación para visitar una universidad*?
COMPAÑERO/A: *Chela la recibió.*

TÚ: ¿Cuándo *vendió Esteban su bicicleta*?
COMPAÑERO/A: *La vendió en septiembre.*

Say whether you did these things and with whom.

▶ Piensa en lo que hiciste con tus amigos o parientes el año pasado. ¿Hiciste las siguientes actividades? ¿Cuándo? ¿Con quién? Si no las hiciste, explica por qué.

MODELO: Asistimos a una boda. →
Mis padres y yo asistimos a la boda de mi hermano el año pasado. (No, no asistimos a una boda porque nadie de mi familia se casó.)

1. Salimos a bailar.
2. Encendimos las velitas del pastel.
3. Vimos los fuegos artificiales.
4. Comimos en un restaurante elegante.
5. Conocimos a una persona interesante.
6. Dimos una fiesta.

4 • NARRACIÓN   En una fiesta

▶ El fin de semana pasado, Eduardo Rivas fue a una fiesta. Describe lo que pasó.

Describe what happened during and after the party.

Did you do these things last week?

▶ Di si hiciste estas cosas y luego compara tus respuestas con las de tu compañero/a.

MODELO: La semana pasada... leer una revista (¿Cuál?) →

TÚ: Sí, la semana pasada *leí la revista People.* ¿Y tú? (No, no *leí una revista* la semana pasada. ¿Y tú?)

COMPAÑERO/A: *Yo leí la revista National Geographic.*

La semana pasada...

1. ver una película (¿Cuál? ¿Con quién?)
2. comer en un restaurante (¿Cuál? ¿Qué comiste?)
3. perder una cosa (¿Qué? ¿Dónde?)
4. asistir a una fiesta (¿Qué día? ¿Dónde?)

5. escribir un informe / una composición (¿Para qué clase?)
6. aprender una nueva canción (¿Cuál?)
7. conocer a una persona (¿A quién? ¿Dónde?)
8. romper algo (¿Qué?)

VOCABULARIO ÚTIL
nada
con nadie

Y AHORA, ¡CON TU PROFESOR(A)!

Interview your teacher.

▶ Pregúntale a tu profesor(a) sobre sus actividades de la semana pasada. Si quieres, puedes usar las actividades de la lista.

salir a bailar
ver una película de aventuras
asistir a una conferencia
leer el periódico
comer en un restaurante
perder algo
escribir cartas
¿ ?

RETRATO CULTURAL

ANTONI MIRALDA (1942–)

- Lugar de nacimiento: Terrassa (Barcelona), España
- Profesión: artista

El pastel de cumpleaños de la Torre Eiffel.
París, Francia.

El vestido de novia para la Estatua de la
Libertad.

Antoni Miralda es un artista español que estudia los símbolos y
rituales que tiene toda cultura. Sus proyectos son instalaciones
monumentales por todo el mundo. Cuando la Torre Eiffel cumplió
100 años, hizo un pastel de ¡22 metros de altura! En su proyecto *La
luna de miel*,° Miralda celebró el aniversario de los 500 años de la   La... *Honeymoon*
llegada de Cristóbal Colón a América con la boda de sus símbolos: la
estatua de la Libertad y la estatua de Colón. La boda se realizó° en   se... *took place*
Las Vegas, Nevada, y los novios recibieron regalos muy originales y...
monumentales.

¡TE INVITAMOS A LEER!

OTRAS VOCES

PREGUNTA: «Describir una experiencia inolvidable.°»

unforgettable

Describe an unforgettable experience.

Clara López Rubio
Madrid, España

«Una experiencia muy divertida fue° cuando
fui con el grupo de "supervivencia"° de mi
colegio a hacer acampadas en el monte.°
Salimos por la mañana para pasar el día
entero comiendo cosas del monte y dormir al
aire libre.° Muchas de nosotras salimos a
buscar ortigas.° Las cocimos° para sacar las
espinas° e hicimos una tortilla con ellas.
¡Estaba° deliciosa! Por la noche pasamos un
poco de frío y nos acostamos debajo de un
árbol. ¡Por la mañana estábamos rodeadas de
vacas°!»

was
survival
hacer... to camp out in the hills

dormir... sleep outdoors
nettles / we boiled
thorns
It was

estábamos... we were surrounded by cows

Erick José Leiton Solano
Alajuela, Costa Rica

«Una experiencia inolvidable de mi niñez° fue
cuando visité por primera vez los Estados
Unidos con mi mamá y allí conocí parte de
ese país. La parte que mejor recuerdo es
cuando me llevaron a conocer Disneyland y
pude° jugar en la mayoría de las atracciones
que hay allí.»

childhood

I was able

Cecilia Beatriz Borri
Córdoba, Argentina

«Una experiencia inolvidable fue cuando mi amiga y yo decidimos pasar el verano en las playas del Uruguay. Trabajamos durante el año para ganar el dinero y finalmente, en enero, salimos para ese país. Viajamos toda una noche en colectivo° y al día siguiente llegamos a Montevideo. Cuando llegamos al camping, otros chicos nos ayudaron a armar la carpa.° El lugar era hermosísimo,° a dos cuadras del mar, con muchos árboles y lleno de gente joven. Nos quedamos allí un mes, sin más lujos que° una carpa y las instalaciones del camping, pero teníamos todo lo que hacía falta° para pasar unas vacaciones inolvidables: sol, playas, gente joven y mucha diversión.»

autobús

armar... *to pitch the tent* / muy bonito

sin... *with no other luxuries than*

teníamos... *we had all that was needed*

Y AHORA, ¿QUÉ DICES TÚ?

1. ¿Cuál de las experiencias de estos jóvenes te gustó más? ¿Por qué?

2. Describe una experiencia inolvidable de tu niñez. Puede ser un cumpleaños, un viaje o una excursión, una visita a un parque de diversiones o al jardín zoológico, etcétera. ¿Qué hiciste? ¿Qué viste? ¿Adónde fuiste?

3. ¿Participaste alguna vez en un evento especial como un campeonato, un desfile, una obra de teatro? Describe lo que hiciste.

TELLING WHAT YOU DID (PART 2)
Past Tense (Preterite) of *-er* and *-ir* Verbs

yo... **í**
tú... **iste**
usted... **ió**
él/ella... **ió**
nosotros/
nosotras... **imos**
ustedes... **ieron**
ellos/as... **ieron**

A To conjugate any regular **-er** or **-ir** verb in the past tense, drop the **-er** or **-ir** from the infinitive and add the following endings: **-í, -iste, -ió; -imos, -isteis, -ieron**. Here are the past-tense forms of **comer** (*to eat*) and **escribir** (*to write*). Note the ending that corresponds to each subject pronoun.

Past Tense (Preterite) of **comer**		
yo	com**í**	*I ate*
tú	com**iste**	*you (informal) ate*
usted	com**ió**	*you (polite) ate*
él/ella	com**ió**	*he/she ate*
nosotros/nosotras	com**imos**	*we ate*
vosotros/vosotras	com**isteis**	*you (informal plural) ate*
ustedes	com**ieron**	*you (plural) ate*
ellos/ellas	com**ieron**	*they ate*

In a question or a negative statement, the English equivalent of all forms = did . . . eat.

—¿A qué hora **comiste** anoche?
—¡Uf! No **comí** hasta las diez.

—*What time did you eat last night?*
—*I didn't eat until ten.*

As with **-ar** verbs, the **nosotros** form of **-ir** verbs is the same in the present as in the past tense. You can usually tell which tense is appropriate from the context.

Past Tense (Preterite) of **escribir**		
yo	escrib**í**	*I wrote*
tú	escrib**iste**	*you (informal) wrote*
usted	escrib**ió**	*you (polite) wrote*
él/ella	escrib**ió**	*he/she wrote*
nosotros/nosotras	escrib**imos**	*we wrote*
vosotros/vosotras	escrib**isteis**	*you (informal plural) wrote*
ustedes	escrib**ieron**	*you (plural) wrote*
ellos/ellas	escrib**ieron**	*they wrote*

—¿Le **escribieron** Luis y Juanito a su abuela Matilde?
—Luis le **escribió** ayer, pero Juanito **no** le **escribió**.

—*Did Luis and Juanito write to their grandmother Matilde?*
—*Luis wrote to her yesterday, but Juanito didn't write to her.*

In a question or a negative statement, the English equivalent of all forms = *did . . . write.*

B The verbs **ver** (*to see*) and **dar** (*to give*) take **-er/-ir** past-tense endings but have no written accents.

ver and *dar* take *-er/-ir* past-tense endings but have no written accents.

Past Tense (*Preterite*) of **ver** *and* **dar**		
yo	**vi**	**di**
tú	**viste**	**diste**
usted	**vio**	**dio**
él/ella	**vio**	**dio**
nosotros/nosotras	**vimos**	**dimos**
vosotros/vosotras	**visteis**	**disteis**
ustedes	**vieron**	**dieron**
ellos/ellas	**vieron**	**dieron**

—¿**Vieron** ustedes a Paco hoy?
—Sí, yo lo **vi** a las once y Chela lo **vio** a las dos. Yo le **di** dinero para el almuerzo y ella le **dio** un bolígrafo.

—*Did you (all) see Paco today?*
—*Yes, I saw him at eleven and Chela saw him at two. I gave him money for lunch and she gave him a ballpoint pen.*

C In **Unidad 7** you used the verb **conocer** (*to know*) to tell about people you are familiar with. The past-tense forms of **conocer** usually correspond to the English *met/was introduced to.*

Present tense of *conocer* = *to know*
past tense of *conocer* = *met/was introduced to.*

—**Conozco** a Juana.
—Yo también.
—¿**Conociste** a su prima el sábado?
—Sí, la **conocí** en la fiesta.

—*I know Juana.*
—*So do I.*
—*Did you meet her cousin on Saturday?*
—*Yes, I was introduced to her at the party.*

D Stem-changing **-er** verbs such as **perder** (*to lose*) and **encender** (*to light; to turn on a light*) do not have a stem change in the past.

¡OJO! There are no stem vowel changes in most *-er* verbs in the past tense.

—Ernesto p**e**rdió el dinero para el almuerzo.
—¡Este Ernesto siempre p**ie**rde algo!

—*Ernesto lost his lunch money.*
—*This Ernesto is always losing something!*

LECCIÓN 1

quinientos once **511**

La semana pasada

▶ Pregúntale a tu compañero/a qué hizo la semana pasada.

MODELO: ver una película →

TÚ: ¿*Viste* una película?
COMPAÑERO/A: Sí, *vi* una película.
(No, *no vi* una película.)

1. ver una película
2. salir con amigos
3. escribir una carta
4. compartir tu almuerzo con un amigo
5. asistir a un concierto de rock
6. comer en un restaurante de comida rápida
7. correr en el campo de deportes
8. dar una fiesta

¡Uf, qué día!

▶ Completa la carta que Ana Alicia le escribió a Marisa, su amiga por correspondencia. Usa formas del pretérito.

> Querida Marisa:
> Ayer pasé un día horrible. Por la mañana, _____ (salir)[1] de casa muy tarde, y _____ (correr)[2] para tomar el autobús, pero el autobús no me esperó. Cuando llegué a la escuela (un poco tarde), la profesora de historia nos _____ (dar)[3] una prueba sorpresa. ¡Qué horror! Al mediodía cuando fui a la cafetería, no encontré mi cartera. Creo que la _____ (perder)[4] ayer en el cine. Por suerte, unas amigas me _____ (dar)[5] dinero para comprar un sandwich, y Esteban, un compañero de clase, _____ (compartir)[6] sus galletitas conmigo. Por la tarde, durante la clase de educación física, mi amiga Beatriz y yo _____ (correr)[7] en una carrera pero las dos _____ (perder).[8] ¡Uf, qué día!
>
> Cariños,
> Ana Alicia

HOW DO YOU SPELL IT? (PART 2)
Orthographic Changes in the Preterite of *-er* Verbs

Some **-er** verbs, such as **creer** (*to believe*) and **leer** (*to read*), have
spelling changes in the past tense. In these verbs, the **usted, él/ella**
ending changes from **-ió** to **-yó** and the **ustedes, ellos/ellas** ending
changes from **-ieron** to **-yeron**. Here are the past-tense (preterite)
forms of the verb **leer**.

When the stem
ends in e:
-ió → -yó,
-ieron → -yeron.

Past Tense (Preterite) of leer			
SINGULAR		PLURAL	
yo leí		nosotros/nosotras	leímos
tú leíste		vosotros/vosotras	leísteis
usted **leyó**		ustedes	**leyeron**
él/ella **leyó**		ellos/ellas	**leyeron**

—¿**Leyeron** ustedes el cuento
para la clase de literatura?

—Sí, Graciela y yo lo **leímos**
juntas.

—*Did you (all) read the story
for literature class?*

—*Yes, Graciela and I read it
together.*

EJERCICIO 3 ¿Qué leyeron?

▶ Conversa con tu compañero/a sobre lo que leyeron estas
personas. Usen **leyó** o **leyeron**.

*Tell what each
person read.*

MODELO: la clase de inglés →

TÚ: ¿Qué *leyó la clase de inglés?*
COMPAÑERO/A: *Leyó Las aventuras de Tom Sawyer.*

1. la clase de inglés

2. la entrenadora de tenis

3. los niños

4. el profesor de geografía

5. las adolescentes

6. los turistas

7. los clientes del restaurante

8. el actor

a. las tiras cómicas
b. la revista *Diecisiete*
c. una guía de la ciudad
d. una obra de teatro
e. *Las aventuras de Tom Sawyer*
f. la revista *Deportes ilustrados*
g. la revista *Geomundo*
h. el menú
i. ¿ ?

Se pueden comprar libros, revistas y periódicos
en muchos lugares del mundo hispano...

...al aire libre en la Ciudad de México, México,

...en una librería en Madrid, España,

...y en quioscos en Buenos Aires, Argentina, y en Caracas, Venezuela.

VOCABULARIO PALABRAS NUEVAS

Las experiencias
el campeonato
el trofeo
la universidad
las vacaciones

Palabra semejante: **el aplauso**

Palabras de repaso: la boda, el concierto, el cumpleaños, el desfile, la fiesta, los fuegos artificiales, la invitación, la obra de teatro, el pastel, el picnic, el regalo, la tarjeta, las velitas

Otros sustantivos
la luz
las palomitas
la participación

Palabras de repaso: el árbol, el campo, el carro, el desayuno, el helado, la montaña, la novela, el pastel, el restaurante

Los verbos en el pasado
abrir
  abrí / abrió
acampar
  acampé / acampó
actuar
  actué / actuó
aprender
  aprendí / aprendió
asistir
  asistí / asistió
comer
  comí / comió
conocer
  conocí / conoció
cumplir
  cumplí / cumplió
dar
  di / dio
decidir
  decidí / decidió
encender
  encendí / encendió

escribir
  escribí / escribió
leer
  leí / leyó
manejar
  manejé / manejó
recibir
  recibí / recibió
romper
  rompí / rompió
salir
  salí / salió
sufrir
  sufrí / sufrió
vender
  vendí / vendió
ver
  vi / vio

Adjetivo
estimado/a

LECCIÓN 2

DE VIAJE

Teotihuacán, México.

Argentina
Tu próxima tentación

«¡Bienvenidos a Teotihuacán!», dicen Ángela Robles y su amiga. «¿Quieres subir a esa pirámide con nosotras?»

Alicia Vargas Dols y su prima Carla caminaron mucho hoy. Fueron de compras y visitaron varias galerías de arte y el Museo del Prado. Ahora están descansando en el Parque del Retiro.

Madrid, España.

Sevilla, España.

«Aquí, en la Isla de la Cartuja, se celebró la EXPO '92», dice Felipe Iglesias. «Millones de turistas visitaron la Exposición para celebrar el Quinto Centenario del Descubrimiento de América.»

MEXICO
OPCIONAL "LA FLORIDA"

México/Taxco/Acapulco
8 días
México Arqueológico
16 días
Lo mejor de México
16 días

MARSANS INTERNATIONAL

VIERAMA

Operador responsable (Viajes Internacional Expreso S.A. - VIE
Res. D.N.S.T. Nº 726/85 Legajo Nº 4510)

AEROLINEAS ARGENTINAS

**HOTEL
PARIS
Alcalá, 2**
(PUERTA DEL SOL)
Teléfonos:
521 64 91 al 96
Telex: 43448 HPPS
28014 MADRID

Querida abuelita:
Aquí te mando unas fotos de mis vacaciones a México este año. ¡Qué **excursiones** tan bonitas!, ¿verdad? **Me divertí** mucho.

Muchos cariños de
Ángela

Teotihuacán, México.

La pirámide del Sol, Teotihuacán, México.

Un día **hice una excursión** en autobús a **la zona arqueológica** de Teotihuacán.

Seguí a los otros turistas y **subí** con ellos a **la pirámide** del Sol.

El Zócalo, Ciudad de México, México.

Palacio Nacional, Ciudad de México, México.

Otro día, **hice** planes con mi amiga Leticia para ir **al Zócalo** y ver la **catedral** y el **Palacio Nacional**.

En el Palacio Nacional vimos los **hermosos murales** de Diego Rivera. ¡Las dos **nos sentimos** muy **emocionadas**!

Ballet Folklórico de México, Ciudad de México, México.

Acapulco, México.

Por la noche, mis amigos me invitaron al Palacio de **Bellas Artes** para ver el **Ballet Folklórico**. Yo, por supuesto, **acepté** su invitación. Todos disfrutamos del espectáculo.

El fin de semana pasado, mi familia y yo fuimos **en avión** a Acapulco. **Hicimos** una excursión **en barco** por **la bahía** de Acapulco y ¡**nos divertimos** muchísimo en la playa!

Conexión gramatical
Estudia las páginas 526–530
en **¿Por qué lo decimos así?**

Y TÚ, ¿QUÉ DICES?

ACTIVIDADES ORALES Y LECTURAS

1 • PIÉNSALO TÚ   De vacaciones en México

▶ Con tu compañero/a, adivina dónde hizo Ángela estas actividades.

Tell where Ángela did these activities.

MODELO: Sacó fotos de muchos animales. →

TÚ: ¿Dónde *sacó Ángela fotos de muchos animales?*

COMPAÑERO/A: En *el jardín zoológico.*

Lugares

1. Pidió un folleto de las pirámides de Teotihuacán.

2. Escuchó un concierto de música religiosa.

3. Asistió a un espectáculo de baile folklórico.

4. Durmió bajo una sombrilla.

5. Se divirtió en los juegos.

6. Regateó con una vendedora.

7. Miró los murales de Diego Rivera.

8. Vio una corrida de toros y gritó «¡Olé!».

a. el museo
b. el jardín zoológico
c. la plaza de toros
d. la agencia de viajes
e. la catedral
f. el mercado
g. la playa
h. el parque de diversiones
i. el teatro
j. ¿ ?

Estos dos jóvenes practican el toreo en el Parque de Chapultepec en la Ciudad de México, México.

Talk about Mercedes's trip to Spain.

▶ A Mercedes Fernández, la hermana de Luis, le gusta mucho viajar. Conversa con tu compañero/a sobre el viaje que Mercedes hizo a España este año.

Las Ramblas en Barcelona, España.

CIUDADES	TRANSPORTE	ACTIVIDADES
De México, D.F., a Madrid	en avión	En Madrid pidió tapas en un restaurante.
De Madrid a Barcelona	en tren	En Barcelona dio un paseo por las Ramblas.
De Barcelona a Valencia	en autobús	En Valencia durmió en un parador.
De Valencia a Ibiza	en barco	En Ibiza se divirtió en la playa.

MODELO:

TÚ: ¿En qué viajó *Mercedes de Madrid a Barcelona*?

COMPAÑERO/A: Viajó *en tren*.

TÚ: ¿Qué hizo *Mercedes* en *Ibiza*?

COMPAÑERO/A: *Se divirtió en la playa.*

Una excursión a Teotihuacán

▶ Describe lo que Ángela y Leticia hicieron durante su excursión a Teotihuacán.

Describe the excursion to Teotihuacán.

Y AHORA, ¿QUÉ DICES TÚ?

1. ¿Hiciste una excursión con tu clase o con un grupo este año? ¿Adónde fueron ustedes?

2. ¿Cuánto tiempo se quedaron allí?

3. ¿Qué vieron? ¿Qué hicieron ustedes?

Interview your partner about an imaginary student trip.

▶ Imagínate que tu compañero/a hizo el viaje de estudiantes de este anuncio. Hazle las siguientes preguntas.

Viaje de Estudiantes a EUROPA
31 días

Visitando 12 países:
España, Francia, Inglaterra, Bélgica, Holanda, Alemania, Austria, Suiza, Liechtenstein, Italia, Ciudad del Vaticano, Mónaco

Salida: 10 de junio
Regreso: 10 de julio

$3,595.00
(Precio especial para estudiantes)

Precio incluye:

- Tarifa aérea ida y vuelta con IBERIA
- 28 desayunos, 2 almuerzos, 15 cenas
- Entradas y guías especializados en varios museos (incluyendo Museo de Louvre en París)
- Tarjeta Internacional de Estudiantes

TRAVEL EXPRESS
763-0909
Calle Paraná 1711, Río Piedras, Puerto Rico, 99026

1. ¿En qué viajaste?
2. ¿Cuántos países visitaste?
3. ¿Cuándo saliste y cuándo regresaste?
4. ¿Cuántas veces desayunaste? ¿almorzaste? ¿cenaste?
5. ¿Qué museo visitaste?

Y AHORA, ¡CON TU PROFESOR(A)!

1. ¿Qué le gusta más, viajar en tren, en avión o en barco? ¿Por qué?
2. ¿Hizo usted un viaje a Europa o a Hispanoamérica? ¿Qué país o países visitó? ¿Qué vio? ¿Dónde se divirtió más?

VISTAZO CULTURAL

LOS CAMELLOS DE LOS ANDES

¿Sabías que hay camellos en los Andes?
Las llamas, los guanacos, las vicuñas y las
alpacas son parientes del camello, pero
no tienen joroba.° Con excepción de la
vicuña, todos son excelentes animales de
carga.°

hump

de... pack

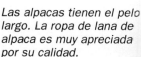

*Un grupo de guanacos en
los Andes de la Argentina.*

*Las alpacas tienen el pelo
largo. La ropa de lana de
alpaca es muy apreciada
por su calidad.*

*Las llamas están consideradas como el mejor
animal de carga para el difícil terreno de los
Andes. Son grandes, inteligentes y pueden llevar
mucha carga. Hoy día, estos animales también
se usan en excursiones de turismo.*

*La vicuña es más pequeña que sus parientes, pero
es un animal muy valioso.° La lana de vicuña es la
más fina° del mundo. Durante el Imperio de los
Incas,° sólo los reyes podían° llevar ropa de
vicuña. Hoy día, no es necesario ser rey para llevar
ropa de lana de vicuña. Pero sí hay que tener
mucho dinero, porque ¡es carísima!*

valuable
la... the finest
Imperio... Inca Empire (Perú) /
 sólo... only the kings were
 allowed

¡TE INVITAMOS A LEER!

DE PASEO POR MADRID

PERO ANTES… ¿Te gusta viajar? ¿Fuiste alguna vez a visitar a un pariente en otra ciudad? En esta carta, Alicia Vargas Dols le escribe a su amigo Esteban sobre la visita de su prima Carla a Madrid.

Find out about a visit to Madrid.

Querido Esteban:

¿Qué tal? ¿Cómo estás? Yo estoy feliz porque anteayer vino de° Barcelona mi prima Carla y se va a quedar ¡una semana en casa! Carla es muy divertida y somos buenas amigas.

A Carla le gusta mucho Madrid, ¿sabes? Es que Barcelona es una ciudad muy maja° y cosmopolita, pero Madrid es la capital... Ayer fui con ella al Museo del Prado. Cuando lo vio, Carla se quedó boquiabierta.° Sé que a ti no te gusta mucho el arte, Esteban. Pero, como dice el refrán,° «Nunca es tarde para comenzar...». A Carla le encantó el cuadro de Velázquez Las Meninas°. Es su obra maestra.° A mí me gusta mucho más el Guernica de Picasso que está en el Casón del Buen Retiro. Es un cuadro bastante fuerte, que Picasso pintó como protesta a la guerra.°

Cuando salimos del museo, dimos un paseo por el Parque del Retiro. Es un parque muy bonito del siglo XVI. Y los churros° que comí cerca de allí, pues eran... ¡riquísimos°!

Por la noche fuimos todos a comer tapas a las tascas° de la Plaza Mayor. Escuchamos una tuna muy buena y nos divertimos mucho. Te explico: las tunas son grupos de estudiantes universitarios que andan° por las calles vestidos al estilo medieval. Cantan canciones tradicionales españolas y tocan la guitarra. Luego, pasan la gorra° para que la gente les dé° dinero.

Bueno, Esteban, mi prima quiere ir ya mismo° al Rastro,° así que hasta pronto.

Cariños de tu amiga Alicia

P.D.: Si vienes a Madrid, te prometo que no vamos a visitar ningún museo. ¡Ja, ja!

---

vino... arrived from

atractiva
con la boca abierta (sorprendida)

como... as the saying goes
Las... The Maids of Honor / obra... masterpiece

como... as a protest against the (Spanish Civil) war
fried pastries
eran... they were delicious
pequeños restaurantes

caminan

pasan... they pass the hat
para... so that people give them
ya... right now / Rastro... outdoor market

Las Meninas *de Velázquez.*

El Guernica *de Picasso.*

Vista de la Plaza Mayor en Madrid.

¿QUÉ IDEAS CAPTASTE? Da una explicación para cada oración según la información en la lectura.

Explain why each sentence is true.

MODELO: Alicia está muy contenta de ver a su prima. →
Porque ellas son buenas amigas. (Porque Carla es muy divertida.)

1. Madrid es una ciudad especial para Carla.

2. El Museo del Prado le gustó mucho a Carla.

3. Para Alicia, el *Guernica* es una pintura importante.

4. El Parque del Retiro es muy antiguo.

5. Es divertido ir a la Plaza Mayor.

6. Alicia tiene que terminar la carta a Esteban.

Y AHORA, ¿QUÉ DICES TÚ?

1. La última vez que alguien de otro estado te visitó, ¿qué hicieron ustedes? ¿Adónde fueron?

2. ¿Comieron en un restaurante? ¿Qué pidieron?

3. ¿Fueron a ver un espectáculo? ¿Dónde se divirtieron más?

¿POR QUÉ LO DECIMOS ASÍ?

GRAMÁTICA

¿Recuerdas?

▶ In **Unidad 3** you learned the present tense of **hacer** (to do; to make) plus several idiomatic expressions that use **hacer**. In **Unidad 8, Lección 3**, you learned singular past-tense forms of **hacer**.

Note that c → z in the stem of the usted, él/ella form: hizo. This keeps the "s" sound before the -o ending.

WHAT DID YOU DO?
The Past Tense (Preterite) of the Verb *hacer*

A To ask or tell what someone did, use the past tense (preterite) of **hacer**. **Hacer** has irregular past-tense forms. The stem becomes **hic-** (except for **usted, él/ella**), and the endings have no written accent marks.

	Past Tense (Preterite) of **hacer**	
yo	hice	*I did*
tú	hiciste	*you (informal) did*
usted	**hizo**	*you (polite) did*
él/ella	**hizo**	*he/she did*
nosotros/nosotras	hicimos	*we did*
vosotros/vosotras	hicisteis	*you (informal plural) did*
ustedes	hicieron	*you (plural) did*
ellos/ellas	hicieron	*they did*

—Paco, ¿qué **hiciste** ayer?

—**Hice** mucho ejercicio.

—¿Y qué **hizo** Ernesto?

—Creo que no **hizo** nada.

—Paco, what did you do yesterday?

—I got a lot of exercise.

—And what did Ernesto do?

—I don't think he did anything.

B Here are a few more idiomatic expressions that use **hacer**.

hacer una excursión	*to go on an outing/tour*
hacer la maleta	*to pack one's suitcase*
hacer un viaje	*to take a trip*

Juanito **hizo una excursión** al jardín zoológico.

Antes de ir al campo, **hice la maleta**.

El Sr. Álvarez **hizo un viaje** a Puerto Rico.

Juanito went on an outing to the zoo.

Before going to the country, I packed my suitcase.

Mr. Álvarez took a trip to Puerto Rico.

¿Qué hicieron?

▶ Completa las oraciones con **hice, hiciste** o **hizo** y frases de la lista.

MODELO: El estudiante de educación física... →
El estudiante de educación física *hizo mucho ejercicio*.

Complete the
sentences
logically, using
the appropriate
form of *hacer*.

1. El estudiante de educación física...

2. Antes de viajar, el turista...

3. Y usted, ¿qué papel... ?

4. Antes de ver la película, yo...

5. Esta mañana después de levantarte, ¿ ... ?

6. Yo (no)...

a. cola por dos horas
b. ningún error en este ejercicio
c. la cama
d. en la comedia musical
e. mucho ejercicio
f. sus maletas

yo hice
tú hiciste
él/ella hizo

Los problemas del lunes

▶ Roberto habla con Víctor sobre los problemas del lunes. Completa el siguiente párrafo con **hice, hiciste, hizo, hicimos** o **hicieron**.

Complete
Roberto's story.

Ayer, lunes, fue un día malísimo para mí. En casa, Paco no _____[1] su cama, así que yo _____[2] mi cama y también la cama de él. Por suerte, llegué a la escuela a tiempo. En la clase de historia la profesora nos dio un examen sorpresa. Yo _____[3] muchos errores. Luego, en la cafetería (yo) _____[4] cola por veinte minutos, ¡sólo para comprar leche! En la clase de educación física, nosotros _____[5] ejercicios de todo tipo por 45 minutos. Cuando llegué a casa, mis padres me _____[6] limpiar el garaje. Fue un día desastroso, ¿no? Y tú, Víctor, ¿qué _____[7] ayer?

En un colegio de Sevilla, España.

DID YOU HAVE A GOOD TIME?
Stem-Changing -ir Verbs in the Past Tense (Preterite)

e → i and
o → u (in
usted, él/ella
and ustedes,
ellos/ellas
forms)

A In the past tense (preterite) of stem-changing -ir verbs, the last vowel of the stem changes from **e** to **i,** or from **o** to **u,** in the **usted, él/ella** and the **ustedes, ellos/ellas** forms. Two such verbs are **divertirse** (*to enjoy oneself; to have a good time*) and **dormir** (*to sleep*).

Note that past-
tense stem
changes do not
follow the "shoe"
pattern of
present-tense
stem changes.

Past Tense (*Preterite*) of **divertirse (ie, i)**		
SINGULAR	PLURAL	
yo me divertí	nosotros/nosotras	nos divertimos
tú te divertiste	vosotros/vosotras	os divertisteis
usted se divirtió	ustedes	se divirtieron
él/ella se divirtió	ellos/ellas	se divirtieron

—¿**Te divertiste** en la playa?

—Yo **me divertí**, pero Humberto no **se divirtió**.

—*Did you have a good time at the beach?*

—*I had a good time, but Humberto didn't.*

Past Tense (*Preterite*) of **dormir (ue, u)**		
SINGULAR	PLURAL	
yo dormí	nosotros/nosotras	dormimos
tú dormiste	vosotros/vosotras	dormisteis
usted d**urmió**	ustedes	d**urmieron**
él/ella d**urmió**	ellos/ellas	d**urmieron**

—¿Dónde **durmieron** ustedes anoche, Carolina?

—Mis abuelos **durmieron** en mi cuarto, yo **dormí** en la cama de Tomás y él **durmió** en el sofá.

—*Where did you (all) sleep last night, Carolina?*

—*My grandparents slept in my room, I slept in Tomás's bed, and he slept on the sofa.*

San Juan, Puerto Rico: Carolina en el patio de su casa.

B Other **e → i** stem-changing verbs you have learned include:

preferir (ie, i)	*to prefer*
sentirse (ie, i)	*to feel* (emotions, physical conditions)
pedir (i, i)	*to ask for*
repetir (i, i)	*to repeat*
seguir (i, i)	*to follow*
servir (i, i)	*to serve*

In vocabulary lists, the present- and past-tense vowel changes appear in parentheses after an -ir stem-changing verb: **dormir (ue, u)**.

One other **o → u** stem-changing verb is **morir (ue, u)** (*to die*).

EJERCICIO 3   ¿Quién se divirtió?

Tell whether or not the following people had a good time.

▶ Decide si estas personas se divirtieron o no según la situación. Usa **(no) se divirtió** o **(no) se divirtieron**.

MODELO: Juana vio un programa de televisión muy aburrido. →
No se divirtió.

1. Juana vio un programa de televisión muy aburrido.
2. Felicia asistió a un concierto de rock fabuloso.
3. Paco y Roberto se quedaron en casa todo el sábado.
4. Chela fue a una fiesta y nadie la invitó a bailar.
5. Beatriz y Ana Alicia subieron a todos los juegos del parque de diversiones.
6. Víctor hizo una excursión muy interesante a una zona arqueológica.

e → i only in usted, él/ella and ustedes, ellos/ellas forms

EJERCICIO 4   ¿Dónde durmieron?

Tell where each person slept.

▶ Completa las oraciones con **durmió** o **durmieron** y di dónde durmieron estas personas o personajes.

MODELO: La Bella Durmiente... →
La Bella Durmiente *durmió cien años en la torre del castillo.*

1. La Bella Durmiente...	a. en la Casa Blanca
2. Los reyes de España...	b. en la casa de la bruja
3. El capitán Hook...	c. veinte años bajo un árbol
4. El presidente y su esposa...	d. en el Palacio de la Zarzuela
5. Rip van Winkle...	e. cien años en la torre del castillo
6. Hansel y Gretel...	f. en su barco

o → u only in usted, él/ella and ustedes, ellos/ellas forms

El sábado de Luis Fernández

Complete the paragraph with the correct form of the verb in parentheses.

▶ Luis le cuenta a su abuela lo que hizo el sábado pasado. Completa el párrafo con la forma correcta del verbo.

El sábado me levanté muy tarde. ¡_____^{1} (dormir) hasta las diez! Para el desayuno, mamá me _____^{2} (servir) cereal con fruta, pero yo _____^{3} (preferir) comer pan tostado con mantequilla.

Por la tarde salí con Pancho. Fuimos al parque de diversiones y _____^{4} (divertirse) muchísimo en los juegos. Luego fuimos a un café y _____^{5} (pedir) unos refrescos. Pancho también _____^{6} (pedir) tres sándwiches para comer.

Por la noche, Pancho y yo fuimos con Ángela, Leticia y María Luisa a una discoteca. Las chicas _____^{7} (divertirse) mucho y yo también, pero Pancho no _____^{8} (divertirse) porque de repente no _____^{9} (sentirse) muy bien. Claro, después de comer tres sándwiches y bailar toda la noche, ¡nadie se siente bien!

Ciudad de México, México: Luis sale con sus amigos.

VOCABULARIO PALABRAS NUEVAS

Los viajes
hacer
   una excursión
   la maleta
   un viaje
ir / viajar
   en avión
   en barco
el parador

Palabras de repaso: la agencia de viajes, el autobús, el/la guía, el país, el tren, el/la turista

Los lugares
la bahía
la catedral
el palacio
el parque de diversiones
la pirámide
la plaza de toros

el zócalo
la zona arqueológica

Palabras de repaso: el jardín zoológico, el mercado, el museo, la playa, el restaurante, el teatro

Los sustantivos
las bellas artes
la corrida (de toros)
el espectáculo
el folleto
los juegos
la sombrilla

Palabras semejantes: **el ballet, el mural**

Los verbos en el pasado
aceptar
   acepté / aceptó
divertirse (ie, i)
   me divertí / se divirtió

hacer
   hice / hizo
incluir
   incluí / incluyó
pedir (i, i)
   pedí / pidió
seguir (i, i)
   seguí / siguió
sentirse (ie, i)
   me sentí / se sintió
subir
   subí / subió

Los adjetivos
arqueológico/a
emocionado/a
folklórico/a
hermoso/a
religioso/a

Palabra de repaso: bonito/a

Palabras útiles
bajo
¡Olé!

LECCIÓN 3 RECUERDOS DE ESTE AÑO

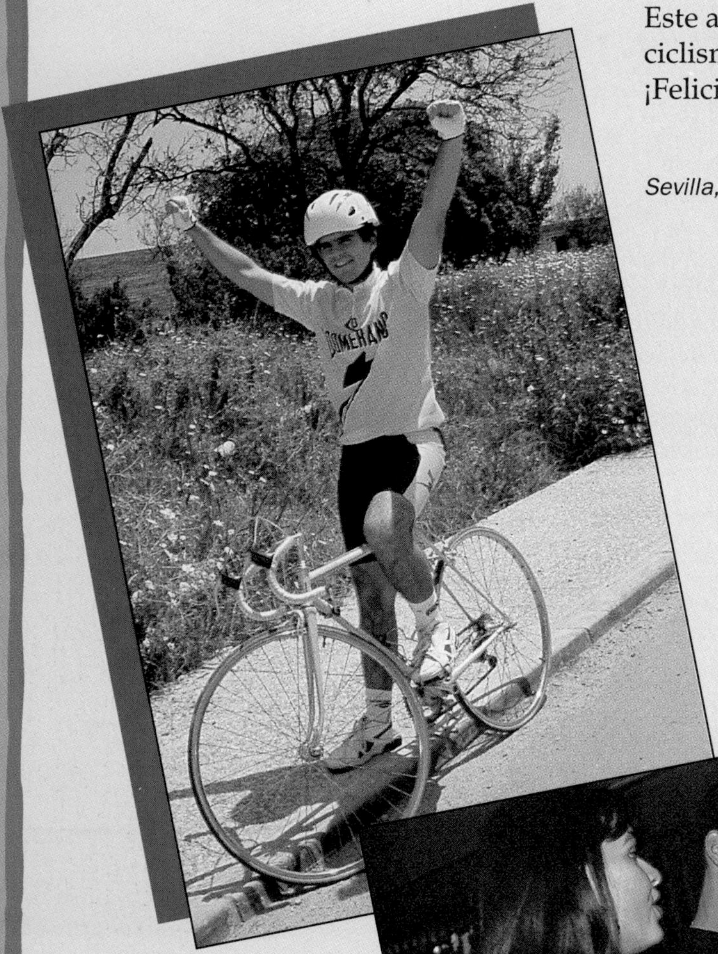

Este año, Felipe Iglesias ganó la carrera de ciclismo más importante de Sevilla. ¡Felicitaciones, Felipe!

Sevilla, España.

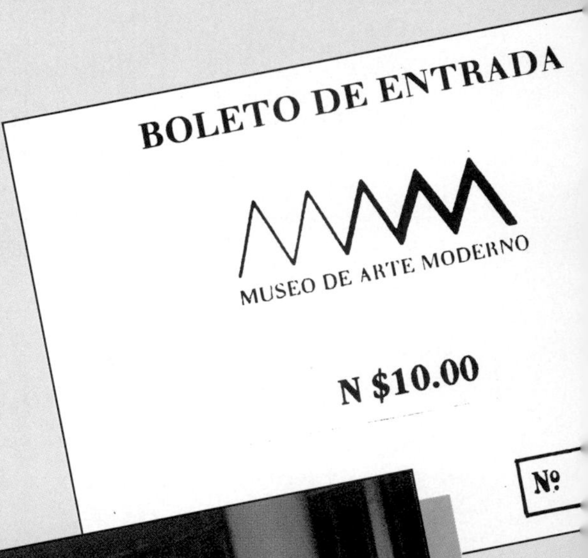

BOLETO DE ENTRADA
MUSEO DE ARTE MODERNO
N $10.00
Nº

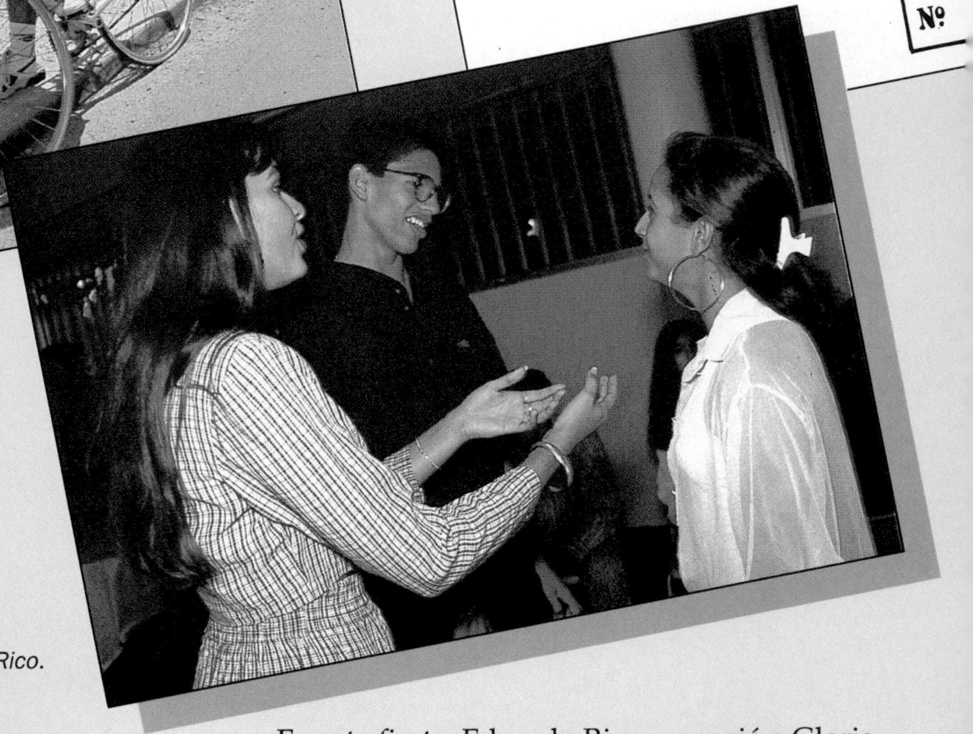

San Juan, Puerto Rico.

En esta fiesta, Eduardo Rivas conoció a Gloria Ruiz, una muchacha muy simpática.

«Si te gusta el arte de Diego Rivera», dice María Luisa Torres, «tienes que visitar el Palacio Nacional. Ángela y yo fuimos allí la semana pasada y vimos unos murales muy bellos de este gran artista.»

Ciudad de México, México.

TEATRO COLON

VISITAS GUIADAS

GUIDED TOURS

REAL ACADEMIA DE BELLAS ARTES
DE SAN FERNANDO

1679

UNA COLECCIÓN DE ESCULTURA
MODERNA ESPAÑOLA
con dibujo

COLECCIÓN DEL INSTITUTO DE CRÉDITO OFICIAL
MADRID, MAYO - JUNIO, 1993

Ministerio de Cultura
Museo Nacional del Prado

1 1 JUN 1993

Serie B № 549683

Entrada 400 pesetas

Casón
Salas Siglo XIX

DURANTE ESTE AÑO ESCOLAR...

El Sr. Álvarez conoció a la Srta. García en el otoño.

Juana hizo el papel de María en la obra de teatro *West Side Story*.

Roberto sacó excelentes notas en todas las materias.

Felicia asistió a un concierto **en vivo** por primera vez.

Los estudiantes comieron muchas veces en Super Joe's, el restaurante favorito de la clase de español.

Los estudiantes recibieron cartas de sus amigos por correspondencia.

Beatriz, Chela y Ernesto tocaron en la orquesta de la escuela.

Todos **pensaron** en el Sr. Álvarez y la Srta. García como **futuros** novios.

Y TÚ, ¿QUÉ DICES?

ACTIVIDADES ORALES Y LECTURAS

Conexión gramatical
Estudia las páginas 542–545
en **¿Por qué lo decimos así?**

1 • PIÉNSALO TÚ   Una encuesta: Mi clase de español

▶ Lee en voz alta las siguientes oraciones y dile a un compañero/a por qué son ciertas o falsas.

Say which statements are true or false.

1. Este año comprendí todo lo que explicó nuestro profesor/nuestra profesora.

2. Aprendí a cantar canciones en español.

3. Me porté muy bien en clase.

4. Ayudé a mis compañeros con las tareas.

5. Fui a clase todos los días.

6. Entregué todas las tareas y composiciones.

7. Nunca hablé en inglés en la clase de español.

8. Estoy muy contento/a con las notas que saqué en esta clase.

2 • INTERACCIÓN   Los días de fiesta

▶ Di cómo celebraron los días de fiesta este año tú y tu familia.

Tell how you celebrated these holidays.

MODELO:

TÚ: ¿Qué hicieron *el Día de Acción de Gracias*?

COMPAÑERO/A: *Comimos demasiado pavo.*

1. Día de Acción de Gracias
2. Navidad o Jánuca
3. Año Nuevo
4. Día de los Enamorados
5. las vacaciones de primavera
6. ¿ ?

a. fuimos de vacaciones a...
b. comimos demasiado pavo
c. vimos un programa especial por televisión
d. compramos regalos
e. invitamos a unos amigos a casa
f. fuimos a la casa de unos parientes
g. dimos una gran fiesta
h. ¿ ?

Describe Mr. Álvarez's activities during the past year.

Describe lo que hizo el Sr. Álvarez durante este año.

▶ Hazle las siguientes preguntas a tu compañero/a.

Interview your partner.

En la escuela

1. ¿Qué cosas interesantes aprendiste este año? ¿En qué clases las aprendiste?

2. ¿Cuál fue la materia más difícil del año? ¿y la más fácil? ¿Por qué?

3. ¿En qué actividades extracurriculares participaste este año? ¿Te divertiste? ¿Por qué?

Los amigos y la familia

4. ¿Conociste a una persona de otro estado o de otro país este año? ¿Dónde la conociste? ¿Cómo la conociste? ¿Cómo es esa persona?

5. ¿Cuál fue la canción más popular este año entre los jóvenes de tu edad? ¿Cómo se llama? ¿Quién la canta? ¿Dónde la escuchaste por primera vez?

6. ¿Qué hiciste durante las vacaciones de verano? ¿Viajaste con tu familia? ¿Adónde fueron ustedes?

5 • DEL MUNDO HISPANO   Cristina versus la Mona Lisa

▶ Univisión es la cadena más importante de televisión en español. Mira el anuncio de Univisión y di si las siguientes oraciones son ciertas o falsas. Si son falsas, corrígelas.

Tell whether the following statements are true or false. If they are false, correct them.

MODELO: Cristina y la Mona Lisa tienen un programa en Univisión. → Falso. Solamente Cristina tiene un programa de televisión.

1. Cristina y la Mona Lisa tienen pelo largo y castaño.

2. Las dos mujeres llevan ropa oscura.

3. Ellas viven actualmente.

4. Cristina nació en Cuba y la Mona Lisa nació en Italia.

5. Las dos conocieron al famoso pintor Leonardo da Vinci.

6. Las dos tienen algo en común.

¿En Qué Se Parece Cristina A La Mona Lisa?

La Mona Lisa es trigueña, Cristina es rubia.
La Mona Lisa es Europea, Cristina es Latina.
La Mona Lisa es antigua, Cristina es moderna.
¿En qué se parece La Mona Lisa a Cristina?
En que las dos son únicas.

Cristina: Lunes a viernes 4pm/3pm Centro.
Cristina Edición Especial: Lunes 10pm/9pm Centro.

Univisión

Profesora:

Estoy un poco triste porque esta clase va a terminar muy pronto. Usted es una profesora fantástica. Ahora sé mucho más español que antes. Además conocí a nuevos amigos y me divertí mucho, especialmente con los chistes de Ernesto. Y no sólo yo, todos los estudiantes hicimos cosas divertidas en su clase; hablamos, cantamos, aprendimos y nos divertimos mucho. ¡Qué maravilla! Buena suerte en su viaje a España. ¡Qué envidia![a] A mí también me gustaría ir... quizás[b] el año próximo, ¿no? Bueno, profesora, adiós y muchas, muchas gracias.

Con afecto,
Juana

[a]¡Qué... ! How I envy you!
[b]perhaps

¡Hola, profesora!

Usted es la profesora más simpática del mundo. Siempre fue muy paciente y, por suerte, nunca se enojó con mis chistes. Gracias por su paciencia y por todo el español que aprendí. Le deseo un buen viaje a España. Ah, y mucha suerte con el Sr. Álvarez. ¡Ay, soy incorregible!, ¿verdad? Adiós.

Ernesto

Estimada Srta. García:

Este año fue muy interesante. Conocí a Marisa Bolini, mi amiga por correspondencia de la Argentina, por carta. También hice nuevos amigos en la clase. Aprendí de la moda del mundo hispano y a hablar un nuevo idioma, ¡el español! Muchas gracias y adiós.

Ana Alicia

SORPRESA CULTURAL

JUST CALL ME BETTY

One day Víctor Cárdenas's paternal grandmother came to talk to the Spanish class. Mrs. Cárdenas and her husband immigrated to the United States from Mexico in the 1940s as part of the **bracero** program. When Ernesto asked Víctor's grandmother if she could remember any **sorpresas culturales**, she told the class this story.

Thinking About
Culture

▶ Would you call Elizabeth Quinn "Betty" or "Mrs. Quinn"? How do you address your parents' friends? Ask your parents or grandparents if the cultural rules for children addressing adults or employees addressing employers have changed much since they were young.

Why do you think Mrs. Cárdenas felt uncomfortable?

a. She didn't realize that "Betty" is a nickname for "Elizabeth."

b. She wasn't used to calling strangers by their first names.

The answer is (b). People in many other parts of the world tend to be much more formal when speaking to employers or to people they hardly know.

COMBINE ALL YOUR READING SKILLS

When you read, remember to use all your skills. Do you recall the ones we've already discussed? *Before* you read, (1) look at the title, pictures, and any other cues outside the main text; (2) skim rapidly to get the general idea; and (3) scan for cognates or any specific information you want to find. By this point you will have some idea of what the reading is about.

Then, *as* you read, (4) watch for cognates; (5) use the context to figure out unfamiliar words; (6) make intelligent guesses based on your own experience; (7) practice "picturing" the ideas instead of translating; and (8) save the dictionary for last (but *do* use it!).

As these skills become habits, you will automatically use them all without even thinking about them, and reading in Spanish will become as natural to you as reading in English.

Now practice your reading skills in the selection that follows.

¡TE INVITAMOS A LEER!

ADIÓS, SRTA. GARCÍA

PERO ANTES… Aquí tienes cuatro cartas cortas. ¿Quiénes las escribieron? ¿A quién? ¿Por qué las escribieron?

Find out what Miss García's students thought about their class.

> Querida Srta. García:
> En su clase aprendí mucho español y me divertí bastante. También ahora sé muchas cosas interesantes del mundo hispano. ¿Sabe qué es lo más importante que aprendí? Que desde Alaska hasta la Antártida todos somos americanos.
> ¡Muchas gracias!
> Esteban

¿QUÉ IDEAS CAPTASTE? Indica quién escribió sobre lo siguiente en su carta. **¡OJO!** Puede ser más de un(a) estudiante.

Who wrote the following?

1. La Srta. García es una buena profesora.

2. Ernesto contó muchos chistes en la clase.

3. ¡Buena suerte con su novio!

4. Me gustó conocer y escribirle a mi amiga por correspondencia.

5. No todos los «americanos» son de los Estados Unidos.

6. Quiero visitar España algún día.

PRONUNCIACIÓN

THE LETTER x

Before a vowel, before **ce** or **ci**, or at the end of a word, the letter **x** sounds like the English *ks* or the *x* in *taxi*.

PRÁCTICA Listen to your teacher, then pronounce this sentence.

Un examen excepcional.

At the beginning of a word or before a consonant, **x** is pronounced like the English *s* in *same*.

PRÁCTICA Listen to your teacher, and pronounce this sentence.

Explosiones extraordinarias de xilófonos. Más información a las once...

Many Latin American countries have chosen to preserve the historical spelling and pronunciation of proper nouns. In Mexico and Central America, the letter **x** has several sounds:

Spanish **j**: México, Oaxaca, Xalapa
English *ks*: Mixteca, Tlaxcala, Temex
Spanish *s*: Taxco, Ixtlán, Xochimilco
English *sh*: Ixtepec, Uxmal

GRAMÁTICA

WHAT DID YOU LEARN?
Past Tense (Preterite) of Regular Verbs (Review)

yo... **é**
tú... **aste**
usted... **ó**
él/ella... **ó**
nosotros/as...
amos
ustedes... **aron**
ellos/as... **aron**

A The past-tense (preterite) endings for regular **-ar** verbs are **-é**, **-aste, -ó; -amos, -asteis, -aron**. Here are the past-tense forms of **visitar** (*to visit*).

Past Tense (Preterite) of **visitar**	
SINGULAR	PLURAL
yo visit**é**	nosotros/nosotras visit**amos**
tú visit**aste**	vosotros/vosotras visit**asteis**
usted visit**ó**	ustedes visit**aron**
él/ella visit**ó**	ellos/ellas visit**aron**

In a question or a negative statement, the English equivalent of all forms = *Did . . . visit*

—¿A quién **visitaste** este año?
—**Visité** a mis primos para la Navidad.

—¿**Visitaron** un lugar interesante durante las vacaciones?
—Sí. **Visitamos** el Museo del Prado.

—*Whom did you visit this year?*
—*I visited my cousins for Christmas.*

—*Did you (all) visit an interesting place during your vacation?*
—*Yes. We visited the Prado Museum.*

Some -ar verbs have spelling changes in the past tense of the yo form:
-car = c → qu
-gar = g → gu
-zar = z → c

B Regular **-ar** verbs that end in **-car, -gar,** or **-zar** have a spelling change before the **-é** ending of the **yo** form: c → qu, g → gu, z → c. Compare the **yo** with the **tú** forms of these verbs.

buscar (*to look for*)   **llegar** (*to arrive*)   **abrazar** (*to hug*)

yo bus**qué**   yo lle**gué**   yo abra**cé**
tú buscaste   tú llegaste   tú abrazaste

Some other verbs that have the same spelling changes are:

-car   explicar, pescar, practicar, sacar, tocar
-gar   jugar, pagar
-zar   almorzar, comenzar, empezar

C Regular **-er** and **-ir** verbs have the following endings: **-í, -iste, -ió; -imos, -isteis, -ieron**. Here are the past-tense forms of **aprender** (*to learn*) and **recibir** (*to receive; to get*).

Past Tense (Preterite) of **aprender**	
SINGULAR	PLURAL
yo aprend**í**	nosotros/nosotras aprend**imos**
tú aprend**iste**	vosotros/vosotras aprend**isteis**
usted aprend**ió**	ustedes aprend**ieron**
él/ella aprend**ió**	ellos/ellas aprend**ieron**

yo... **í**
tú... **iste**
usted... **ió**
él/ella... **ió**
nosotros/as... **imos**
ustedes... **ieron**
ellos/as... **ieron**

Past Tense (Preterite) of **recibir**	
SINGULAR	PLURAL
yo recib**í**	nosotros/nosotras recib**imos**
tú recib**iste**	vosotros/vosotras recib**isteis**
usted recib**ió**	ustedes recib**ieron**
él/ella recib**ió**	ellos/ellas recib**ieron**

—¿Qué **aprendió** Patricia este año?

—**Aprendió** mucho sobre la vida de Mariana Peña en Puerto Rico. **Recibió** diez cartas de ella.

—¿Y los otros estudiantes **recibieron** muchas cartas también?

—Sí, y también **escribieron** muchas cartas.

—*What did Patricia learn this year?*

—*She learned a lot about Mariana Peña's life in Puerto Rico. She received ten letters from her.*

—*And did the other students get many letters too?*

—*Yes, and they also wrote many letters.*

When the stem ends in e:
-ió → **-yó**
-ieron → **-yeron**

D In verbs that end in **-eer,** the **-ió** ending changes to **-yó** in the **usted, él/ella** form, and the **-ieron** ending changes to **-yeron** in the **ustedes, ellos/ellas** form. Look at those forms in the following verbs:

leer (*to read*)   él/ella le**yó**   ellos/ellas le**yeron**
creer (*to believe*)   él/ella cre**yó**   ellos/ellas cre**yeron**

E In stem-changing **-ir** verbs, the last vowel of the stem changes from **e → i** or from **o → u** in the **usted, él/ella** and the **ustedes, ellos/ellas** forms. (There are no stem changes in most **-ar** or **-er** verbs in the past tense.) Compare the **yo** form with the **él** form and the **nosotros** form with the **ellos** form in these verbs.

divertirse (*to have a good time*)

yo me divertí	nosotros nos divertimos
él se divirtió	ellos se divirtieron

dormir (*to sleep*)

yo dormí	nosotros dormimos
él durmió	ellos durmieron

Other verbs that have stem changes in the past include

e → i	pedir, preferir, seguir, sentirse, servir
o → u	morir

F The verbs **ir** (*to go*) and **hacer** (*to do; to make*) have irregular past (preterite) forms.

Past Tense (Preterite) of **ir**		
SINGULAR	**PLURAL**	
yo fui	nosotros/nosotras	fuimos
tú fuiste	vosotros/vosotras	fuisteis
usted fue	ustedes	fueron
él/ella fue	ellos/ellas	fueron

Past Tense (Preterite) of **hacer**		
SINGULAR	**PLURAL**	
yo hice	nosotros/nosotras	hicimos
tú hiciste	vosotros/vosotras	hicisteis
usted hizo	ustedes	hicieron
él/ella hizo	ellos/ellas	hicieron

EJERCICIO 1 — ¿Qué hiciste?

Ask and answer these questions in the past tense.

▶ Con tu compañero/a, pregunta y contesta usando la forma correcta del pasado.

MODELO: ¿Qué materia (estudiar) tú anoche? →

TÚ: ¿Qué materia *estudiaste* anoche?
COMPAÑERO/A: *Estudié historia. (No estudié nada.)*

1. ¿Qué materia (estudiar) tú anoche?

2. ¿Qué (enseñar) el profesor / la profesora de español ayer?

3. ¿Qué programas de televisión (mirar) tú ayer por la tarde?

4. ¿Con quién (hablar) por teléfono ayer tu mamá (tu papá / tu hermano/a)?

5. ¿Qué (tomar) tu familia para el desayuno esta mañana?

6. ¿Dónde (almorzar) tú ayer?

7. ¿Qué (sacar) de tu lóquer antes de la clase?

8. ¿Qué libros (buscar) en la biblioteca recientemente?

9. ¿A qué hora (acostarte) anoche?

EJERCICIO 2 — Carla en Madrid

Make up sentences with words from each column.

▶ Carla está hablando con su prima Alicia Vargas Dols de su visita a Madrid. ¿Qué hicieron todos? Inventa oraciones con palabras de cada columna.

1. yo
2. tú y yo
3. tus padres
4. tú
5. Miguel
6. Alejandro y Antonio

a. dio una fiesta fabulosa
b. saqué muchas fotos
c. fuiste de compras al Corte Inglés
d. contaron muchos chistes
e. vi muchos cuadros en El Prado
f. me divertí en el Parque del Retiro
g. pedimos tapas en un mesón
h. durmieron en un parador
i. subieron a los juegos

VOCABULARIO PALABRAS NUEVAS

Los sustantivos
la cadena
el pintor
el recuerdo
la vida

Palabras de repaso: la canción,
la carta, la clase, la
composición, el concierto, la
escuela, el estado, la fiesta, la
materia, la nota, la obra (de
teatro), el país, el papel, el
pavo, el pelo, el restaurante, la
ropa, la tarea, las vacaciones

Los verbos
explicar
  expliqué / explicó
nacer
  nací / nació
pensar
  pensé / pensó
portarse (bien / mal)
ser
  fue

El adjetivo
futuro/a

Palabras de repaso: contento/a,
difícil, especial, excelente, fácil,
famoso/a, favorito/a,
interesante, largo/a,
moderno/a, popular

Palabras útiles
actualmente
en vivo
extracurricular

DIME ALGO MÁS

SITUACIONES

Tú

Last fall, you won $100,000 in the state lottery. Now a reporter for the school newspaper is going to interview you for an article about how you used your prize money.

Hint: Make a list of what you did. Think of the trips you took, the things you bought, whom you gave money to and why, what you saved money for, and so on.

Compañero/a

You're going to write an article about a student who won $100,000 in the lottery last fall. Find out how winning the money affected the student's life.

Hint: Find out what the student did with the money. In particular, you may want to ask if the student took a trip, bought special things, gave money away, saved for the future, and so on. Be sure to find out what the student's reasons were for doing what she or he did.

Conversation Tip

Sometimes in a conversation people give so many small details that the conversation gets bogged down. Here are two things you can do to prevent that from happening.

- Say what you would do in a similar situation and then ask a question.

¡Ay, qué bueno! A mí también me gustaría comprar un carro deportivo. ¿Y qué otras cosas compraste?

- Summarize what the person has said and then change the subject.

Entonces, hiciste un viaje en barco alrededor del mundo. ¿Y conociste a gente interesante? ¿Hablaste español en algún lugar?

¡TE INVITAMOS A ESCRIBIR!

UN VIAJE A...

Imagínate que eres reportero/a para una revista de turismo. Escribe un corto artículo sobre un viaje (real o imaginario) que hiciste este año.

Primero, piensa...
en toda la información que vas a incluir.
Por ejemplo: ¿Cuándo fuiste? ¿Adónde fuiste? ¿En qué fuiste? (avión, tren, barco) ¿Qué lugares visitaste? ¿Dónde te divertiste más? ¿Qué lugares recomiendas para tus lectores°? ¿Por qué? *readers*

Think about what you are going to include.

Luego, usa un esquema°... *outline*
para organizar tu información. Si quieres, puedes usar las siguientes categorías o agregar otras.

Organize your information into an outline.

1. Nombre y ubicación geográfica° del lugar adonde viajaste *ubicación... geographic location*

2. Medio(s) de transporte que usaste

3. Dos o tres lugares de importancia histórica o cultural que visitaste (museo, teatro, zona arqueológica, etcétera)

4. Dos lugares donde te divertiste mucho (discoteca, parque de diversiones, playa, etcétera)

5. Lugares que recomiendas a tus lectores

Por último, usa la información en tu esquema...
para escribir tu artículo, ¡y no olvides de ponerle un título interesante!

Write the article.

Y AHORA, ¿QUÉ DECIMOS?

Paso 1. Mira otra vez las fotos en las páginas 498–499. Ahora ya puedes describirlas muy bien, ¿verdad? ¡Claro, estás en la última unidad! Pues vamos a ver...

■ ¿Adónde fueron las muchachas en la foto número 1? ¿Qué vieron ellas allí? Y tú, ¿hiciste una excursión con tu escuela recientemente? ¿Adónde fueron? ¿Qué vieron?

■ ¿En qué actividad participó el muchacho de la foto número 2? Y tú, ¿en qué actividades extracurriculares participaste este año? ¿Te divertiste mucho?

■ ¿Cómo se sienten los chicos en la foto número 3? Y tú, ¿cómo te vas a sentir al final de este año escolar? ¿Vas a estar triste o contento/a? ¿Por qué?

Paso 2. Túrnate con tu compañero/a para jugar este juego de adivinanzas. Piensa en un evento especial de este año. Tu compañero/a te va a hacer preguntas para adivinar el evento. ¡OJO! Sólo puedes contestar con sí o no.

MODELO:

TÚ:	Pienso en una actividad que hice en octubre.
COMPAÑERO/A:	¿Hiciste esta actividad con otras personas?
TÚ:	Sí.
COMPAÑERO/A:	¿Llevaron ustedes disfraces?
TÚ:	Sí.
COMPAÑERO/A:	¿Fuiste a la fiesta del Día de las Brujas?
TÚ:	Sí.

VERBS

A. Regular Verbs: Simple Tenses

Infinitive Present Participle	Indicative Present	Preterite
hablar hablando	hablo hablas habla hablamos habláis hablan	hablé hablaste habló hablamos hablasteis hablaron
comer comiendo	como comes come comemos coméis comen	comí comiste comió comimos comisteis comieron
vivir viviendo	vivo vives vive vivimos vivís viven	viví viviste vivió vivimos vivisteis vivieron

B. Irregular Verbs

Infinitive Present Participle	Indicative Present	Preterite
dar dando	doy das da damos dais dan	di diste dio dimos disteis dieron
decir diciendo	digo dices dice decimos decís dicen	dije dijiste dijo dijimos dijisteis dijeron
estar estando	estoy estás está estamos estáis están	estuve estuviste estuvo estuvimos estuvisteis estuvieron
hacer haciendo	hago haces hace hacemos hacéis hacen	hice hiciste hizo hicimos hicisteis hicieron
ir yendo	voy vas va vamos vais van	fui fuiste fue fuimos fuisteis fueron
poder pudiendo	puedo puedes puede podemos podéis pueden	pude pudiste pudo pudimos pudisteis pudieron
poner poniendo	pongo pones pone ponemos ponéis ponen	puse pusiste puso pusimos pusisteis pusieron

B. Irregular Verbs (continued)

Infinitive Present Participle	Indicative Present	Preterite
querer queriendo	quiero quieres quiere queremos queréis quieren	quise quisiste quiso quisimos quisisteis quisieron
saber sabiendo	sé sabes sabe sabemos sabéis saben	supe supiste supo supimos supisteis supieron
salir saliendo	salgo sales sale salimos salís salen	salí saliste salió salimos salisteis salieron
ser siendo	soy eres es somos sois son	fui fuiste fue fuimos fuisteis fueron
tener teniendo	tengo tienes tiene tenemos tenéis tienen	tuve tuviste tuvo tuvimos tuvisteis tuvieron
traer trayendo	traigo traes trae traemos traéis traen	traje trajiste trajo trajimos trajisteis trajeron
ver viendo	veo ves ve vemos veis ven	vi viste vio vimos visteis vieron

C. Stem-Changing and Spelling-Change Verbs

Infinitive Present Participle	Indicative Present	Preterite
dormir (ue, u)	duermo	dormí
durmiendo	duermes	dormiste
	duerme	durmió
	dormimos	dormimos
	dormís	dormisteis
	duermen	durmieron
pedir (i, i)	pido	pedí
pidiendo	pides	pediste
	pide	pidió
	pedimos	pedimos
	pedís	pedisteis
	piden	pidieron
pensar (ie)	pienso	pensé
pensando	piensas	pensaste
	piensa	pensó
	pensamos	pensamos
	pensáis	pensasteis
	piensan	pensaron
seguir (i, i) (g)	sigo	seguí
siguiendo	sigues	seguiste
	sigue	siguió
	seguimos	seguimos
	seguís	seguisteis
	siguen	siguieron
sentir (ie, i)	siento	sentí
sintiendo	sientes	sentiste
	siente	sintió
	sentimos	sentimos
	sentís	sentisteis
	sienten	sintieron

VOCABULARIO ESPAÑOL-INGLÉS

This Spanish-English vocabulary contains all the words that appear in the text, except most identical cognates. All the words in the chapter vocabulary lists are included. Only meanings used in this text are given. Abbreviations and numbers in parentheses following some entries refer to the unit and the lesson in which the word or phrase is listed in the chapter **Vocabulario. U6 (1)**, for example, refers to **Unidad 6, Lección 1**.

Gender of nouns is indicated as *m.* (masculine) or *f.* (feminine). When a noun refers to a person, both masculine and feminine forms are given. Entries for adjectives list both the masculine and the feminine endings. When only one form of an adjective is shown, such as **inteligente,** the adjective is identical for both masculine and feminine forms. Verbs are listed in the infinitive form. Verb forms listed as lexical items in the chapter **Vocabulario** are also included. Stem-changing verbs are indicated with the change in parentheses after the infinitive: **dormir (ue, u)**. Spelling changes are also indicated in parentheses: **leer (y)**. When only the **yo** form is irregular, it is in parentheses after the infinitive: **conocer (conozco)**. Verbs with other irregularities are followed by the abbreviation *irreg.*

Words beginning with **ch** or **ll** are under separate headings following the letters **c** and **l**, respectively. The letters **ch, ll, ñ,** and **rr** within words follow **c, l, n,** and **r,** respectively. For example, **coche** follows **cocinar, calle** follows **caloría, piña** follows **pintura,** and **perro** follows **pero.** The following abbreviations are used.

abbrev.	abbreviation	*irreg.*	irregular
adj.	adjective	*m.*	masculine
adv.	adverb	*Mex.*	Mexico
Arg.	Argentina	*n.*	noun
chron.	chronological	*obj. of prep.*	object of a preposition
coll.	colloquial	*pl.*	plural
contr.	contraction	*pol.*	polite
d.o.	direct object	*poss.*	possessive
f.	feminine	*prep.*	preposition
gram.	grammatical	*pron.*	pronoun
inf.	informal	*refl. pron.*	reflexive pronoun
infin.	infinitive	*sing.*	singular
inv.	invariable	*Sp.*	Spain
i.o.	indirect object	*sub. pron.*	subject pronoun

A

a to; for
  ¡a charlar! let's talk! U5 (1)
  a la(s)... at . . . o'clock
  al (*contr. of* **a + el**) to the; for the
abandonar to abandon, leave
abecedario *m.* alphabet
abierto/a open; opened U5 (1)
abrazar (c) to hug, embrace U7 (1)
abrigo *m.* coat, overcoat
abril *m.* April
abrir to open U9 (1)
absurdo/a absurd U6 (2)
  es absurdo it's, that's absurd U6 (2)
abuelito *m.*, abuelita *f. coll.* grandfather, grandmother
abuelo *m.*, abuela *f.* grandfather, grandmother
  abuelos *m. pl.* grandparents
abundancia *f.* abundance, plenty
abundante abundant, plentiful
aburrido/a boring
aburrir to annoy; to bore
abusar to abuse; to impose
academia *f.* academy, school
acampadas *f. pl.*: hacer acampadas to go camping
acampar to camp U9 (1)
accesorio *m.* accessory
accidente *m.* accident
acción *f.* action
  Día (*m.*) de Acción de Gracias Thanksgiving U7 (3)
aceptar to accept U9 (2)
acercarse (qu) to approach
acompañado/a accompanied

acompañar to accompany
acondicionado/a: aire (*m.*) acondicionado air conditioning
acondicionador *m.* conditioner
acordarse (ue) (de) to remember
acostarse (ue) to go to bed U6 (1), U8 (3)
actividad *f.* activity U7 (1)
activo/a active
actor *m.*, actriz *f.* (*pl.* actrices) actor, actress
actuación *n. f.* acting; role
actualmente currently, nowadays U9 (3)
actuar to act U9 (1)
acuático/a aquatic
  esquí (*m.*) acuático water-ski, skiing
además *adv.* moreover, besides
  además de *prep.* besides, in addition to
adicto *m.*, adicta *f.* addict
adiós good-bye
adivinanza *f.* riddle, puzzle
  juego (*m.*) de adivinanza guessing game
adivinar to guess
adjetivo *m.* adjective U5 (2)
administración *f.* administration, management
admirador *m.*, admiradora *f.* admirer
admirar to admire U6 (3)
admitir to admit
adobado/a seasoned (*cooking*)
adolescente *m., f.* adolescent, teenager
¿adónde? (to) where?
adorar to adore
adorno *m.* decoration
adverbio *m.* adverb
aéreo/a *adj.* air
aeróbico/a *adj.* aerobic

afecto *m.*: con afecto affectionately
afeitarse to shave
afuera *adv.* out, outside
  afueras *f. pl.* outskirts
agarrar to grab; to get, obtain
agencia *f.* agency
  agencia de inmuebles real estate agency
  agencia de publicidad ad agency
  agencia de viajes travel agency
agenda *f.* agenda; notebook, diary
agente *m., f.* agent
  agente de viajes travel agent
agregar (gu) to add
agrio/a sour, bitter
  está agrio/a it's sour U7 (2)
agua *f.* (*but*, el agua) water
  agua mineral mineral water
ahogarse (gu) to drown, drown oneself
ahora *adv.* now
  ahora mismo right now
ahumado/a smoked, cured
aire *m.* air; appearance
  aire acondicionado air conditioning
  al aire libre open-air, outdoor(s) U5 (3)
ajo *m.* garlic
al (*contr. of* **a + el**) to the; for the
alambre *m.* wire; copper
álbum *m.* album
alcalá *f.* castle, fortress
alcalde *m.*, alcaldesa *f.* mayor
alcohólico/a alcoholic
alegre happy
alegría *f.* happiness
Alemania *f.* Germany
alfombra *f.* carpet, rug U8 (2)

algo something

    algo más something else

algodón *m.* cotton **U5 (3)**

alguien someone **U7 (1)**

algún, alguno/a, algunos/as some, any

alimento *m.* food **U6 (2), U7 (2)**

aliviar to lighten, alleviate

almacén *m.* department store **U5 (2)**

almendrado *m.* marzipan, almond paste

almorzar (ue) (c) to have lunch, eat lunch **U8 (3)**

almuerzo *m.* lunch

alpaca *f.* alpaca (*South American animal related to the llama*)

alquilar to rent

    alquilar una película to rent a movie

alrededor de *prep.* around

alto/a tall; high

    en voz alta out loud, aloud

altura *f.* height, altitude

aluminio *m.* aluminum

allí *adv.* there

amado/a loved; beloved

amarillo/a yellow

ambos/as both

    hagan ambos papeles play both roles **U5 (3)**

América *f.* America

    América Latina Latin America

americano *m.*, **americana** *f.* (*n. & adj.*) American

    fútbol (*m.*) **americano** football

amigo *m.*, **amiga** *f.* friend

    amigo/a por correspondencia pen pal

    mejor amigo/a best friend

amistad *f.* friendship

amor *m.* love

ananá, ananás(s) *m.* pineapple

andar *irreg.* to walk

    andar en bicicleta to ride a bicycle

ángel *m.* angel

angelito *m.* little angel; dear little child

anillo *m.* ring **U5 (3)**

ánimo *m.*: **estado** (*m.*) **de ánimo** mood, frame of mind **U6 (3)**

aniversario *m.* anniversary **U7 (1)**

    aniversario de bodas wedding anniversary **U7 (1)**

    feliz aniversario happy anniversary **U7 (3)**

anoche last night **U8 (3)**

Antártida *f.* Antarctic

anteayer *adv.* the day before yesterday **U8 (3)**

anterior *adj.* previous

antes *adv.* before

    antes de *prep.* before

    pero antes... but first . . .

antibiótico *m.* antibiotic **U6 (2)**

anticaries *adj.* anticavity

anticuado/a old-fashioned

antiguo/a old, ancient; antique **U8 (2)**

antihistamínico *m.* antihistamine

anunciar to announce **U7 (3)**

anuncio *m.* ad, advertisement, announcement

    anuncio comercial ad, commercial

año *m.* year

    año escolar school, academic year

    Año Nuevo New Year's Day

    ¿cuántos años tiene(s)? how old are you?

    cumplir años to have one's birthday **U7 (1)**

    el año pasado last year **U7 (3), U8 (3)**

    este año this year

    ¡Feliz Navidad y Próspero Año Nuevo! Merry Christmas and Happy New Year! **U7 (3)**

    fiesta (*f.*) **de fin de año** end of the year party **U7 (1)**

    víspera (*f.*) **de Año Nuevo** New Year's Eve **U7 (3)**

aparato *m.* appliance **U5 (3), U8 (2)**

aparecer (aparezco) to appear

apariencia *f.* appearance

apartamento *m.* apartment

    edificio (*m.*) **de apartamentos** apartment building **U5 (1)**

apio *m.* celery

aplauso *m.* applause **U9 (1)**

apreciado/a appreciated

    apreciar to appreciate, value

aprender (a) to learn (to) **U9 (1)**

apropiado/a appropriate

aprovechar to take advantage

aptitud *f.* ability, capability

apuntes *m. pl.* notes

aquel, aquella *adj.* that (over there)

aquél *m.*, **aquélla** *f., pron.* that (one) (over there)

aquellos, aquellas *adj.* those (over there)

aquéllos *m.*, **aquéllas** *f., pron.* those (ones) (over there)

aquí *adv.* here

    aquí mismo right here

    está a... cuadras de aquí it is . . . blocks from here **U5 (1)**

    ¿hay un(a)... cerca de aquí? is there a . . . near here? **U5 (1)**

árabe *adj.* Arabic
araña *f.* spider
árbol *m.* tree **U8 (3)**
aretes *m. pl.* earrings **U5 (3)**
argentino *m.*, **argentina** *f.*
   (*n. & adj.*) Argentine
armar to put up, pitch
   (*a tent*)
arqueológico/a archaeological **U9 (2)**
arquitecto *m.*, **arquitecta** *f.*
   architect
arquitectura *f.* architecture
arracachá *f.* (*but* **el**
   arracachá) celery
arreglo (*m.*) **personal**
   personal grooming
   U6 (1)
arrollado *m.* pork sausage;
   rolled beef roast (*Arg.,*
   Chile)
arroz *m.* (*pl.* **arroces**) rice
   arroz con pollo chicken
     with rice
arte *f.* (*but,* **el arte**) art
   bellas artes *pl.* fine arts
     U9 (2)
artesanía *f. sing.* handicrafts
artesano *m.*, **artesana** *f.*
   artisan, craftsperson
artículo *m.* article; object
   U5 (3)
artificial: fuegos (*m. pl.*)
   artificiales fireworks
   U7 (3)
artista *m., f.* artist
arveja *f.* green pea
asado *n. m.* roast meat;
   barbecue (*outdoor*
   party) (*Arg.*)
asado/a *adj.* roasted
   pavo (*m.*) **asado** roast
     turkey **U7 (3)**
así *adv.* so, thus; like this,
   like that
   así se dice... that's how
     you say. . .
   ¿por qué lo decimos así?
     why do we say it that
     way?

asiento *m.* seat, chair
asistir a to attend **U9 (1)**
   asistir a un concierto to
     attend a concert
asociación *f.* association
asociar to associate
   asociarse to be associated
aspecto *m.* aspect, side
aspirina *f.* aspirin **U5 (1)**
astronauta *m., f.* astronaut
astrónomo *m.*, **astrónoma** *f.*
   astronomer
atacar (qu) to attack
atención *f.*: **prestar atención**
   to pay attention **U6 (2)**
atentamente yours truly,
   sincerely (*used to close*
   a letter)
atleta *m., f.* athlete
atlético/a athletic
atomizador *m.* (spray)
   atomizer
atracción *f.* attraction,
   amusement
atractivo/a attractive **U6 (1),**
   U8 (2)
atún *m.* tuna
auditorio *m.* auditorium
auge *m.*: **estar en auge** to be
   rising, booming
aumentar to augment,
   increase
aun even, yet, although
   U6 (2)
aún yet, still
   aún no not yet
aunque *conj.* although
autobús *m.* bus
   tomar el autobús to take
     the bus
autodisciplina *f.* self-
   discipline
automático/a automatic
autor *m.*, **autora** *f.* author
   U5 (2)
autorretrato *m.* self-portrait
autoservicio *m.* self-service
   U5 (2)
auxiliar *adj.* auxiliary;
   accessory

ave *f.* bird, fowl
avenida *f.* avenue
aventura *f.* adventure
avión *m.* airplane
   ir/viajar en avión to
     go/travel by plane
     U9 (2)
¡ay! oh; alas, woe
ayer yesterday **U8 (3)**
ayote *m.* pumpkin; gourd
   (*Mex.*)
ayuda *f.* help
ayudar to help, help out
ayuntamiento *m.* city hall
azul blue

B

bahía *f.* bay **U9 (2)**
bailar to dance **U8 (3)**
baile *m.* dance
bajo *prep.* under, below
   U9 (2)
   más bajo lower **U5 (3)**
bajo/a *adj.* short (*in height*);
   low
   planta (*f.*) **baja** ground
     floor **U8 (1)**
baloncesto *m.* basketball (*Sp.*)
balsámico/a balsamic,
   healing
bálsamo *m.* balsam, balm
ballet *m.* ballet **U9 (2)**
banco *m.* bank **U5 (2)**
banda *f.* band
bandeja *f.* tray
bandera *f.* flag
bañarse to bathe **U6 (1),**
   U8 (3)
baño *m.* bathroom; bath
   traje (*m.*) **de baño**
     bathing suit
barato/a cheap, inexpensive
   U5 (2)
   ¡es muy barato/a! it's
     very inexpensive
     U5 (3)
barba *f.* beard

barbaridad *f.*: **¡qué barbaridad!** how awful!
barco *m.* boat
  ir/viajar en barco to go/travel by boat **U9 (2)**
barmitzva *m.*: **fiesta** (*f.*) **de barmitzva** bar mitzvah celebration (*Jewish*) **U7 (1)**
barrio *m.* neighborhood
básquetbol *m.* basketball
  jugar al básquetbol to play basketball
¡basta! enough!, that's enough!
bastante *adv.* fairly, pretty; quite; quite a bit; rather, somewhat
basura *f.* garbage
  sacar la basura to take out the trash **U8 (1)**
bate *m.* (baseball) bat **U5 (3)**
batería *f. sing.* drums, drum set; battery **U8 (3)**
batido *m.* milk shake
baúl *m.* trunk, chest
bautismo *m.* baptism **U7 (1)**
bazar *m.* bazaar, marketplace
bebé *m., f.* baby
beber to drink
bebida *f.* drink **U7 (2)**
béisbol *m.* baseball
  guante (*m.*) **de béisbol** baseball glove **U5 (3)**
  jugar al béisbol to play baseball
Bélgica *f.* Belgium
bello/a beautiful
  bellas artes (*f. pl.*) fine arts **U9 (2)**
  la Bella Durmiente *f.* Sleeping Beauty
besar to kiss **U7 (1)**
beso *m.* kiss **U7 (3)**
  dar un beso to kiss
bibliográfico/a bibliographic
biblioteca *f.* library

bibliotecario *m.*, **bibliotecaria** *f.* librarian
bicicleta *f.* bicycle
  andar/ir en bicicleta to ride a bicycle
  una bicicleta de... velocidades a . . . -speed bicycle **U5 (3)**
bien *adv.* well
  bastante bien pretty well
  (muy) bien, gracias (very) well, thanks
  está bien that's fine **U5 (3)**
  (yo) estoy muy bien I'm fine
  llevarse bien to get along well **U6 (3)**
  ¡muy bien! great!
  sabe bien it tastes good **U7 (2)**
bienvenido/a welcome
bife *m.* steak, beefsteak (*Arg., Uruguay*)
bisabuelo *m.*, **bisabuela** *f.* great-grandfather, great-grandmother
bistec *m.* steak **U7 (2)**
bisturí *m.* scalpel
blanco/a white
bobo/a dumb, silly
boca *f.* mouth
boda *f.* wedding **U7 (1)**
  aniversario (*m.*) **de bodas** wedding anniversary **U7 (1)**
  bodas de oro *pl.* fiftieth wedding anniversary **U7 (1)**
bolero *m.* bolero (*traditional Spanish dance*)
boleto *m.* ticket **U5 (2)**
boliche *m.* bowling
  jugar al boliche to go bowling
bolígrafo *m.* (ballpoint) pen
bolívar *m.* bolivar (*Venezuelan monetary unit*)
bolsa *f.* bag; purse, handbag; pouch

bombilla *f.* lightbulb
bonito/a pretty
boquiabierto/a open-mouthed
bota *f.* boot
botella *f.* bottle **U7 (2)**
bracero *m.* day laborer; good shot
Brasil *m.* Brazil
brazo *m.* arm
brillar to shine, stand out
brindar to offer, invite
brócuil *m.* broccoli **U7 (2)**
brujo *m.*, **bruja** *f.* sorcerer, witch
  Día (*m.*) **de las Brujas** Halloween **U7 (3)**
brusco/a brusque, abrupt
budín *m.* pudding
  budín de pan bread pudding
buen, bueno/a good
  buen viaje bon voyage
  buena suerte good luck
  bueno... well . . .
  de buen gusto in good taste
  es de muy buena calidad it's very good quality **U5 (3)**
  estar/sentirse de buen humor to be/feel in a good mood **U6 (3)**
  ¡qué bueno! (how) great!
  sacar buenas notas to get good grades
buenísimo/a very good
bufanda *f.* scarf
burlarse de to mock, make fun of
burrito *m.* burrito (*beans and meat wrapped in a tortilla and covered with cheese and salsa*) (*Mexican-American*)
busca: en busca de in search of **U8 (2)**
buscar (qu) to look for **U8 (3)**

C

caballo *m.* horse
cabeza *f.* head
  dolor (*m.*) **de cabeza**
    headache **U6 (2)**
cada *inv.* each, every
  cada vez each time **U6 (3)**
cadena *f.* chain; television
  network **U9 (3)**
café *m.* coffee **U7 (2)**;
  coffee-colored; café
  U5 (1)
  café con leche coffee
    with milk **U6 (1)**, **U7 (2)**
  (de) color (*m.*) **café**
    brown
cafetería *f.* cafeteria
caja *f.* box; container
cajita *f.* small box
calamar *m.* squid
calavera *f.* skull **U7 (3)**
calcetín *m.* sock, stocking
calcomanía *f.* decal
caldo *m.* broth, bouillon
calidad *f.* quality
  es de muy buena calidad
    it's very good quality
    U5 (3)
caliente warm, hot **U6 (1)**
  chocolate (*m.*) **caliente**
    hot chocolate **U7 (2)**
calmarse to calm down
  ¡cálmense! calm down!
caloría *f.* calorie **U6 (2)**
calle *f.* street
cama *f.* bed
  hacer las camas to make
    the beds **U8 (1)**
cámara *f.* camera **U5 (3)**;
  chamber, agency
camarón *m.* prawn
cambiar to change **U6 (3)**
  cambiar de humor to
    change moods
cambio *m.* change; foreign
  exchange
camello *m.* camel
caminar to walk

camine... cuadras hasta...
  walk . . . blocks up to
  . . . **U5 (1)**
camisa *f.* shirt
camiseta *f.* T-shirt
campamento *m.*
  campground
campana *f.* bell **U7 (3)**
campanada *n. f.* ringing (*of a
  bell*)
campeón *m.*, **campeona** *f.*
  champion
campeonato *m.* champi-
  onship **U9 (1)**
camping *m.* campground
campo *m.* field; country,
  countryside **U8 (3)**
  campo de deportes
    playing field
cancelar to cancel
canción *f.* song **U6 (3)**
candidato *m.*, **candidata** *f.*
  candidate
cansado/a tired
cansancio *m.* weariness
  ¡qué cansancio! what
    exhaustion! **U8 (3)**
cantante *m., f.* singer
cantar to sing **U8 (3)**
cantidad *f.* quantity
capa *f.* cape, coat
capacidad *f.* capacity
capitán *m.* captain
capítulo *m.* chapter
captar to capture, grasp
  ¿qué ideas captaste?
    what ideas did you
    get?
cara *f.* face **U6 (1)**
  lavarse la cara to wash
    one's face **U6 (1)**
característica *f.*
  characteristic
¡caramba! goodness!
caramelo *m.* caramel; candy
¡caray! my goodness! darn!
  U6 (2)
carga *f.* load, cargo
  animal (*m.*) **de carga**
    pack animal

cariño *m.* affection
carísimo/a very expensive
carne *f.* meat **U7 (2)**
  carne de res beef **U7 (2)**
carnicería *f.* butcher shop
  U5 (1)
caro/a expensive **U5 (3)**
carpa *f.* tent
carrera *f.* race; career; track
carro *m.* car; train car
  lavar el carro to wash the
    car **U8 (1)**
  manejar el carro to drive
    the car
carta *f.* letter; card
  jugar a las cartas to play
    cards
cartel *m.* poster
cartera *f.* wallet **U5 (3)**
cartero *m.*, **mujer** (*f.*) **cartero**
  mail carrier **U5 (1)**
casa *f.* house
  en casa at home
casado/a married **U7 (1)**
  (50) años de casados (50)
    years of marriage
casarse to get married
  U7 (1)
casi *adv.* almost
  casi nunca almost never
casita *f.* small house, cottage
caso *m.* case
  en caso de in the event of
casón *m.* large house
casona *f.* large house, manor
  house
cassette *m.* cassette
  radio (*m.*) **cassette**
    portátil portable
    radio cassette player
    U5 (3)
castaño/a brown (*hair, eyes*)
castigado/a punished;
  damaged
castillo *m.* castle
catalán *m.* Catalan (*language
  spoken in the Catalonian
  region in northeastern
  Spain*)
catálogo *m.* catalogue

catarro *m.* cold (*illness*) **U6 (2)**
  tener catarro to have a cold **U6 (2)**
catedral *f.* cathedral **U9 (2)**
categoría *f.* category
catorce fourteen
causado/a caused
cazar (c) to hunt
cebolla *f.* onion
cebollita *f.* small onion
cecina *f.* cured meat
celebración *f.* celebration **U7 (1)**
celebrar to celebrate
cementerio *m.* cemetery **U7 (3)**
cena *f.* dinner, supper
cenar to have dinner, supper
  cenar fuera to eat out
centenario *m.* centennial
centro *m.* center; downtown
  (ir a un) centro comercial (to go to a) shopping center, mall
  centro de reciclaje recycling center **U8 (3)**
  centro de videojuegos video arcade
cepillar to brush
  cepillarse to brush (oneself) **U8 (3)**
  cepillarse el pelo to brush one's hair **U6 (1)**
  cepillarse los dientes to brush one's teeth **U6 (1), U8 (3)**
cepillo *m.* brush **U6 (1)**
cerámica *f.* ceramic(s)
cerca *adv.* near, nearby
  cerca de *prep.* near, close to **U5 (1)**
  ¿hay un(a)... cerca de aquí? is there a . . . nearby? **U5 (1)**
cerdo *m.* pork
  costilla (*f.*) **de cerdo** pork rib
  chuleta (*f.*) **de cerdo** pork chop **U7 (2)**

cereal *m.* cereal **U5 (1)**
ceremonia *f.* ceremony
cerrado/a closed
certamen *m.* contest, debate
certificado/a certified
cerveza *f.* beer
césped *m.* lawn
  cortar el césped to mow the lawn **U8 (1)**
ciclismo *m.* cycling
ciclista *m., f.* cyclist
cielo *m.* sky **U8 (2);** heaven
ciempiés *m.* (*sing. and pl.*) centipede
cien, ciento/a one hundred **U5 (3)**
ciencia(s) *f.* (*pl.*) science(s)
  ciencia ficción *f.* science fiction
científico/a scientific
cierto/a true; certain
cinco five
cincuenta fifty
cine *m.* movie theater
  ir al cine to go to the movies
cinturón *m.* belt **U5 (3)**
círculo *m.* circle
circunstancia *f.* circumstance **U6 (3)**
cirugía *f.* surgery
  cirugía plástica plastic surgery
ciudad *f.* city
ciudadela *f.* citadel, fortress
civil: derechos (*m. pl.*) **civiles** civil rights **U7 (3)**
civilización *f.* civilization
civilizado/a civilized
¡claro! of course!
  ¡claro que sí! of course!
clase *f.* class; people in the class
  clase de español Spanish class
  compañero/a (*m., f.*) **de clase** classmate
  horario (*m.*) **de clases** class schedule

  salón (*m.*) **de clase** classroom
  tomar una clase de... to take a . . . class
clásico/a classical
clave *adj.* key, important
cliente *m., f.* client **U5 (1)**
cobertura *f.* cover, covering
cocer (ue) (z) to cook; to boil
cocina *f.* kitchen **U8 (1)**
cocinar to cook **U8 (1, 3)**
coche *m.* car
coincidencia *f.:* **¡qué coincidencia!** what a coincidence!
col *f.* cabbage
cola *f.:* **hacer cola** to wait in line
colección *f.* collection
colectivo *m.* bus (*Arg., Peru*)
colectivo/a collective, public
colegio *m.* private elementary or secondary school
colocar (qu) to put, place
colón *m.* colon (*monetary unit of Costa Rica and El Salvador*)
Colón: Cristóbal Colón Christopher Columbus
colonia *f.* colony, settlement
color *m.* color
  (de) color café brown
colosal colossal, huge
columna *f.* column
collar *m.* necklace **U5 (3)**
comedia *f.* comedy
comedor *m.* dining room **U8 (1)**
comentario *m.* comment **U6 (3)**
comenzar (ie) (c) to begin
  comenzar a + *infin.* to begin to (*do something*)
  nunca es tarde para comenzar it's never too late to begin
comer to eat **U9 (1)**
  comerse las uñas to bite one's nails **U6 (3)**

comercial commercial
  anuncio (*m.*) **comercial** ad, commercial
  centro (*m.*) **comercial** shopping center, mall
comestibles *m. pl.*: **tienda** (*f.*) **de comestibles** grocery store **U5 (1)**
cometer to commit, perpetrate
cómico/a comical
  tira (*f.*) **cómica** comic strip
comida *f.* food; meal; dinner, supper
  comida (*f.*) **rápida** fast food **U6 (2)**
comido/a eaten
comienzo *n. m.* beginning **U7 (3)**
como *adv.* like, as
  como de costumbre as usual **U8 (1)**
  tan... como as . . . as **U8 (2)**
¿cómo? how?; what?
  ¿cómo es... ? what is . . . like?
  ¿cómo está él/ella? how is he/she?
  ¿cómo está usted? how are you (*pol. sing.*)?
  ¿cómo estás? how are you (*inf. sing.*)?
  ¿cómo llego a... ? how do I get to . . . ? **U5 (1)**
  ¿cómo se dice esto en español? how do you say this in Spanish?
  ¿cómo se escribe... ? how do you spell . . . ?
  ¿cómo se llama él/ella? what is his/her name?
cómoda *f.* chest of drawers **U8 (2)**
cómodo/a comfortable **U8 (1)**
compacto/a: disco (*m.*) **compacto** compact disc
compañero *m.*, **compañera** *f.* companion

compañero/a de clase classmate
compañía *f.* company
comparación *f.* comparison **U8 (2)**
comparado/a compared
comprar to compare
compartir to share
complementario/a complementary
completamente completely
completar to complete
comportamiento *m.* behavior **U7 (1)**
composición *f.* composition
compra *f.* purchase
  ir de compras to go shopping
comprar to buy
comprender to understand
  no comprendo I don't understand
compromiso *m.* pledge, commitment, promise
computación *f.* computer science
  laboratorio (*m.*) **de computación** computer lab
computadora *f.* computer
común common
  tener en común to have in common
comunicación *f.* communication
comunicarse (qu) (con) to communicate (with)
comunidad *f.* community
comunión *f.* communion
con with
  con frecuencia frequently
  con permiso pardon me, may I (get by / leave)?
  ¿con quién? with whom?
concierto *m.* concert
  asistir a un concierto to attend a concert
concordia *f.* concord, harmony

conde *m.* earl, count
condición *f.* condition
conexión *f.* connection
conferencia *f.* lecture, presentation
confiable trustworthy, reliable
confundido/a confused **U6 (3)**
  estar/sentirse confundido/a to be/feel confused **U6 (3)**
conjunto *m.* ensemble, band
conmigo with me **U5 (2)**
conocer (conozco) to know, be acquainted with; to meet (*for the first time*) **U7 (1), U9 (1)**
consejero *m.*, **consejera** *f.* counselor
consejo *m.* (piece of) advice **U6 (2)**
consideración *f.* consideration
considerado/a considered
consistir en to consist of
consomé *m.* broth, consommé
construir (y) to build
consulta *f.* reference
consumidor *m.*, **consumidora** *f.* consumer, customer
contagioso/a contagious **U6 (2)**
contar (ue) to tell (a story); to count
  contar chistes to tell jokes
contemporáneo/a contemporary
contento/a happy **U6 (3)**
  estar/sentirse súper contento/a to be/feel extremely happy **U6 (3)**
contestación *f.* answer, reply
contestar to answer
contexto *m.* context

contigo with you (*inf. sing.*) **U5 (2)**

continuar to continue

contrario: por el contrario on the contrary

controlar to control

convencer (convenzo) to convince

conversación *f.* conversation

conversar to converse, talk **U8 (3)**

convivir to coexist (in harmony)

copa *f.* cup (*in sporting events*)

copiar to copy; to imitate

corazón *m.* heart; my dear **U7 (3)**

corbata *f.* tie (*clothing*)

coreografía *f.* choreography

coro *m.* choir, chorus **U8 (3)**

corona *f.* crown, garland

correcto/a correct, right **U7 (1)**

corregir (i, i) (j) to correct

correo *m.* mail; post office **U5 (1)**

correr to run

correspondencia *f.* correspondence

   amigo (*m.*), **amiga** (*f.*), **por correspondencia** pen pal

corresponder to correspond

corrida *f.* **(de toros)** bullfight **U9 (2)**

cortada *f.* cut, wound **U6 (2)**

cortar to cut; to chop **U8 (3)**

   cortar el césped to mow the lawn **U8 (1)**

corte *f.* court; courtyard

cortejo *m.* retinue, entourage

cortesía *f.* courtesy **U7 (1)**

cortijo *m.* farm; country home (*Sp.*)

cortinas *f. pl.* curtains, drapes **U8 (2)**

corto/a short (*in length*)

cosa *f.* thing

cosméticos *m. pl.* cosmetics

cosmopolita *adj.* (*m. & f.*) cosmopolitan

costar (ue) to cost **U5 (2)**

   ¿cuánto cuesta(n)... ? how much does/do . . . cost? **U5 (3)**

   cuesta(n) it costs/they cost **U5 (2)**

costarricense *adj.* (*m. & f.*) Costa Rican

costilla *f.* rib

   costilla de cerdo pork rib

costumbre *f.* custom

   como de costumbre as usual **U8 (1)**

costurera *f.* seamstress, dressmaker

crédito *m.* credit

creer (y) (que) to believe, think (that) **U5 (1), U6 (2)**

crema *f.* (*pl.* **cruces**) cream

cremoso/a creamy

criada *f.* maid **U8 (1)**

criollo/a *adj.* Creole

cruce *m.* crossing, crossroad

cruz *f.* (*pl.* **cruces**) cross

cruzar (c) to cross

   cruce... cross . . . **U5 (1)**

cuaderno *m.* notebook

cuadra *f.* (*city*) block **U5 (1)**

   camine... cuadras hasta... walk . . . blocks up to . . . **U5 (1)**

   está a... cuadras de aquí it's . . . blocks from here **U5 (1)**

cuadro *m.* painting **U5 (2)**

¿cuál(es)? *pron.* which one(s)?; *adj.* which?

cualquier *adj.* any

cuando *adv.* when

   de vez en cuando from time to time

¿cuándo? when?

¿cuánto(s)/a(s)? how much? how many?

¿cuántas veces? how many times?

¿cuánto cuesta(n)...? how much does/do . . . cost? **U5 (3)**

cuarenta forty

cuarto *m.* room **U8 (1);** bedroom

cuarto/a fourth **U8 (1);** quarter

   menos cuarto quarter to (the hour)

   y cuarto quarter past

cuate *m.*, **cuata** *f.* buddy, pal (*Mex.*)

cuatro four

cuatrocientos/as four hundred **U5 (3)**

cubano *m.*, **cubana** *f.* Cuban

cubismo *m.* cubism (*school of painting*)

cucaracha *f.* cockroach

cuenta *f.* bill, invoice **U7 (2)**

cuento *m.* story, short story

cuero *m.* leather **U5 (3)**

cuerpo *m.* body

cuidado *m.* care, attention; be careful!

   cuidado con... look out for . . .

cuidar to take care of

   cuidar de la salud to take care of one's health **U6 (2)**

cultura *f.* culture

cumpleaños *m.* (*sing. & pl.*) birthday

   ¡feliz cumpleaños! happy birthday! **U7 (3)**

cumplir to fulfill **U9 (1)**

   cumplir años to have one's birthday **U7 (1)**

   cumplir (quince) años to be (fifteen) years old, reach (fifteen years) of age

cuñado *m.*, **cuñada** *f.* brother-in-law, sister-in-law **U6 (3)**

cupón *m.* coupon, ticket

cura *m.* priest **U7 (1)**
curar to cure
    curarse to get well
    U6 (1)
curativo/a curative
curioso/a curious; strange
curita *f.* adhesive bandage
    U6 (2)

CH

chambelán *m.* chamberlain,
    royal attendant
champiñón *m.* mushroom
champú *m.* shampoo **U5 (1)**
chaqueta *f.* jacket
charlar to chat, talk;
    ¡a charlar! let's talk!
    U5 (1)
charro *m.* cowboy (*Mex.*)
chau good-bye, ciao
chévere *coll.* terrific, great
    (*Cuba, Puerto Rico*)
chico *m.,* **chica** *f.* guy, young
    man; girl, young
    woman
chilaquil *m. casserole dish*
    made of chopped tortilla,
    chili sauce, and meat or
    cheese (*Mex.*)
chile *m.* chile; red and green
    peppers
chino *m.,* **china** *f.* (*n. & adj.*)
    Chinese
chiste *m.* joke
    contar chistes to tell
    jokes
chistoso/a funny, amusing
chocolate *m.* chocolate
    chocolate caliente hot
    chocolate **U7 (2)**
chorizo *m.* sausage
chuleta (*f.*) **(de cerdo)** (pork)
    chop **U7 (2)**
churro *m. deep-fried pastry*
    covered with sugar and
    cinnamon (*Sp.*)

D

danza *f.* dance
danzar (c) to dance
dar *irreg.* to give **U7 (3)**
    dar classes to give
    lessons
    dar gracias to thank
    U7 (3)
    dar un beso to kiss
    dar un paseo to go for a
    walk
    dar una fiesta to give a
    party
de *prep.* of; from; about
    de nada you're welcome
    ¿de qué color es... ? what
    color is . . . ?
    del (*contr. of* **de** + **el**) of
    the; from the
debajo de *prep.* under,
    underneath
deber should, must, ought
    to; to owe
década *f.* decade
decidir to decide **U9 (1)**
décimo/a tenth **U8 (1)**
decimos: ¿por qué lo
    decimos así? why do
    we say it that way?
    y ahora, ¿qué decimos?
    and now, what shall
    we say?
decir *irreg.* to say, tell
    U7 (3)
    ¿puede usted decirme
    dónde está... ? can you
    tell me where . . . is?
    U5 (1)
    ¿qué (más) podemos
    decir? what (more) can
    we say?
decisión *f.* decision
decoración *f.* decoration
    U7 (1)
decorado *m.* decoration;
    scenery, decor
decorar to decorate **U7 (1)**
dedicado/a dedicated

dedo *m.* finger **U6 (2)**
definición *f.* definition
dejar to leave **U7 (1)**
    dejarse de + *infin.* to
    stop, put aside
del (*contr. of* **de** + **el**) of the;
    from the
    del mundo hispano from
    the Hispanic world
delante de *prep.* in front of
    U5 (1)
delgado/a thin, slender
delicia *f.* delight, pleasure
delicioso/a delicious
demasiado *adv.* too; too
    much **U5 (3)**
dental: higiene (*f.*) **dental**
    dental hygiene
    hilo (*m.*) **dental** dental
    floss **U6 (1)**
    pasta (*f.*) **dental**
    toothpaste
dentro: por dentro *adv.*
    inside
depender (de) to depend
    (on)
    depende it/that depends
    U6 (2)
dependiente *m.,* **depen-**
    dienta *f.* (store) clerk
    U5 (1)
deporte *m.* sport **U5 (3)**
    campo (*m.*) **de deportes**
    playing field
    deporte de equipo/
    individual team/
    individual sport
    practicar deportes to
    play sports
deportivo/a *adj.* sports,
    sports-minded
depositar to deposit
    U5 (2)
depósito *m.* deposit
deprimido/a depressed
    U6 (3)
    estar/sentirse
    deprimido/a to be/feel
    depressed **U6 (3)**
deprimir to depress

derecha *f.* right (*side*)
  a la derecha de to the right of **U5 (1)**
  doble a la derecha turn right **U5 (1)**
derechito/a very straight
derecho *m.* (*legal*) right; royalty
  derechos civiles *pl.* civil rights **U7 (3)**
derecho *adv.* straight
  siga derecho continue straight ahead **U5 (1)**
desagradable disagreeable, unpleasant **U8 (2)**
desarrollado/a developed, expanded
desastre *m.* disaster
desastroso/a disastrous
desayunar to have breakfast **U6 (1)**
desayuno *m.* breakfast **U7 (2)**
descalzo/a barefooted
descansar to rest **U8 (3)**
descongelación *f.* defrosting, thawing
describir to describe
descripción *f.* description
descubrimiento *m.* discovery
descubrir to discover
descuento *m.* discount
desde *prep.* from
  desde entonces from that time on
  desde muy pequeño/a from a very young age
desear to wish; to want **U7 (3)**
desfile *m.* parade **U7 (3)**
deshuesado/a boned, boneless
designado/a designated
desilusionado/a disillusioned
desodorante *m.* deodorant
desperdicio *m.* waste, squandering

despertador: radio (*m.*)
  despertador clock radio
despreciado/a scorned, rejected
después *adv.* after, afterward **U6 (1)**
  después de *prep.* after
detergente *m.* detergent
detestar to detest, hate
detrás de *prep.* behind **U5 (1)**
devorar to devour **U7 (1)**
di say, tell
día *m.* day
  Día de Acción de Gracias Thanksgiving Day **U7 (3)**
  Día de la Independencia Independence Day
  Día de la Madre Mother's Day
  Día de las Brujas Halloween **U7 (3)**
  Día de los Enamorados Valentine's Day
  Día de los Muertos All Souls' Day
  Día de los Presidentes Presidents' Day **U7 (3)**
  Día de los Reyes Magos Epiphany, Twelfth Night
  Día de los Veteranos Veterans' Day **U7 (3)**
  Día del Padre Father's Day
  Día del Trabajador Labor Day **U7 (3)**
  día feriado holiday **U7 (3)**
  hoy (en) día nowadays
  todos los días every day
diálogo *m.* dialogue
diamante *m.* diamond **U5 (3)**
diariamente daily, every day **U6 (2)**
diario *m.* diary, journal **U5 (2)**

diario/a daily
  rutina (*f.*) **diaria** daily routine **U6 (1)**
dibujar to draw, sketch
dibujo *m.* drawing
dice he/she says, you (*pol. sing.*) say
  así se dice... that's how you say . . .
  ¿cómo se dice esto en español? how do you say this in Spanish?
dices: y ahora, ¿qué dices tú? and now, what do you say?
  y tú, ¿qué dices? and you, what do you have to say?
diciembre *m.* December
dicha *f.* luck, fortune
diecisiete seventeen
diente *m.* tooth **U6 (1)**
  cepillarse los dientes to brush one's teeth **U6 (1)**
  cepillo (*m.*) **de dientes** toothbrush **U6 (1)**
  lavarse los dientes to brush one's teeth
  pasta (*f.*) **de dientes** toothpaste **U6 (1)**
dieta *f.* diet **U6 (2)**
  estar a dieta to be on a diet
diez ten
diferencia *f.* difference
diferente different
difícil hard, difficult
dificilísimo/a very difficult
difunto *m.*, **difunta** *f.* dead person, deceased **U7 (3)**; *adj.* dead
digas: no me digas you (*inf. sing.*) don't say
dimensión *f.* dimension, size
Dinamarca *f.* Denmark
dinámico/a dynamic
dinero *m.* money
Dios *m.* God **U7 (3)**

dirección *f.* address; direction

director *m.*, **directora** *f.* principal (*of school*); director

directorio *m.* directory (*containing addresses, etc.*) **U5 (3)**

disco *m.* record, disc

   disco compacto compact disc

   tienda (*f.*) **de discos** record store

discoteca *f.* discotheque

diseñado/a designed

diseñador *m.*, **diseñadora** *f.* designer

diseñar to design; to draw

disfraz *m.* (*pl.* **disfraces**) costume **U7 (3)**

disfrutar de to enjoy **U7 (1)**

distancia *f.* distance

distinto/a different, distinct **U5 (2)**

diversión *f.* diversion; entertainment

   parque (*m.*) **de diversiones** amusement park **U9 (2)**

divertidísimo/a *adj.* a lot of fun

divertido/a amusing, fun

divertir (ie, i) to amuse

   divertirse to have a good time **U6 (3), U9 (2)**

doblar to turn

   doble a la izquierda/ derecha turn to the left/right **U5 (1)**

doce twelve

doctor *m.*, **doctora** *f.* doctor

dólar *m.* dollar **U5 (3)**

dolor *m.* pain, ache

   tener dolor de cabeza to have a headache **U6 (2)**

   tener dolor de estómago to have a stomachache **U6 (3)**

tener dolor de garganta to have a sore throat **U6 (2)**

domingo *m.* Sunday

   el domingo on Sunday

   los domingos on Sundays

dominó *sing.*: **jugar al dominó** to play dominoes

don *m.*, **doña** *f. title of respect preceding a man's or woman's first name*

dona *f.* doughnut

donde *adv.* where

¿dónde? where?

   ¿de dónde eres? where are you (*inf. sing.*) from?

   ¿de dónde es? where is he/she from?

   ¿dónde vives? where do you (*inf. sing.*) live?

   ¿puede usted decirme dónde está... ? can you tell me where . . . is? **U5 (1)**

dormir (ue, u) to sleep **U6 (2)**

   dormir la siesta to take a nap

dormitorio *m.* bedroom **U8 (1)**

dos two

doscientos/as two hundred **U5 (3)**

doy I give **U7 (3)**

droga *f.* drug

ducha *f.* shower

ducharse to take a shower **U6 (1), U8 (3)**

dulce *m.* (*piece of*) candy **U6 (2)**; *adj.* sweet

   dulce de leche sweetened, condensed milk

   está dulce it's sweet **U7 (2)**

   pan (*m.*) **dulce** sweet bread **U5 (1)**

dúo *m.* duo, duet

duque *m.*, **duquesa** *f.* duke, duchess

durante during

durar to last; to remain **U7 (3)**

duro/a hard

E

e and (*used instead of* **y** *before words beginning with* **i** *or* **hi**)

edad *f.* age

edificio *m.* building

   edificio de apartamentos apartment building **U5 (1)**

educación (*f.*) **física** physical education, P.E.

eficiente efficient

ejemplar *m.* copy; sample

ejemplo *m.* example

   por ejemplo for example

ejercicio *m.* exercise

   clase (*f.*) **de ejercicio** exercise class

   hacer ejercicio to exercise

ejercitarse to exercise, train

el *m. sing. definite article* the

él *m. sub. pron.* he; *obj. of prep.* him

elección *f.* election; choice

eléctrico/a electric

electrodoméstico *m.* small appliance

electrónico/a electronic **U5 (3)**

elefante *m.* **elefanta** *f.* elephant

elegante elegant

elemento *m.* element; accessory

ella *f. sub. pron.* she; *obj. of prep.* her

ello that, that thing, that fact

ellos *m.*, **ellas** *f. sub. pron.* they; *obj. of prep.* them

embargo: sin embargo however, nevertheless

emoción *f.* emotion **U6 (3)**

emocionado/a excited **U9 (2)**

emperrado/a stubborn; angry

empezar (ie) (c) to begin **U8 (3)**

    empezar a + *infin.* to begin to (*do something*)

empleado *m.*, **empleada** *f.* employee

empresa *f.* enterprise, business

en in; at; on

    en casa at home

    en total in all, in total

enamorado *m.*, **enamorada** *f.* lover

    Día (*m.*) **de los Enamorados** Valentine's Day

    enamorado/a (de) in love (with)

encantar to charm, delight

encargarse de to take charge of, be responsible for

encargo *m.* errand; task

encebollado/a seasoned with onions

encender (ie) to light, light up **U9 (1)**

enciclopedia *f.* encyclopedia

encontrar (ue) to find

    encontrarse (con) to meet (with)

encuesta *f.* survey

enchilada *f.* enchilada (*tortilla filled with meat and topped with cheese and sauce*) (*Mex., Guatemala*) **U7 (2)**

enero *m.* January

enfermedad *f.* illness, disease

enfermería *f.* infirmary, nurse's office

enfermero *m.*, **enfermera** *f.* nurse

enfermo/a sick, ill

    estoy enfermo/a I'm sick

enfrente de *prep.* in front of **U5 (1)**

enjugar (gu) to dry

enojado/a angry

enojarse to get angry

enorme enormous

ensalada *f.* salad

enseñar to teach; to show

entender (ie) to understand

entero/a entire/whole

entonces *adv.* then, well

    desde entonces from that time on

entrada *f.* entrance; entrée

entrar to enter

entre *prep.* between, among

entregar (gu) to turn in, hand in

entrenador *m.*, **entrenadora** *f.* trainer, coach

entrenarse to train

entrevista *f.* interview

entrevistar to interview

entusiasmado/a enthusiastic

envase *m.* container; bottle, jar **U8 (3)**

envidia *f.*: **¡qué envidia!** I'm so envious!

envoltura *f.* wrapper

envolver (ue) to wrap, pack

epazote *m.* Mexican tea

episodio *m.* episode

época *f.* epoch, era, age **U9 (3)**

equipo *m.* team

    deporte (*m.*) **de equipo** team sport

era he/she/it was

eres you (*inf. sing.*) are

error *m.* error **U7 (2)**

es he/she/one is; you (*pol. sing.*) are

    es absurdo it's, that's absurd **U6 (2)**

    es de muy buena calidad it's very good quality **U5 (3)**

¡es muy barato/a! it's very inexpensive! **U5 (3)**

¡es un regalo! it's a gift! **U5 (3)**

¡es una ganga! it's a bargain! **U5 (3)**

escalera *f.* stairs, stairway

escaparate *m.* store window; display **U5 (2)**

    mirar los escaparates to go window-shopping

escoger (j) to choose

escolar *adj.* (*pertaining to*) school

    año (*m.*) **escolar** school year

esconderse to hide **U7 (1)**

escribir to write **U9 (1)**

    máquina (*f.*) **de escribir** typewriter

escrito/a written

escritorio *m.* desk

escuchar to listen (to)

escuela *f.* school

escultor *m.*, **escultora** *f.* sculptor, sculptress

escultura *f.* sculpture **U5 (2)**

ese, esa *adj.* that **U8 (2)**

ése *m.*, **ésa** *f. pron.* that (one)

esencial essential **U5 (3)**

esmalte *m.* nail polish

eso *pron.* that, that thing, that fact

esos/as *adj. pl.* those **U8 (2)**

ésos *m.*, **ésas** *f. pron.* those (ones)

espacial: viajes (*m. pl.*) **espaciales** space travel

espacio *m.* space

espaguetis *m. pl.* spaghetti

España *f.* Spain

español *m.* Spanish (*language*)

    clase (*f.*) **de español** Spanish class

español *m.*, **española** *f.* (*n. & adj.*) Spaniard; Spanish

espárragos *m. pl.* asparagus **U7 (2)**

especial special
especialidad *f.* specialty
especializado/a specialized
especialmente especially
espectáculo *m.* show, performance **U9 (2)**
espejo *m.* mirror **U6 (1), U8 (2)**
esperar to wait (for); to hope; to expect
espina *f.* thorn, thistle
espinacas *f. pl.* spinach **U7 (2)**
espíritu *m.* spirit
esposo *m.*, **esposa** *f.* husband, wife; spouse
espuma *f.* foam, lather
esqueleto *m.* skeleton
esquí *m.* ski **U5 (3);** skiing
　　esquí acuático water-skiing
esquina *f.* corner
　　en la esquina (de) on the corner (of) **U5 (1)**
estación *f.* station; season (*of the year*)
　　estación de metro subway station **U5 (2)**
　　estación de radio radio station **U6 (3)**
estacionamiento *n. m.* parking, parking lot
estadio *m.* stadium **U5 (2)**
estado *m.* state
　　estado de ánimo mood, frame of mind **U6 (3)**
　　Estados Unidos United States
estampilla *f.* stamp **U5 (1)**
estante *m.* bookshelf **U8 (2)**
estaño *m.* tin
estar *irreg.* to be
　　¿cómo está usted? how are you (*pol. sing.*)?
　　está a... cuadras de aquí it's . . . blocks from here **U5 (1)**
　　está bien, lo/la/los/las llevo fine, I'll take it/them **U5 (3)**

estar de buen humor to be in a good mood **U6 (3)**
¿puede usted decirme dónde está... ? can you tell me where . . . is? **U5 (1)**
estatua *f.* statue
　　Estatua de la Libertad Statue of Liberty
estatura *f.* stature, height
este, esta *adj.* this
éste *m.*, **ésta** *f. pron.* this (one)
estéreo *m.* stereo **U5 (3)**
estereotipo *m.* stereotype **U6 (2)**
estética *f.* esthetics, beauty
estilo *m.* style
　　al estilo medieval in medieval style
estimado/a dear (*salutation in a letter*) **U9 (1)**
esto *m.* this, this thing, this fact
estomacal *adj.* pertaining to the stomach
estómago *m.* stomach
　　dolor (*m.*) **de estómago** stomachache **U6 (3)**
estos, estas *adj.* these
éstos *m.*, **éstas** *f. pron.* these (*ones*)
estrella *f.* star **U8 (3)**
estudiante *m., f.* student
estudiantil *adj.* student
estudiar to study **U8 (3)**
estudio *m.* study
　　estudios sociales social studies
estufa *f.* stove **U8 (2)**
etiqueta *f.* etiquette
Europa *f.* Europe
europeo/a European
evento *m.* event
evitar to avoid **U6 (2)**
examen *m.* exam, test
excelente excellent
excepción *f.*: **con excepción de** except for

excepcional exceptional, unusual
exclamar to exclaim
exclusivo/a exclusive
excursión *f.*: **hacer una excursión** to go on an excursion **U9 (2)**
exigente demanding
éxito *m.* success **U7 (1)**
　　tener éxito to be successful
experiencia *f.* experience **U9 (1)**
experto *m.*, **experta** *f.* expert
explicación *f.* explanation
explicar (qu) to explain **U9 (3)**
explosión *f.* explosion
exposición *f.* exposition, exhibit
expresión *f.* expression
expresionismo *m.* expressionism (*art movement*)
extracurricular extracurricular **U9 (3)**
extraño/a strange
extraordinario/a extraordinary
extraterrestre *adj.* extraterrestrial, from outer space
extrovertido/a extroverted

F

fabricación *f.* manufacturing
fabuloso/a fabulous
fácil easy
fachada *f.* facade
falda *f.* skirt
falso/a false
falta *f.*: **hacer falta** to be lacking, be needed
fama *f.* fame
familia *f.* family
famoso/a famous
fanático/a fanatical
fandango *m.* fandango (*Spanish regional dance*)

fantasma *m.* ghost
fantástico/a fantastic
farmacia *f.* pharmacy
   farmacia de guardia all-night pharmacy
fascinante fascinating
fastidio *m.*: ¡qué fastidio! how annoying! U8 (1)
fatal terrible
favor *m.*: por favor please
favorito/a favorite
fecha *f.* date
felicidad *f.* happiness; good luck
   ¡felicidades! *f.* congratulations! U7 (3)
¡felicitaciones! *f.* congratulations! U7 (3)
felicitar to congratulate U7 (1)
feliz (*pl.* felices) happy U6 (3)
   estar/sentirse feliz to be/feel happy U6 (3)
   ¡Felices Pascuas! Merry Christmas! U7 (3)
   ¡feliz aniversario! happy anniversary! U7 (3)
   ¡feliz cumpleaños! happy birthday! U7 (3)
   ¡Feliz Navidad y Próspero Año Nuevo! Merry Christmas and Happy New Year! U7 (3)
feo/a ugly
feria *f.* fair, amusement park
feriado/a: día (*m.*) feriado holiday
feroz (*pl.* feroces) ferocious U7 (1)
   tener un hambre feroz to be starving
ficción: ciencia ficción *f.* science fiction
fideos *m. pl.* noodles
fiebre *f.* fever U6 (2)
   tener fiebre to have a fever U6 (2)

fiesta *f.* party U7 (1)
   día (*m.*) de fiesta holiday
   fiesta de barmitzva bar mitzvah celebration U7 (1)
   fiesta de fin de año end-of-year party U7 (1)
   fiesta de quince años fifteenth birthday party U7 (1)
   fiesta sorpresa surprise party U7 (1)
figón *m.* inn
filete *m.* fillet
filipinas: Islas (*f.*) Filipinas Philippine Islands
fin *m.* end
   el fin de semana pasado last weekend U8 (3)
   fiesta (*f.*) de fin de año end-of-year party U7 (1)
   fin de semana weekend
   ¡por fin! finally U5 (1), U6 (1)
finalmente finally
fino/a fine
firma *f.* signature; firm
firmar to sign (one's name)
física *f. sing.* physics
físicamente physically
físico/a *adj.* physical
   educación (*f.*) física physical education, P.E.
flan *m.* baked custard, flan U7 (2)
flauta *f.* flute
flor *f.* flower
   ramo (*m.*) de flores bouquet of flowers U7 (3)
florido/a flowered, covered with flowers
flúor *m.* fluorine
folklórico/a folkloric U9 (2)
folleto *m.* brochure, pamphlet U9 (2)
forma *f.* form
   en forma de in the form of

estar en forma to be in (good) shape (*physically*)
   ponerse en forma to get into shape U6 (2)
formar to form
foro *m.* forum; stage
foto *f.* photo
   sacar fotos to take pictures
fotocopiar to photocopy
fotografía *f.* photograph; photography
fotógrafo *m.*, fotógrafa *f.* photographer U7 (1)
fragancia *f.* fragrance
fragante fragrant
frambuesa *f.* raspberry
Francia *f.* France
frase *f.* phrase
frecuencia *f.* frequency
   con frecuencia frequently
   ¿con qué frecuencia...? how often . . . ?
frecuentemente frequently
fregadero *m.* kitchen sink U8 (2)
frenos *m.* braces (*on teeth*)
fresa *f.* strawberry U7 (2)
   helado (*m.*) de fresas strawberry ice cream
fresco/a fresh
   hace fresco it's cool (*weather*)
frescura *f.* freshness
frigorífico *m.* refrigerator
frijoles *m.* beans U7 (2)
frijolitos *m.* small beans
frío/a cold U6 (1)
   hace frío it's cold (*weather*)
   pasamos un poco de frío we got a little cold
   té (*m.*) frío iced tea
   tener frío to be cold
frito/a fried
   huevos (*m. pl.*) fritos fried eggs U7 (2)
   papas (*f. pl.*) fritas French fries

pollo (*m*.) **frito** fried chicken

fritura (*f*.) **de pescado** fried fish

frívolo/a frivolous

fruta *f*. fruit **U7 (2)**

frutería *f*. fruit store

frutilla *f*. strawberry (*Arg., Chile*)

fue (*past tense of* **ser**) he/she was, you (*pol. sing.*) were **U9 (3);** (*past tense of* **ir**) he/she/ you (*pol. sing.*) went

fuego *m*. fire

   fuegos artificiales fireworks **U7 (3)**

fuera *adv*. outside, out

   cenar fuera to eat out

fueron they, you (*pol. pl.*) went

fuerte strong

fuerza *f*. strength, power

fui (*past tense of* **ir**) I went **U7 (3)**

fuimos (*past tense of* **ir**) we went

   fuimos de vacaciones we went on vacation

fuiste (*past tense of* **ir**) you (*inf. sing.*) went **U7 (3)**

   fuiste de compras you went shopping

fuisteis (*past tense of* **ir**) you (*pl. inf. Sp.*) went

fumar to smoke

fútbol *m*. soccer

   fútbol americano football

   jugar al fútbol to play soccer

futuro/a future **U9 (3)**

G

gabinete *m*. cabinet **U8 (2)**

galería *f*. gallery

galletita *f*. cookie, cracker

ganar to win; to earn **U8 (3)**

ganga *f*. bargain

   ¡es una ganga! it's a bargain! **U5 (3)**

garaje *m*. garage **U8 (1)**

garantía *f*. guarantee

garganta *f*. throat

   dolor (*m*.) **de garganta** sore throat **U6 (2)**

gaseosa *f*. soda, carbonated drink

gastar to spend (*money*) **U5 (3)**

gatito *m*., **gatita** *f*. kitten

gato *m*., **gata** *f*. cat

gemelos *m*., **gemelas** *f*. twins **U6 (1)**

genealógico/a genealogical

general general

   en general in general

   por lo general in general

generalmente generally

generoso/a generous

gente *f. sing.* people **U5 (1)**

genuino/a genuine, legitimate

geografía *f*. geography

geográfico/a geographic

gerente *m*. manager

gigante *m*. giant; *adj.* gigantic, huge

gimnasia *f. sing.* gymnastics

   hacer gimnasia to do gymnastics

gimnasio *m*. gym, gymnasium

girar to spin around

giratorio/a revolving

gitano *m*., **gitana** *f*. gypsy

globo *m*. globe; balloon **U7 (1)**

golf *m*. golf

   jugar al golf to play golf

gordito/a chubby, a little overweight

gordo/a fat

gorra *f*. cap; baseball cap

grabado *m*. engraving

grabar to record **U5 (3)**

gracias thank you; thanks

   (muy) bien, gracias (very) well, thanks

   dar gracias to thank **U7 (3)**

   Día (*m*.) **de Acción de Gracias** Thanksgiving Day **U7 (3)**

   gracias por el regalo thank you for the gift **U7 (3)**

   muchas gracias thank you very much

grado *m*. degree; grade (*level*)

graduación *f*. graduation **U7 (3)**

gradualmente gradually

gramatical grammatical

gran, grande great; big, large

grasa *f*. fat **U6 (2)**

gratis *adj. inv.* free (of charge) **U5 (2)**

gripe *f*. flu, cold

gris gray

gritar to shout **U7 (1)**

grueso/a big, stout

grupo *m*. group

guagua *f*. bus (*Cuba, Puerto Rico*)

guanaco *m*., **guanaca** *f*. guanaco (*South American animal related to the llama*)

guante *m*. glove

   guante de béisbol baseball glove **U5 (3)**

guapo/a handsome

guardar to keep **U5 (3)**

guardia *f*.: **farmacia** (*f*.) **de guardia** all-night pharmacy

guarnición *f*. garnish

guerra *f*. war

guía *f*. guide; *m., f.* guide (*person*)

guiado/a guided

guisantes *m. pl.* peas **U7 (2)**

guiso *m*. stew; casserole

guitarra *f.* guitar
   tocar la guitarra to play
     the guitar
guitarrista *m., f.* guitarist
gusano *m.* worm
gustar to like, be pleasing to
   U5 (2)
   me/te gustaría I/you
     (*inf. sing.*) would like
     U7 (1)
gusto *m.* taste
   de buen gusto in good
     taste
   gustos *pl.* likes,
     preferences
gustoso/a tasty, savory

H

ha he/she/it has (*auxiliary*)
haber *irreg.* to have
   (*auxiliary*)
habichuelas *f.* kidney beans
   U7 (2)
habitación *f.* room;
   bedroom
hábito *m.* habit **U6 (2)**
hablar to speak, talk
hacer *irreg.* to do; to make
   U9 (2)
   hace buen/mal tiempo
     it's good/bad weather
   hace calor/fresco/frío/
     sol/ viento it's hot/
     cool/cold/sunny/
     windy
   hacer cola to wait in
     line
   hacer ejercicio to exercise
   hacer falta to be lacking,
     be needed
   hacer gimnasia to do
     gymnastics
   hacer la maleta to pack
     one's suitcase **U9 (2)**
   hacer la tarea to do the
     homework
   hacer las camas to make
     the beds **U8 (1)**

hacer mandados to run
   errands **U5 (1)**
hacer picnics to have
   picnics
hacer planes to make
   plans
hacer preguntas to ask
   questions
hacer un viaje to take a
   trip **U9 (2)**
hacer una excursión to
   go on an excursion
   U9 (2)
hagan ambos papeles
   play both roles
   U5 (3)
hambre *f.* (*but,* **el hambre**)
   hunger
   tener (mucha) hambre to
     be (very) hungry
   tener un hambre feroz to
     be starving
hamburguesa *f.* hamburger
han they have (*auxiliary*)
hasta *prep.* up to, until; *adv.*
   even
   camine... cuadras hasta...
     walk . . . blocks up to
     . . . **U5 (1)**
   hasta pronto see you soon
hay there is, there are
   hay que + *infin.* one must
     (*do something*)
   ¿hay un(a)... cerca de
     aquí? is there a . . .
     near here? **U5 (1)**
hebilla *f.* (*belt*) buckle
heladería *f.* ice cream
   parlor
helado *m.* ice cream
hermanito *m.,* **hermanita** *f.*
   little brother, little
   sister
hermano *m.,* **hermana** *f.*
   brother, sister
   hermanos *pl.* brothers
     and sisters, siblings
hermosísimo/a very
   beautiful
hermoso/a beautiful **U9 (2)**

herramienta *f.* tool,
   instrument
hice (*past tense of* **hacer**) I
   did; I made
   no hice nada I didn't
     do/make anything
     U8 (3)
hicieron (*past tense of* **hacer**)
   they did/made; you
   (*pl.*) did/made
hicimos (*past tense of*
   hacer) we did; we
   made
hiciste (*past tense of* **hacer**)
   you (*inf. sing.*)
   did/made
   ¿qué hiciste? what did
     you (*inf. sing.*)
     do/make? **U8 (3)**
hicisteis (*past tense of*
   hacer) you (*inf. pl.*)
   did/made
hígado *m.* liver
higiene *f.* hygiene
   higiene dental dental
     hygiene
hijito *m.,* **hijita** *f.* little son,
   little daughter; dear
   son, dear daughter
   U6 (3)
hijo *m.,* **hija** *f.* son, daughter
   hijos *pl.* sons and
     daughters, children
hilo *m.* thread, string
   hilo (*m.*) **dental** dental
     floss **U6 (1)**
hipocondríaco *m.,* **hipocon-**
   dríaca *f.*
   hypochondriac
hispánico *m.,* **hispánica** *f.* (*n*
   & adj.) Hispanic
hispano *m.,* **hispana** *f.* (*n. &*
   adj.) Hispanic
   del mundo hispano from
     the Hispanic world
Hispanoamérica *f.* Spanish
   America
historia *f.* history; story
histórico/a historical
hogar *m.* home

hoja *f.* leaf

¡hola! hello, hi

Holanda *f.* Holland, Netherlands

hombre *m.* man

homenaje *m.* homage, respect

homeopatía *f.* homeopathy, homeopathic medicine

homicidio *m.* homicide

honrar to honor

hora *f.* hour; time
   ¿a qué hora (es)... ? at what time is . . . ?
   por hora per hour
   ya es hora de + *infin.* it's time to (*do something*) **U6 (1)**

horario *m.* schedule

horno *m.* oven
   horno de microondas microwave oven **U8 (2)**

horror *m.*: **¡qué horror!** how awful!

horticultura *f.* horticulture

hospital *m.* hospital **U5 (2)**

hotel *m.* hotel **U5 (2)**

hoy today
   hoy (en) día nowadays

huarache *m.* leather sandal (*Mex.*)

huevo *m.* egg
   huevos fritos fried eggs **U7 (2)**

humor *m.* humor; mood
   cambiar de humor to change moods
   estar/sentirse de buen/mal humor to be/feel in a good/bad mood **U6 (3)**

I

ida *f.* departure; trip
   tarifa (*f.*) **de ida y vuelta** round trip air fare

idea *f.* idea
   ¡qué buena idea! what a good idea!
   ¿qué ideas captaste? what ideas did you get?

ideal *adj.* ideal **U5 (2)**

idéntico/a identical **U6 (1)**

identificar (qu) to identify
   identifica identify **U6 (1)**

idioma *m.* language

ídolo *m.* idol, admired or loved person

iglesia *f.* church **U5 (1)**

iluminación *f.* lighting; light

ilustrado/a illustrated

ilustrar to illustrate

imagen *f.* image

imaginación *f.* imagination

imaginar(se) to imagine

imaginario/a imaginary

impacientemente impatiently **U6 (1)**

impacto *m.* impact

imperio *m.* empire

impermeable *m.* raincoat

importado/a imported

importancia *f.* importance

importante important

imposible impossible

impresionante impressive

inauguración *f.* inauguration

incluido/a included

incluir (y) to include **U9 (2)**

incómodo/a uncomfortable **U8 (1)**

incorregible incorrigible

independencia *f.*: **Día** (*m.*) **de la Independencia** Independence Day

indicar (qu) to indicate, tell

indio *m.*, **india** *f.* Indian

individual: deporte (*m.*) **individual** individual sport

individualidad *f.* individuality; personality

información *f.* information

informe *m.* report
   escribir informes to write reports

ingeniería *f.* engineering

ingenio *m.* ingenuity; genius

ingerir (ie, i) to ingest

Inglaterra *f.* England

inglés *m.* English (*language*)

ingrediente *m.* ingredient

inmediatamente immediately **U5 (3), U7 (1)**

inmobiliario/a pertaining to real estate

inmuebles *m. pl.*: **agencia** (*f.*) **de inmuebles** real estate agency

inolvidable unforgettable

insistir to insist

instalación *f.* installation

instituto *m.* institute; school

instrumento *m.* instrument
   tocar un instrumento to play an instrument

insurgente *m., f.* insurgent, rebel

integrante *adj.* integrant, constituent

inteligente intelligent

interacción *f.* interaction, exchange

intercambiar to exchange

intercambio *m.*: **estudiante** (*m., f.*) **de intercambio** exchange student

interés *m.* interest

interesado/a interested

interesante interesting

intermediario *m.*, **intermediaria** *f.* intermediary

internacional international

inválido/a invalid; void

inventar to invent; to make up

inventor *m.*, **inventora** *f.* inventor

investigación *f.* research

invierno *m.* winter

invitación *f.* invitation **U7 (1)**

invitado *m.*, **invitada** *f.* guest **U7 (1)**

invitar to invite

  ¡te invitamos a escribir! we invite you to write!

  ¡te invitamos a leer! we invite you to read!

ir *irreg.* to go **U7 (3)**

  fui I went **U7 (3)**

  fuiste you (*inf sing.*) went **U7 (3)**

  ir en avión/barco to go by plane/boat **U9 (2)**

irritado/a irritated

isla *f.* island

Islas Filipinas Philippine Islands

Italia *f.* Italy

italiano *m.,* **italiana** *f.* (*n. & adj.*) Italian

itálica: en itálica in italics

izquierda *f.* left

  a la izquierda (de) to the left (of) **U5 (1)**

  doble a la izquierda turn left **U5 (1)**

J

ja, ja ha, ha

jabón *m.* soap **U6 (1)**

jai alai *m.* jai alai, pelota (*Basque ball game*)

jamás never

jamón *m.* ham

Jánuca *m.* Hanukkah **U7 (3)**

jaqueca *f.* headache, migraine

jarabe *m.* syrup

  jarabe para la tos cough syrup **U6 (2)**

jardín *m.* garden; yard **U8 (1)**

  jardín zoológico zoo

jardinería *f.* gardening

jarra *f.* jug, pitcher

jaula *f.* cage

jeans *m.* jeans

jirafa *f.* giraffe

joroba *f.* hump

joven *m., f.* young person; *pl.* young people; *adj.* young

jovencito *m.,* **jovencita** *f.* young boy, young girl

joya *f.* jewel

  joyas jewelry **U5 (3)**

juego *m.* game **U9 (2)**

  juego de adivinanzas guessing game

jueves *m.* (*sing. & pl.*) Thursday

jugador *m.,* **jugadora** *f.* player

jugar (ue) (gu) (a) to play (*a sport or game*) **U8 (3)**

  jugar a las cartas to play cards

  jugar al tenis to play tennis

jugo *m.* juice

juguete *m.* toy

julio *m.* July

junto a *adv.* next to

juntos/as *adj.* together

justo/a fair

juvenil *adj.* junior; juvenile

K

kilómetro *m.* kilometer

L

la *f. sing. definite article* the

la *d.o.* you (*pol. f. sing.*); her, it (*f.*) **U5 (3), U7 (1)**

laboratorio *m.* laboratory

  laboratorio de computación computer science lab

lacio/a straight (*hair*)

lado *m.* side

  al lado next door

  al lado de *prep.* next to **U5 (1)**

lago *m.* lake

lamentar to lament, be sorry for

lámpara *f.* lamp

lana *f.* wool **U5 (3)**

lápiz *m.* (*pl.* **lápices**) pencil

largo/a long

las *f. pl. definite article* the

las *d.o.* you (*pol. f. pl.*); them (*f.*)

lástima *f.:* **¡qué lástima!** what a shame!

lata *f.* can (*of food*) **U8 (3)**

latino/a *adj.* Latin, Latino

  América Latina Latin America

latinoamericano/a *adj.* Latin American

lavado (*m.*) **en seco** dry cleaning

lavadora *f.* washing machine

lavaplatos *m.* (*sing. & pl.*) dishwasher

lavar to wash **U8 (3)**

  lavar el carro /la ropa/ los platos to wash the car/the clothes/the dishes **U8 (1)**

  lavarse (la cara/el pelo/ las manos) to wash (one's face/hair/hands) **U6 (1)**

  lavarse los dientes to brush one's teeth

le *i.o.* to/for him, her, it, you (*pol. sing.*) **U7 (3)**

lección *f.* lesson

lector *m.,* **lectora** *f.* reader

lectura *n. f.* reading

leche *f.* milk

  café (*m.*) **con leche** coffee with milk **U6 (1), U7 (2)**

  dulce (*m.*) **de leche** sweetened, condensed milk

lechuga *f.* lettuce

leer (y) to read **U9 (1)**

  ¡te invitamos a leer! we invite you to read!

lejos de *prep.* far away from **U5 (1)**

lengua *f.* language; tongue

lentes *m. pl.* (eye)glasses
   lentes de sol sunglasses
lento/a slow
leotardo *m.* leotard
les *i.o.* to/for them, you (*pol. pl.*) **U7 (3)**
letra *f.* letter; *pl.* lyrics (*song*)
levantar to lift
   levantarse to get up **U6 (1), U8 (3)**
leyenda *f.* legend
libertad *f.* liberty
libre free
   al aire libre open-air, outdoor(s) **U5 (3)**
librería *f.* bookstore **U5 (2)**
librero *m.* bookshelf
libro *m.* book
licencia *f.* permission, authority
líder *m.* leader **U7 (3)**
limón *m.* lemon
limonada *f.* lemonade
limpiador *m.* cleanser, scouring powder
limpiar to clean
   limpiarse to clean oneself **U6 (1)**
   limpiarse las uñas to clean one's fingernails **U6 (1)**
limpio/a clean
línea *f.* line
liquidación *f.* liquidation; clearance sale
líquido/a liquid
lista *f.* list
literatura *f.* literature
lo *d.o.* him, it (*m.*), you (*pol. m. sing.*) **U5 (3), U7 (1)**
   lo que what, that which **U6 (1)**
   lo siento, pero no sé I'm sorry, but I don't know **U5 (1)**
   por lo general in general
local *m.* locale, site
loción *f.* lotion
   loción protectora para el sol sunscreen **U6 (1)**

loco *m.*, **loca** *f.* crazy person; *adj.* crazy
lógico/a logical
lomito *m.* sirloin (*cut of meat*)
lóquer *m.* locker
los *m. pl. definite article* the; *d.o.* you (*pol. m. pl.*); them (*m.*) **U5 (3), U7 (1)**
lucha *f.* struggle
luchador(a) *adj.* fighting
luego then **U6 (1)**
lugar *m.* place **U5 (1)**
lujo *m.* luxury
   sin más lujos que with no more luxuries than
lujoso/a luxurious
luna *f.* moon **U8 (3)**
   luna de miel honeymoon
lunes *m.* (*sing. & pl.*) Monday
luz (*pl.* **luces**) *f.* light **U9 (1)**
   mesa (*f.*) **de luz** light table (photography)

LL

llamar to call
   llamarse to be named
   ¿cómo se llama él/ella? what is his/her name?
llegada *f.* arrival
llegar (gu) to arrive
   ¿cómo llego a... ? how do I get to . . . ? **U5 (1)**
lleno/a full, filled
llevar to wear; to bring; to carry **U5 (1, 3), U7 (1)**
   entonces lo llevo then I'll take it
   está bien, lo/la/los/las llevo fine, I'll take it/them **U5 (3)**
   llevar en brazos to carry in one's arms **U7 (1)**
   llevarse (bien/mal) (con) to get along (well/badly) **U6 (3)**

llorar to cry **U6 (3)**
llover (ue) to rain

M

macedonia *f.* fruit salad
machaca *f.* crusher, grinder
madera *f.* wood
   de madera of wood **U8 (2)**
madre *f.* mother
   Día (*m.*) **de la Madre** Mother's Day
madrina *f.* godmother **U7 (1)**
maestro/a: obra (*f.*) **maestra** masterpiece
magneto *f.* magnet
magnífico/a magnificent
mago *m.* magician
   Reyes (*m. pl.*) **Magos** Three Wise Men, Magi
mahones *m.* jeans (*Puerto Rico*)
majo/a pretty, attractive
mal *m.* wrong, evil; sickness, disease
mal *adv.* badly
   estar mal to be ill, sick
   llevarse mal to get along badly **U6 (3)**
mal, malo/a *adj.* bad
   estar/sentirse de mal humor to be/feel in a bad mood **U6 (3)**
   hace mal tiempo it's bad weather
   mal suerte *f.* bad luck
maldito/a darned, awful, cursed
malestar *m.* malaise, indisposition
maleta *f.* suitcase
   hacer la maleta to pack one's suitcase **U9 (2)**
malísimo/a very bad
malla *f. sing.* (*dancer's*) tights
mamá *f. coll.* mom

mandado *m.* order, command
   hacer mandados to run errands **U5 (1)**
mandar to send; to order **U5 (1)**
manejar to drive **U5 (3), U9 (1)**
manera *f.* way, manner
   de manera in a way
mano *f.* hand
   lavarse/ secarse las manos to wash/dry one's hands **U6 (1)**
mantener (*like* **tener**) to maintain, support
mantenimiento *m.* maintenance
mantequilla *f.* butter
manzana *f.* apple
   puré (*m.*) **de manzana** applesauce
mañana *f.* morning; tomorrow
   de la mañana in the morning, A.M.
   esta mañana this morning
   hasta mañana see you tomorrow; until tomorrow
   mañana por la mañana/por la tarde/por la noche tomorrow morning/afternoon/ evening, night
   todas las mañanas every morning
mapa *m.* map
maquillaje *m.* makeup **U6 (1)**
maquillarse to put on makeup **U6 (1)**
máquina *f.* machine; (exercise) machine
   máquina de escribir typewriter
maquinaria *f.* machinery
maquinita *f.* electronic game (*Mex.*)
mar *m.* sea, ocean

maratón *m.* (*sports*) marathon
maravilla *f.*: **¡qué maravilla!** how marvelous!, how wonderful!
maravilloso/a marvelous
marca *f.* brand, trademark
más more; most
   más bajo lower **U5 (3)**
   más de... more than . . . (+ *number*) **U8 (1)**
   más o menos *coll.* OK, hanging in there
   más... que more . . . than **U8 (2)**
   más tarde later
   no pago más de... I won't pay more than . . . (+ *number*) **U5 (3)**
máscara *f.* mask **U7 (3)**
mascota *f.* pet; mascot
masticar (qu) to chew
matamoros *m.* (*sing. & pl.*) bully, braggart
matemáticas *f. pl.* mathematics
materia *f.* subject (*academic*)
material *m.; adj.* material **U5 (3), U8 (2)**
mayo *m.* May
mayonesa *f.* mayonnaise
mayor major; greater; older; oldest
   hermano/a mayor older brother, sister
mayoría *f.* majority
me *d.o.* me; *i.o.* to/for me; *refl. pron.* myself **U6 (1), U7 (1, 3)**
medialuna (*f.*) (**de jamón**) (ham) croissant
mediano/a: de estatura mediana of average height
medianoche *f.* midnight **U7 (3)**
médico *m., f.* doctor **U6 (2)**
medieval: al estilo medieval in medieval style

medio (*m. sing.*) **de transporte** means of transportation **U5 (2)**
medio/a *adj.* average; half
   ... y media . . . thirty, half past . . .
mediodía *m.* noon
mejillón *m.* mussel
mejor better; best **U7 (1)**
   mejor amigo/a best friend
mejorar to improve **U7 (1)**
melón *m.* melon **U7 (2)**
memoria *f.* memory
mencionar to mention
menina *f.* young lady-in-waiting
menor younger; youngest
   hermano/a menor younger brother, sister
menos less, fewer; least; (minutes) till
   más o menos *coll.* more or less; OK, hanging in there
   menos... que less . . . than **U8 (2)**
   por lo menos at least
menospreciar to despise, look down on
menú *m.* menu
menudo: a menudo often **U5 (1)**
mercado *m.* market **U5 (1)**
   mercado al aire libre open-air market
merced *f.* mercy
merendar (ie) to have a snack
merienda *f.* snack
mermelada *f.* marmalade
mes *m.* month
   al mes per month
   el mes pasado last month **U8 (3)**
mesa *f.* table
   mesa de luz light table (*photography*)
   poner la mesa to set the table **U6 (1)**

mesero *m.*, **mesera** *f.* waiter, waitress **U5 (1)**

mesita (*f.*) **de noche** night-stand

mesón *m.* inn, tavern

metal *m.*: **de metal** of metal **U8 (2)**

metálico/a metallic

metro *m.* metro, subway **U5 (2);** meter
   estación (*f.*) **de metro** metro/subway station **U5 (2)**

mexicano *m.*, **mexicana** *f.* (*n. & adj.*) Mexican

México *m.* Mexico

mi(s) *poss. adj.* my

mí *obj. of prep.* me **U5 (2)**
   a mí to me

miau *m.* meow

microondas *f. pl.*: **horno** (*m.*) **de microondas** microwave oven **U8 (2)**

miedo *m.* fear **U6 (3)**
   tener miedo to be afraid **U6 (3)**

miel *f.* honey **U6 (2)**
   luna (*f.*) **de miel** honeymoon

miembro *m.* member

migraña *f.* migraine, headache

mil (*pl.* **miles**) one thousand, a thousand **U5 (3)**

milagroso/a miraculous

milanesa *f.* breaded veal scallop

millón *m.* million

mimbre *m.* wicker

mineral mineral
   agua (*f. but,* **el agua**) **mineral** mineral water

minifalda *f.* miniskirt

mínimo *m.* minimum

ministerio *m.* ministry

minuto *m.* minute

mío/a my, (of) mine

mirar to look at **U8 (3)**
   mirar la televisión to watch television

mirarse to look at oneself **U8 (2)**

misa *f.* Mass (*Catholic*)
   ir a misa to go to Mass

miserable *m., f.* wretch, unfortunate person

mismo *adv.*: **ahora mismo** right now
   ya mismo right away

mismo/a *adj.* same
   lo mismo the same thing

misterioso/a mysterious

mochila *f.* backpack

moda *f.* style; fashion; custom
   de moda in style

modales *m. pl.* manners **U7 (1)**

modelo *m.* model

moderno/a modern **U8 (2)**

modo *m.*: **de todos modos** anyway **U7 (1)**

mole *m. any of various stews prepared with meat and chili sauce* (*Mex.*)

momento *m.* moment; time

moneda *f.* currency; coin

monstruo *m.* monster

montaña *f.* mountain

montar to ride
   montar a caballo to ride horseback

monte *m.* mount, mountain

monumento *m.* monument

moño *m.* hair bow

morado/a purple

morir (ue, u) to die
   ya murió he/she has (already) died **U6 (3)**

morisco/a Moorish

morrón *m.* sweet, red pepper

mosaico *m.* mosaic

mostrar (ue) to show

motocicleta *f.* motorcycle

movimiento *m.* movement

muchacho *m.*, **muchacha** *f.* boy, girl

muchísimo *adv.* a lot, a great deal

muchísimo/a *adj.* a great deal (of)

mucho *adv.* a lot

mucho/a *adj.* much, a lot (of)

muchos/as many
   muchas gracias thank you very much

mueble *m.* piece of furniture; *pl.* furniture **U8 (2)**

mueblería *f.* furniture store

muerto *m.*, **muerta** *f.* dead person
   Día (*m.*) **de los Muertos** All Souls' Day

muestra *f.* exhibit; demonstration

mujer *f.* woman
   mujer cartero female letter carrier **U5 (1)**
   mujer policía female police officer **U5 (1)**

multicolor multicolored

mundo *m.* world
   del mundo hispano from the Hispanic world

muñeco *m.* doll, toy figure

mural *m.* mural **U9 (2)**

museo *m.* museum

música *f.* music
   poner música to play music (*on a stereo*) **U7 (1)**
   tocar música to play music (*on an instrument*)

músico *m.*, **música** *f.* musician **U7 (1)**

muy very
   (yo) estoy muy bien I'm fine
   ¡muy bien! great!
   muy bien, gracias very well, thanks

N

nacer (nazco) to be born **U9 (3)**

nacimiento *m.* birth **U7 (3)**
   lugar (*m.*) **de nacimiento** birthplace

nacional national
nada nothing, not anything
  de nada you're welcome
nadar to swim
nadie nobody, not anybody
naranja *f.* orange
  jugo (*m.*) **de naranja**
    orange juice
nariz *f.* (*pl.* **narices**) nose
narración *f.* narration
natación *n. f.* swimming
natal *adj.* native
naturaleza *f.* nature;
  character, disposition
naturalista *adj. m., f.*
  naturalistic, organic
naturalmente naturally
Navidad *f.* Christmas
  **¡Feliz Navidad y
    Próspero Año Nuevo!**
    Merry Christmas and
    Happy New Year!
    U7 (3)
navideño/a of or pertaining
  to Christmas
necesario/a necessary
necesitar to need **U5 (2)**
negro/a black
nervioso/a nervous
  estoy nervioso/a I'm
    nervous
nevera *f.* refrigerator;
  cooler
ni nor
  ni... ni neither . . . nor
nieto *m.*, **nieta** *f.* grandson,
  granddaughter
  U6 (3)
  nietos *pl.* grandchildren
    U6 (3)
ningún, ninguno/a none,
  not any
niñez *f.* (*pl.* **niñeces**)
  childhood
niño *m.*, **niña** *f.* little boy,
  little girl; child; *pl.*
  children
nivel *m.* level
  primer nivel first level
no no, not
  ¿no? right?, correct?

noche *f.* night
  de la noche in the
    evening, P.M.
  esta noche tonight
  mesita (*f.*) **de noche** night
    stand
  por la noche in the
    evening
  toda la noche all night
    long
Nochebuena *f.* Christmas Eve
Noel: Papá (*m.*) **Noel** Father
  Christmas, Santa
  Claus **U7 (3)**
nombre *m.* name
normalmente normally
norte *m.* north
norteamericano *m.*,
  norteamericana *f.* (*n. &
  adj.*) North American
nos *d.o.* us; *i.o.* to/for us;
  refl. pron. ourselves
  U6 (2), U7 (1, 3)
nosotros *m.*, **nosotras** *f., sub.
  pron.* we; *obj. of prep.* us
nota *f.* grade; note
  **sacar buenas/malas
    notas** to get good/bad
    grades
noticias *f. pl.* news
novecientos/as nine
  hundred **U5 (3)**
novedad *f.* novelty; *pl.*
  news
novela *f.* novel
noveno/a ninth **U8 (1)**
noviembre *m.* November
novio *m.*, **novia** *f.* boyfriend,
  girlfriend; groom,
  bride **U7 (1)**; *pl.* sweet-
  hearts
nuestro/a *poss. adj.* our
  U6 (3)
nuestros/as *poss. adj.* our
  U6 (3)
nueve nine
nuevo/a new
  de nuevo again
  **¡Feliz Navidad y
    Próspero Año Nuevo!**
    Merry Christmas and

  Happy New Year!
  U7 (3)
  fiesta (*f.*) **de Año Nuevo**
    New Year's party
  ¡Próspero Año Nuevo!
    Happy New Year!
  víspera (*f.*) **de Año
    Nuevo** New Year's
    Eve **U7 (3)**
número *m.* number
nunca never, not ever
  casi nunca almost
    never
  **nunca es tarde para
    comenzar** it's never
    too late to begin

O

o or
objeto *m.* object
obligatorio/a required
obra *f.* work, work of art
  obra de teatro play
    (*theater*) **U5 (2)**
  obra maestra
    masterpiece
obsequio *m.* courtesy; gift
obtener (*like* **tener**) to obtain
obvio/a obvious, evident
ocasión *f.* occasion **U7 (3)**
octavo/a eighth **U8 (1)**
octubre *m.* October
ocho eight
ochocientos/as eight
  hundred **U5 (3)**
oeste *m.* west
oferta *f.* offer
oficial official
oficina *f.* office
  **oficina de los consejeros/
    del director/de la
    directora** advisers'/
    principal's office
oficio *m.* occupation, job,
  position **U5 (1)**
ofrecer (**ofrezco**) to offer
oír (*irreg.*) to hear; to listen
  oiga listen

ojo *m.* eye
　　¡ojo! pay attention, take note
¡olé! olé! (*cheer for a bullfight*) **U9 (2)**
olvidar to forget
　　olvidarse (de) U7 (1) to forget
　　se me olvidó I forgot **U7 (1)**
olla *f.* pot, kettle
once eleven
onda *f.* wave (*ocean*)
　　estar en onda *coll.* to be in style
opción *f.* option
opcional optional
ópera *f.* opera
opinión *f.* opinion
　　expresa tu opinión express your opinion **U6 (1)**
oportunidad *f.* opportunity
opuesto/a opposite; opposed **U6 (1)**
oración *f. gram.* sentence
orden *m.* order
ordenado/a orderly, neat
oreja *f.* (*outer*) ear
orgánico/a organic
organizado/a organized
organizar (c) to organize
orgulloso/a proud **U6 (3)**
　　estar/sentirse orgulloso/a to be/feel proud **U6 (3)**
origen *m.* origin
oro *m.* gold **U5 (3)**
　　bodas (*f. pl.*) **de oro** golden wedding anniversary **U7 (1)**
　　copa (*f.*) **de oro juvenil** junior gold cup
orquesta *f.* orchestra
ortiga *f.* nettle
os *d.o.* you (*inf. pl. Sp.*); *i.o.* to/for you (*inf. pl. Sp.*); *refl. pron.* yourselves (*inf. pl. Sp.*)
oscuridad *f.* darkness

oscuro/a dark; obscure
otoño *m.* autumn, fall
otro/a other, another
　　otra vez again
¡oye! hey, listen! **U5 (3)**

P
〜〜〜〜〜〜〜〜〜〜

paciencia *f.* patience
paciente *m., f.; adj.* patient
padre *m.* father; *pl.* parents
padrino *m.* godfather **U7 (1)**
padrísimo/a awesome (*Mex.*)
paella *f.* paella (*Valencian dish made with rice, shellfish, often chicken, and flavored with saffron*)
pagar (gu) to pay (for)
　　no pago más de... I won't pay more than . . . (+ *number*) **U5 (3)**
página *f.* page
país *m.* country
paja *f.* straw
pájaro *m.* bird
palabra *f.* word
　　palabras del texto words from the text **U5 (2)**
　　palabras útiles useful words **U5 (1)**
palacio *m.* palace **U9 (2)**
palmito *m.* palmetto; heart of palm
paloma *f.* pigeon, dove
palomitas *f. pl.* popcorn **U9 (1)**
pan *m.* bread
　　budín (*m.*) **de pan** bread pudding
　　pan dulce sweet bread **U5 (1)**
　　pan tostado toast **U7 (2)**
panadería *f.* bakery **U5 (1)**
panqueques *m.* pancakes **U7 (2)**
pantalones *m. pl.* pants
　　pantalones cortos shorts

pantalla *f.* screen **U8 (2)**
　　televisor (*m.*) **de pantalla grande** large-screen television set
pañuelo *m.* handkerchief, bandanna
papa *f.* potato
　　papas fritas French fries
papá *m. coll.* dad
　　Papá Noel Father Christmas, Santa Claus **U7 (3)**
papel *m.* (piece of) paper; role
　　hacer el papel de to play the role of
　　hagan ambos papeles play both roles **U5 (3)**
papelería *f.* stationery store **U5 (1)**
par *m.* pair
para for; in order to **U5 (1)**
parador *m.* inn (*Sp.*) **U9 (2)**
paraguas *m.* (*sing. & pl.*) umbrella
pardo/a brown
parecer (parezco) to seem, appear
　　parecerse a to look like, resemble
　　¿qué te/le parece? what do you think?
pared *f.* wall
pareja *f.* couple **U5 (2)**
pariente *m., f.* relative
parque *m.* park
　　parque de atracciones amusement park
　　parque de diversiones amusement park **U9 (2)**
párrafo *m.* paragraph **U5 (2)**
parrilla (*f.*): **pollo** (*m.*) **a la parrilla** grilled, broiled chicken
parrillada *f.* barbecue
parte *f.* part
　　por (en) todas partes everywhere
participación *f.* participation **U9 (1)**

participar to participate

partido *m.* game

partitura *f.* (*musical*) score

pasado *m.* past

pasado/a *adj.* last; past

el año/mes (*m.*) **pasado** last year/month **U7 (3), U8 (3)**

el fin (*m.*) **de semana pasado** last weekend **U8 (3)**

la semana (*f.*) **pasada** last week **U8 (3)**

pasajero *m.*, **pasajera** *f.* passenger, traveler

pasar to pass; to happen; to spend (*time*) **U8 (3)**

¿qué te pasa? what's wrong (*with you*)?

pasatiempo *m.* pastime

Pascua *f.* Easter

domingo (*m.*) **de Pascuas** Easter Sunday

¡Felices Pascuas! Merry Christmas! **U7 (3)**

¡Feliz Pascua! Happy Easter! **las Pascuas** *pl.* Easter **U7 (3)**

pasear to take a walk **U5 (2)**

paseo *m.* promenade, avenue; walk

dar un paseo to take a walk

de paseo on a walk

pasillo *m.* corridor, hall

paso *m.* step

pasta *f.* paste

pasta de dientes toothpaste **U6 (1)**

pasta dental toothpaste

pastel *m.* pie; cake

pastel de cumpleaños birthday cake

pastelería *f.* pastry shop

pastilla *f.* pill **U6 (2)**

patata *f.* potato (*Sp.*)

puré (*m.*) **de patatas** mashed potatoes

patín *m.* skate **U5 (3)**

patinar to skate

patineta *f.* skateboard

patio *m.* patio **U8 (1)**

patito *m.* duckling

pavo *m.* turkey

pavo asado roast turkey **U7 (3)**

paz *f.* (*pl.* **paces**) peace

pechuga *f.* breast (of chicken)

pedir (i, i) to ask for, request; to order (in a restaurant) **U7 (2), U9 (2)**

pídele ask him/her **U5 (3)**

pegado/a close to, tied to

peinarse to comb one's hair **U6 (1)**

peine *m.* comb **U6 (1)**

pelea *f.* fight; quarrel

película *f.* film, movie

alquilar una película to rent a movie

película de aventuras adventure film

ver una película to see a movie

pelo *m.* hair

cepillarse/lavarse/secarse el pelo to brush/wash/dry one's hair **U6 (1)**

pelota *f.* ball **U5 (3)**

pensar (ie) to think **U6 (2), U9 (3)**

pensar + *infin.* to plan to (*do something*)

pensar de to think of, have an opinion about

pensar en to think about

piénsalo tú think about it

peor: lo peor the worst thing

pequeño/a small

perder (ie) to lose

¡perdón! *m.* excuse me!; sorry!; pardon me (may I have your attention?) **U5 (1)**

perfecto/a perfect

perfume *m.* perfume **U5 (3)**

perfumería *f.* perfume, toiletries shop

periódico *m.* newspaper

quiosco (*m.*) **de periódicos** newspaper stand **U5 (1)**

período *m.* period

perla *f.* pearl **U5 (3)**

permanente permanent

pero but

lo siento, pero no sé I'm sorry, but I don't know **U5 (1)**

pero antes... but before . . .

perro *m.*, **perra** *f.* dog

persona *f.* person; *pl.* people **U5 (2)**

personaje *m.* character (*in a story*)

personal: arreglo (*m.*) **personal** personal grooming **U6 (1)**

personalidad *f.* personality

pertenecer (pertenezco) to belong

pertenece he/she/it belongs, you (*pol. sing.*) belong **U7 (2)**

pesar: a pesar de in spite of

pesas *f. pl.* weights

levantar pesas to lift weights

pescado *m.* fish (*caught*)

fritura (*f.*) **de pescado** fried fish

pescar (qu) to fish; to catch (fish) **U8 (3)**

peseta *f.* peseta (*monetary unit of Spain*)

peso *m.* peso (*monetary unit of Mexico and several other Latin American countries*)

pez *m.* (*pl.* **peces**) fish (*live*) **U8 (1)**

pianista *m., f.* pianist

picante spicy

está picante it's spicy, hot **U7 (2)**

picar (qu) to prick, puncture
pícaro *m.*, **pícara** *f.* rogue, scamp
picnic *m.*: **hacer un picnic** to have a picnic
pico *m.* beak, bill
pie *m.* foot
    a pie on foot **U5 (2)**
piedra *f.* rock
piénsalo tú think about it
pieza *f.* piece
pijama *m. sing.* pajamas **U6 (1)**
pinar *m.* pine grove
pintar to paint
    pintarse to put makeup on **U6 (1)**
    pintarse las uñas to polish one's fingernails **U6 (1)**
pintor *m.*, **pintora** *f.* painter **U9 (3)**
pintoresco/a picturesque
pintura *n. f.* painting
piña *f.* pineapple **U7 (2)**
pirámide *f.* pyramid **U9 (2)**
piscina *f.* (*swimming*) pool
piso *m.* floor, ground; floor, story (*of a building*); apartment **U8 (1)**
    primer piso second story
pista *f.* track, racetrack; hint
placer *m.* pleasure
plan *m.* plan
    hacer planes to make plans
planchar to iron (clothes) **U8 (1, 3)**
planear to plan
plano *m.* diagram, map; floor plan **U5 (1)**
planta *f.* plant; floor (*of building*)
    planta baja ground floor **U8 (1)**
plástico *m.* plastic **U5 (3)**
    de plástico of plastic **U8 (2)**
plástico/a plastic
    cirugía (*f.*) **plástica** plastic surgery

plastificado/a plastic-coated
plata *f.* silver **U5 (3)**
plátano *m.* banana; plantain **U7 (2)**
platicar (qu) to chat, talk
platillo *m.* small dish
platino *m.* platinum
plato *m.* plate, dish **U7 (2)**
    lavar los platos to wash the dishes **U8 (1)**
playa *f.* beach
plaza *f.* plaza, town square **U5 (1)**
    plaza de toros bullring **U9 (2)**
pobre poor
pobrecito *m.*, **pobrecita** *f.* poor little thing
poco *m.* little bit; *adv.* little
    un poco a bit
    un poco de todo a little of everything **U7 (1)**
poco/a *adj.* little, not much
poder *irreg.* to be able, can **U6 (2)**
    ¿puede usted decirme dónde está... ? can you tell me where . . . is? **U5 (1)**
    ¿qué podemos decir? what can we say?
poema *m.* poem
poesía *f.* poetry
policía *m.* (*male*) police officer **U5 (1)**; *f.* police (*force*)
    mujer (*f.*) **policía** (*female*) police officer **U5 (1)**
pollo *m.* chicken
    arroz (*m.*) **con pollo** chicken with rice
    pollo frito fried chicken
pon put
ponche *m.* punch **U7 (1)**
poner *irreg.* to put, place; to put on **U6 (1)**
    me pongo la ropa I get dressed **U6 (1)**
    poner la mesa to set the table **U6 (1)**

    poner música to play music (*on the stereo*) **U7 (1)**
    ponerse en forma to get into shape **U6 (2)**
    ponerse la ropa to put on clothing **U6 (2)**
    te pones la ropa you (*inf. sing.*) get dressed **U6 (1)**
popularidad *f.* popularity
poquito *m.* a little bit
por by; for; through; during; per
    amigo/a por correspondencia pen pal
    hablar por teléfono to talk on the phone
    mañana por la mañana/ tarde/noche tomorrow morning/afternoon/ evening, night
    por ejemplo for example
    por favor please
    ¡por fin! finally! **U5 (1), U6 (1)**
    por fuera outside
    por hora per hour
    por la mañana/tarde/ noche in the morning/ afternoon/evening
    por lo general in general
    por primera vez for the first time **U5 (1)**
    ¿por qué? why?
    por suerte luckily
    por supuesto of course **U7 (2), U8 (2)**
    por todas partes everywhere
    por último finally **U6 (1)**
porque because
portada *f.* title page; book cover
portar to carry, bear
    portarse bien/mal to behave well/badly **U9 (3)**

portátil portable

  radio (*m.*) **cassette portátil** portable radio cassette player **U5 (3)**

posible possible

positivo/a positive, certain

postal: tarjeta (*f.*) **postal** postcard **U5 (1)**

postigo *m.* window shutter; side gate

postre *m.* dessert **U7 (2)**

  de postre for dessert

potencia *f.* power, strength, force

pozole *m.* pozole (*stew of young corn, meat and chili*) (*Mex.*)

practicar (qu) to practice **U8 (3)**

  practicar deportes to play sports

práctico/a practical **U8 (2)**

precio *m.* price **U5 (2)**

preferencia *f.* preference

preferido/a preferred

preferir (ie, i) to prefer **U5 (2)**

pregunta *f.* question

  hacer preguntas to ask questions

preguntar to ask

preocupado/a worried

preocuparse to worry **U6 (3)**

  no te preocupes don't worry

  preocuparse por to worry about

preparar to prepare **U8 (3)**

  prepararse to get ready

preposición *f.* preposition

presentar to present; to introduce

presidente *m.*, **presidenta** *f.* president

  Día (*m.*) **de los Presidentes** Presidents' Day **U7 (3)**

prestar to loan

  prestar atención to pay attention **U6 (2)**

preterito *m.* preterite, past tense

primavera *f.* spring, springtime

primer, primero/a *adj.* first **U8 (1)**

  en primer lugar in the first place

  por primera vez for the first time **U5 (1)**

  primer nivel *m.* first level

  primer piso (*m.*) second floor

primero *adv.* first

primo *m.*, **prima** *f.* cousin

probar (ue) to try; to taste

problema *m.* problem

producto *m.* product

profesión *f.* profession

profesional professional

profesor *m.*, **profesora** *f.* professor, teacher

programa *m.* program

  programa de televisión TV program

prójimo *m.* fellow man; neighbor

promedio *adj.* (*m. & f.*) average

prometer to promise

promoción *f.* promotion, publicity

pronombre *m.* pronoun **U5 (2)**

  pronombre reflexivo reflexive pronoun **U6 (1)**

pronto soon

  ¡hasta pronto! see you soon!

pronunciación *f.* pronunciation

propio/a *adj.* own

propósito *m.* purpose, intention

próspero/a: ¡Feliz Navidad y Próspero Año Nuevo! Merry Christmas and Happy New Year! **U7 (3)**

protección *f.* protection

protector(a) protective

  loción (*f.*) **protectora para el sol** sunscreen **U6 (1)**

proteger (protejo) to protect

protestar to protest

provenzal: a la provenzal in the style of Provence (France) (*cooking*)

provincia *f.* province

próximo/a next

  el próximo mes/año *m.* next month/year

  la próxima vez next time

proyecto *m.* project

prueba *f.* quiz, test

psicología *f.* psychology

publicidad *f.* publicity, advertising

público *m.* public; audience

pueblo *m.* town **U5 (2)**

puerta *f.* door

  de puerta en puerta from door to door **U7 (3)**

pues *adv.* well, then

pulsera *f.* bracelet **U5 (3)**

punta *f.* point, tip; promontory

puntaje *m.* point system

punto *m.* point **U7 (1)**

pupitre *m.* student desk

puré *m.* purée, sauce

pureza *f.* purity

Q

que that; which; who; what

  lo que what

qué how, what

  ¡qué cansancio! what exhaustion! **U8 (3)**

  ¡qué lástima! what a pity!

  ¡qué suerte! how lucky! **U5 (3)**

¿qué? what?; which?

  ¿a qué hora (es)... ? at what time (is) . . . ?

¿por qué? why?

¡qué fastidio! how annoying! **U8 (1)**

¿qué hiciste? what did you do? **U8 (3)**

¿qué hizo? what did he/she do? **U8 (3)**

¿qué hora es? what time is it?

¿qué tal? how's it going?, how are you?

¿qué tiempo hace? what's the weather like?

quedarse to stay, remain **U6 (2)**, **U8 (3)**

quehacer *m.* chore, task **U8 (1)**

querer *irreg.* to want; to love **U5 (2)**, **U7 (1)**

   te quiero I love you **U7 (3)**

querido/a dear

quesadilla *f.* quesadilla (*cheese-filled tortilla*) (*Mex.*)

queso *m.* cheese

quien who, whom

¿quién(es)? who?; whom?

   ¿a quién? whom?

   ¿con quién? with whom?

   ¿de quién? whose?

química *f.* chemistry

químico/a chemical

quince fifteen

   fiesta (*f.*) **de quince años** party to celebrate one's fifteenth birthday **U7 (1)**

quinceañera *f.* girl celebrating her fifteenth birthday; fifteenth birthday celebration **U7 (1)**

quinientos/as five hundred **U5 (3)**

quinto/a fifth **U8 (1)**

quiosco *m.* kiosk; stand

   quiosco de periódicos newspaper stand **U5 (1)**

quitarse (la ropa) to take off (one's clothing) **U6 (1)**

quitasol *m.* parasol

quiteño *m.*, **quiteña** *f.* native of Quito, Ecuador

quizás perhaps

R

radio *m.* radio (*set*); *f.* radio (*medium*)

   estación (*f.*) **de radio** radio station **U6 (3)**

   radio (*m.*) **cassette portátil** portable radio cassette player **U5 (3)**

   radio (*m.*) **despertador** clock radio

radiograbador *m.* radio cassette player and recorder

raja *f.* splinter, chip; slice

   en rajas grated; sliced

ramo *m.* **(de flores)** bouquet (of flowers) **U7 (3)**

rápidamente quickly **U6 (1)**

rápido *adv.* rapidly

rápido/a *adj.* rapid, fast **U5 (2)**

   comida (*f.*) **rápida** fast food **U6 (2)**

raqueta (*f.*) **de tenis** tennis racket **U5 (3)**

rascacielos *m.* (*sing. & pl.*) skyscraper **U5 (2)**

Rastro *m.* flea market, second-hand goods market (*Madrid*)

rayo *m.* ray

razón *f.* reason

   tener razón to be right

reacción *f.* reaction

reaccionar to react **U6 (3)**

real real; royal

realizar (c) to carry out, accomplish

   realizarse to be performed

realmente really

rebaja *f.* discount **U5 (3)**

rebajado/a reduced, discounted **U5 (3)**

recibir to receive **U7 (1)**, **U9 (1)**

reciclaje *m.* recycling

   centro (*m.*) **de reciclaje** recycling center **U8 (3)**

reciclar to recycle **U8 (3)**

recientemente recently

recipiente *m.* receptacle, container

recolectar to gather, collect

recoleto/a: lugar (*m.*) **en recoleta** quiet, tranquil place

recomendar (ie) to recommend **U6 (2, 3)**

recordar (ue) to remember **U6 (3)**, **U7 (3)**

   ¿recuerdas? do you (*inf. sing.*) remember?

recorrer to travel; to traverse, cross

recuerdo *m.* memory, recollection **U9 (3)**

recuperación *f.* recuperation

reembolso *m.* reimbursement, refund

referirse (ie, i) to refer

reflejar to reflect

reflexivo/a: pronombre (*m.*) **reflexivo** reflexive pronoun **U6 (1)**

refrán *m.* proverb, saying

refresco *m.* soft drink

refrigeración *f.* refrigeration

refrigerador *m.* refrigerator **U8 (2)**

regalar to give as a gift

regalería *f.* gift shop

regalo *m.* gift, present **U5 (2)**

   ¿a quién le compras un regalo? whom are you buying a gift for?

   ¡es un regalo! it's a gift! **U5 (3)**

gracias por el regalo thank you for the gift **U7 (3)**

¿para quién son estos regalos? whom are these presents for?

regatear to bargain, haggle **U5 (3)**

régimen *m.* (*pl.* **regímenes**) regimen

regla *f.* rule

regresar to return

regreso *m.* return

regular OK; nothing special; regular

reina *f.* queen

relación *f.* relation; relationship

en relación a in relation to

relacionado/a con related to **U7 (1)**

relacionar to relate

religioso/a religious **U9 (2)**

reloj *m.* clock; wristwatch

remedio *m.* cure, medication **U6 (2)**

reparación *f.* repair

repasar to review **U8 (3)**

repaso *m.* review

repente *m.*: **de repente** suddenly

repetir (i, i) to repeat

reportero *m.*, **reportera** *f.* reporter

representar to represent

república *f.* republic

repuesto *m.* stock; spare part

requetebién very, very well

requetecansado/a very, very tired

res *f.*: **carne** (*f.*) **de res** beef **U7 (2)**

resfriado *m.* cold (*illness*)

resfrío *m.* cold (*illness*)

residencial residential

respetar to respect, honor

resplandeciente radiant

respuesta *f.* answer, response

restaurante *m.* restaurant

resto *m.* rest, remainder

resultado *m.* result **U7 (1)**

retiro *m.* retreat, secluded place

retrato *m.* portrait

reunión *f.* reunion, meeting

revista *f.* magazine

rey *m.*, **reina** *f.* king, queen **Reyes** (*pl.*) **Magos** Three Wise Men, Magi

ribera *f.* riverbank, shore

rico/a rich; delicious

riego *m.* irrigation, watering

rincón *m.* (*inside*) corner **U7 (1)**

río *m.* river

riquísimo/a very delicious

ritmo *m.* rhythm

rizado/a curly (*hair*)

rocinante *m.* worn-out hack or nag (*horse*) (*from Don Quijote*)

rodeado/a de surrounded by

rojo/a red

rollo *m.* roll

romántico/a romantic

rompecabezas *m.* (*sing. & pl.*) jigsaw puzzle; *coll.* puzzle, riddle

romper to break; to tear **U9 (1)**

ropa *f.* clothing

lavar la ropa to wash the clothes **U8 (1)**

ponerse la ropa to get dressed **U6 (1)**

quitarse la ropa to get undressed **U6 (1)**

ropero *m.* (clothes) closet **U8 (2)**

ropita *f.* child's clothing

rosa *f.* rose; *m.* pink, rose (color)

rosado/a *adj.* pink

rubio/a blond(e)

ruido *m.* noise

rutina *f.* routine

rutina diaria daily routine **U6 (1)**

S

sábado *m.* Saturday

el sábado on Saturday

los sábados on Saturdays

saber *irreg.* to know (*facts, information*); to taste

saber + *infin.* to know how to (*do something*)

sabe bien/mal it tastes good/bad **U7 (2)**

sabor *m.* flavor

con sabor a banana banana-flavored

sabroso/a tasty

sacar (qu) to take out **U8 (3)**

sacar buenas/malas notas to get good/bad grades

sacar fotos to take pictures

sacar la basura to take out the garbage **U8 (1)**

sagrado/a sacred

sala *f.* room; living room; hall **U8 (1)**

salado/a salted, salty

está salado/a it's salty **U7 (2)**

salario *m.* salary

salchicha *f.* sausage **U7 (2)**

salida *f.* departure, leaving; exit

salir (salgo) to go out; to leave; to come out **U6 (1), U9 (1)**

salir a cenar to eat out

salir a/de to go out to/from **U6 (1)**

salir con... to go out with . . .

salir para to go out for; in order to **U6 (1)**

salmón *m.* salmon

salón *m.* room; salon

salón de clase classroom

salsa *f.* sauce, salsa; salsa (*music*)

salud *f.* health **U6 (2)**
   cuidar de la salud to take care of one's health **U6 (2)**
   es bueno/malo para la salud it's good/bad for one's health
saludable healthy **U6 (2)**
saludar to greet
saludos *m. pl.* greetings
san, santo/a saint
   Semana (*f.*) **Santa** Holy Week **U7 (3)**
sandía watermelon **U7 (2)**
sandwich *m.* (*pl.* **sándwiches**) sandwich
santísimo/a very, most holy
satisfecho/a satisfied **U7 (1)**
se *refl. pron.* himself, herself, itself, oneself, yourself (*pol. sing.*); themselves, yourselves (*pol. pl.*) **U6 (1, 2)**
sé I know
   lo siento, pero no sé I'm sorry, but I don't know **U5 (1)**
secador *m.* hairdryer **U6 (1)**
secadora *f.* (clothes) dryer
secarse (**qu**) to dry oneself
   secarse la cara/el pelo/las manos to dry one's face/hair/hands **U6 (1)**
sección *f.* section **U5 (3)**
seco/a dry
   lavado (*m.*) **en seco** dry cleaning
secretario *m.*, **secretaria** *f.* secretary
secreto *m.* secret
secundario/a secondary
sed *f.* thirst
   tener (**mucha**) **sed** to be (very) thirsty
seguida: en seguida right away **U7 (2)**
seguir (**i, i**) (**g**) to follow **U9 (2)**
según according to

segundo *m.* second (*time*)
segundo/a *adj.* second **U8 (1)**
seguro/a sure
seis six
seiscientos/as six hundred **U5 (3)**
selección *f.* selection, choice
semana *f.* week
   el fin (*m.*) **de semana** weekend
   el fin (*m.*) **de semana pasado** last weekend **U8 (3)**
   esta semana this week
   la semana pasada last week **U8 (3)**
   Semana Santa Holy Week **U7 (3)**
   tres veces a la semana three times a week
semántico/a semantic
semejante similar
senador *m.*, **senadora** *f.* senator
sentarse (**ie**) to sit down **U8 (2)**
sentido *m.* sense **U6 (2)**
   (no) tiene sentido it does (not) make sense **U6 (2)**
sentir (**ie, i**) to regret; to feel
   lo siento I'm sorry
   lo siento, pero no sé I'm sorry, but I don't know **U5 (1)**
   sentirse to feel **U6 (3), U9 (2)**
   ¿cómo te sientes? how do you feel?
   sentirse de buen humor to be in a good mood **U6 (3)**
señor *m.* man; Mr.
señora *f.* woman; Mrs.
señorita *f.* young woman; Miss
separar to separate **U8 (3)**
septiembre *m.* September
séptimo/a seventh **U8 (1)**

ser *irreg.* to be **U9 (3)**
serie *f. sing.* series
serio/a serious
serpentina *f.* paper streamer **U7 (1)**
servicio *m.* service
servir (**i, i**) to serve **U7 (2)**
sesenta sixty
sesión *f.* session
setecientos/as seven hundred **U5 (3)**
sevillanas *f. pl.* sevillanas (*lively dance typical of Seville, Spain*)
sexto/a sixth **U8 (1)**
shopping *m.* mall, shopping center
si if
sí yes
siempre always
siesta *f.* nap **U6 (2)**
   dormir la siesta to take a nap
siete seven
siga follow
   siga derecho continue straight ahead **U5 (1)**
siglo *m.* century
sigue follow
siguiente following
silla *f.* chair
sillón *m.* armchair **U8 (2)**
símbolo *m.* symbol
simpático/a pleasant, nice
simplemente simply
sin without
   sin embargo however, nevertheless
sinfónico/a symphonic, symphony
sino but rather
síntoma *m.* symptom **U6 (2)**
sinuoso/a sinuous, winding
sistema *m.* system
sitio *m.* site, place
situación *f.* situation
situar to put, situate
sobre about, on
sobrino *m.*, **sobrina** *f.* nephew, niece **U6 (3)**

sociedad *f.* society
sofá *m.* sofa **U8 (2)**
sol *m.* sun
  lentes (*m. pl.*) **de sol** sunglasses
  loción (*f.*) **protectora para el sol** sunscreen **U6 (1)**
  tomar el sol to sunbathe **U6 (2)**
solamente only
soldado *m.* soldier **U7 (3)**
solicitar to solicit, ask for
sólo *adv.* only **U5 (3)**
solo/a *adj.* alone, solitary
sombrilla *f.* parasol **U9 (2)**
sonar (ue) to sound; to ring
sonrisa *f.* smile
soñar (ue) (con) to dream (about)
sopa *f.* soup
soplar to blow
  soplar las velitas to blow out the birthday candles **U7 (1)**
sorbete *m.* sherbet
sorprendido/a surprised
sorpresa *f.* surprise
  fiesta (*f.*) **sorpresa** surprise party **U7 (1)**
  prueba (*f.*) **sorpresa** surprise quiz, pop quiz
  ¡qué sorpresa tan bonita! what a nice surprise!
sótano *m.* basement **U8 (1)**
soy I am
  soy de... I'm from . . .
Sr. *m.* (*abbrev. of* **señor**) man; Mr.
Sra. *f.* (*abbrev. of* **señora**) woman; Mrs.
Srta. *f.* (*abbrev. of* **señorita**) young woman; Miss
su(s) *poss. adj.* his, her, your (*pol. sing. & pl.*), their **U6 (3)**
suave smooth, soft; gentle
suavidad *f.* smoothness; gentleness
suavizar (c) to soften

subir to go up; to get on **U9 (2)**
sucio/a dirty **U8 (2)**
sucre *m.* sucre (*monetary unit of Ecuador*)
sudadera *f.* sweatshirt
sudar to sweat
suelo *m.* soil, earth; ground
sueño *m.* dream
  tener sueño to be sleepy **U6 (3)**
suerte *f.* luck
  buena/mala suerte good/bad luck
  por suerte luckily
  ¡qué suerte! how lucky! **U5 (3)**
suéter *m.* sweater
suficiente sufficient
sufrir to suffer **U9 (1)**
sugerencia *f.* suggestion
sugerir (ie, i) to suggest
suizo *m.*, **suiza** *f.* (*n. & adj.*) Swiss
suma *f.* sum, amount
sumar to add up
  suma add up **U7 (1)**
¡súper! super!; fantastic!, wonderful!
  estar/sentirse súper contento/a to be/feel extremely happy **U6 (3)**
superficie *f.* surface, area
superjóvenes *m. pl.* very young (people)
supermercado *m.* supermarket
supervivencia *f.* survival
supuesto: ¡por supuesto! of course! **U7 (2), U8 (2)**
sur *m.* south; **América** (*f.*) **del Sur** South America
surrealismo *m.* surrealism (*art movement*)
surtido *m.* assortment; supply
sustantivo *m. gram.* noun **U5 (1)**
sustituir (y) to substitute

T

tabla *f.* table, chart
taco *m.* taco (*tortilla filled with meat, vegetables*)
tal *adj.* such, such a
  ¿qué tal? how's it going?, how are you?
talentoso/a talented, gifted
tamal *m.* tamale (*dish made of corn meal, chicken or meat, and chili wrapped in banana leaves or corn husk*)
también also, too
tampoco neither, not either
tan *adv.* so
  tan... como as . . . as **U8 (2)**
tanto *adv.* so much
  no vale tanto it's not worth that much **U5 (3)**
tanto/a *adj.* so much
  tantos/as *pl.* so many
tapas *f. pl.* appetizers, snacks (*Sp.*)
tarántula *f.* tarantula **U8 (1)**
tarde *n. f.* afternoon; *adv.* late
  esta tarde this afternoon
  más tarde later
  nunca es tarde para comenzar it's never too late to begin
  por la tarde in the afternoon
tardísimo very late
tarea *f.* homework
  hacer la tarea to do homework
tarifa *f.* rate, fare
tarjeta *f.* card
  tarjeta postal postcard **U5 (1)**
tasca *f.* tapa restaurant
taxi *m.* taxi **U5 (2)**
taza *f.* cup **U7 (2)**
tazón *m.* large cup, bowl

te *d.o.* you (*inf. sing.*); *i.o.* to/for you (*inf. sing.*); *refl. pron.* yourself (*inf. sing.*) **U6 (1), U7 (1, 3)**

té *m.* tea **U6 (2), U7 (2)**

teatro *m.* theater **U5 (2)**
  obra (*f.*) **de teatro** play (*theater*) **U5 (2)**

tela *f.* cloth
  de tela of cloth **U8 (2)**

tele *f.* TV

teléfono *m.* telephone; telephone number
  hablar por teléfono to talk on the telephone

telenovela *f.* soap opera

televisión *f.* television
  mirar la televisión to watch television
  programa (*m.*) **de televisión** TV program

televisor *m.* television set **U5 (3)**
  televisor de pantalla grande large-screen television set

tema *m.* theme

templo *m.* temple **U7 (3)**

temporada *f.* season

temprano *adv.* early

tener *irreg.* to have **U6 (2)**
  tener... años to be . . . years old
  tener catarro to have a cold
  tener dolor de estómago to have a stomachache **U6 (3)**
  tener dolor de garganta to have a sore throat
  tener (mucha) hambre/sed to be (very) hungry/ thirsty
  tener (mucho) miedo/sueño to be (very) afraid/sleepy **U6 (3)**
  tener que + *infin.* to have to (*do something*)
  tener razón to be right

tengo I have
  tengo... años I am . . . years old

tenis *m. sing.* tennis; *pl.* sneakers
  jugar al tenis to play tennis
  raqueta (*f.*) **de tenis** tennis racket **U5 (3)**

tenista *m., f.* tennis player

tentación *f.:* **¡qué tentación!** how tempting!

teñido/a dyed, tinted

tercer, tercero/a third **U8 (1)**

terminar to end

terraza *f.* outdoor café (*Sp.*)

terreno *m.* terrain

terror *m.:* **película** (*f.*) **de terror** horror movie

texto *m.* text
  libro (*m.*) **de texto** textbook

ti *obj. of prep.* you (*inf. sing.*) **U5 (2)**

tiempo *m.* time; weather
  a tiempo on time
  hace buen/mal tiempo it's good/bad weather
  pasar el tiempo to spend time
  ¿qué tiempo hace? what's the weather like?

tienda *f.* store
  tienda de comestibles grocery store **U5 (1)**
  tienda de ropa clothing store
  tienda de videos video store **U5 (1)**

tiene he/she has, you (*pol. sing.*) have
  (no) tiene sentido it does (not) make sense **U6 (2)**

tienes you (*inf. sing.*) have
  ¿cuántos años tienes? how old are you (*inf. sing.*)?

tigre *m.* **tigresa** *f.* tiger

tímido/a timid, shy

tío *m.*, **tía** *f.* uncle, aunt; *pl.* aunt(s) and uncle(s)

típico/a typical

tipo *m.* type, kind

tira (*f.*) **cómica** comic strip; *pl.* comics, funnies
  leer las tiras cómicas to read the comics, funnies

título *m.* title

toalla *f.* towel **U6 (1)**

tocar (qu) (un instrumento) to play (an instrument) **U8 (3)**

tocino *m.* bacon **U7 (2)**

todavía still, yet

todo(s) *pron.* everything; *pl.* all; everybody, everyone
  de todo everything **U5 (2)**
  un poco de todo a little of everything **U7 (1)**

todo/a *adj.,* all; every
  de todos modos anyway **U7 (1)**
  por todas partes everywhere
  toda la noche all night long
  todas las semanas every week
  todo el día all day long
  todos los días every day

tolerante tolerant

tomar to take; to drink, eat **U8 (3)**
  tomar el autobús to take the bus
  tomar el sol to sunbathe **U6 (2)**

tomate *m.* tomato

tontería *f.:* **¡qué tonterías!** what nonsense!

tonto/a silly, foolish

toreo *m.* bullfighting

toro *m.* bull
  corrida (*f.*) **de toros** bullfight **U9 (2)**

plaza (*f.*) **de toros** bullring **U9 (2)**

toronja *f.* grapefruit **U7 (2)**

torre *f.* tower

tortería *f.* cake bakery

tortilla *f.* tortilla (*thin, unleavened wheat or cornmeal pancake*) (*Mex.*); potato omelette (*Sp.*) **U7 (2)**

tortillería *f.* tortilla shop

tos *f.* cough **U6 (2)**
  jarabe (*m.*) **para la tos** cough syrup **U6 (2)**
  tener tos to have a cough **U6 (2)**

tostado/a: pan (*m.*) **tostado** toast **U7 (2)**

tostón *m.* fried plantain patty (*Puerto Rico*)

trabajador *m.*, **trabajadora** *f.* worker
  Día (*m.*) **del Trabajador** Labor Day **U7 (3)**

trabajar to work **U8 (3)**

trabajo *m.* work

tradición *f.* tradition

tradicional traditional

tradicionalmente traditionally

traer *irreg.* to bring **U6 (1)**

traje *m.* suit
  traje de baño bathing suit

transporte *m.* transportation
  medio(s) (*m.*) **de transporte** means of transportation **U5 (2)**

trasto *m.* household utensil

tratar to treat
  tratar de + *infin.* to try to (*do something*)
  tratarse de to be a question of

través: a través de through, across

travieso/a mischievous

treinta thirty

tremendo/a tremendous

tren *m.* train **U5 (2)**
  viajar en tren to travel by train

tres three

trescientos/as three hundred **U5 (3)**

trigo *m.* wheat

triste sad **U6 (3)**
  me siento triste I feel sad **U6 (3)**

triunfo *m.* triumph

trofeo *m.* trophy **U9 (1)**

trueque *m.* barter, exchange

tú *sub. pron* you (*inf. sing.*)

tu(s) *poss. adj.* your (*inf. sing.*)

tumba *f.* tomb

tuna *f.* group of student serenaders

turismo *m.* tourism

turista *m., f.* tourist **U5 (2)**

turístico/a touristic

túrnate take turns **U7 (1)**
  túrnate con tu compañero/a take turns with your classmate

tutú *m.* tutu (*ballerina's short skirt*)

U

u or (*used instead of* **o** *before words beginning with* **o** *or* **ho**)

ubicación *f.* location

¡uf! ugh!

último/a last
  la última vez the last time
  por último lastly, finally **U6 (1)**

un, uno/una *indefinite article* a, an; one

único/a only
  hijo único, hija única only child

unidad *f.* unit

unido/a united; close
  Estados (*m.*) **Unidos** United States

uniforme *m.* uniform

universidad *f.* university **U9 (1)**

universitario/a *adj.* university

unos/as some

uña *f.* fingernail **U6 (1)**
  comerse las uñas to bite one's nails **U6 (3)**
  limpiarse/pintarse las uñas to clean/polish one's fingernails **U6 (1)**

usar to use **U6 (1)**

usted (Ud., Vd.) you (*pol. sing.*)
  ¿cómo está usted? how are you?
  ustedes (Uds., Vds.) *pl.* you

utensilio *m.* utensil, tool

útil useful
  palabras (*f.*) **útiles** useful words **U5 (1)**

uva *f.* grape **U7 (2)**

V

va he/she goes, is going; you (*pol. sing.*) go, are going

vaca *f.* cow

vacaciones *f. pl.* vacation **U9 (1)**
  (ir) de vacaciones (to go) on vacation

vacío/a empty

vainilla *f.* vanilla **U7 (2)**

¡vale! OK! **U5 (2)**

valer (valgo) to be worth
  no vale tanto it's not worth that much **U5 (3)**

valioso/a valuable

vals *m.* waltz **U7 (1)**

valle *m.* valley

vamos we are going; let's go
   vamos a ver... let's see . . .
      U6 (2)
van they/you (*pl.*) go, are
   going
vas you (*inf. sing.*) are
   going
vanidad *f.* vanity
vaporizador *m.* vaporizer,
   atomizer
vaqueros *m. pl.* bluejeans
variedad *f.* variety
varios/as several
vaso *m.* (drinking) glass
   U7 (2)
Vaticano *m.* Vatican
vecindad *f.* neighborhood
vecindario *m.*
   neighborhood **U5 (1)**
vecino *m.*, **vecina** *f.* neighbor
vegetación *f.* vegetation
vegetal *m.* vegetable, plant
   U7 (2)
vegetariano *m.*, **vegetariana**
   f. (*n. & adj.*) vegetarian
veinte twenty
velita *f.* small candle;
   birthday candle **U7 (1)**
   soplar las velitas to blow
      out the birthday
      candles **U7 (1)**
velocidad *f.* velocity, speed
   bicicleta (*f.*) **de...**
      velocidades . . . -speed
      bicycle **U5 (3)**
vendedor *m.*, **vendedora** *f.*
   salesperson **U5 (1)**
vender to sell **U5 (3), U9 (1)**
   se vende for sale
   venden de todo they sell
      everything
venir *irreg.* to come
venta *f.* sale **U5 (3)**
ventaja *f.* advantage; profit
ventana *f.* window
ver *irreg.* to see **U5 (1),**
   U9 (1)
   a ver let's see
   vamos a ver... let's see . . .
      U6 (2)

ver una película to see a
   movie
verano *m.* summer
verbo *m.* verb **U5 (1)**
verdad *f.* truth; true
   ¿verdad? right?, correct?
verdadero/a true
verde green
verduras *f.* vegetables,
   greens
versión *f.* version
vestido *m.* dress
vestido/a dressed
vestir (i, i) to dress
   vestirse to get dressed
veterano *m.*: **Día** (*m.*) **de los**
   Veteranos Veterans'
   Day **U7 (3)**
vez *f.* (*pl.* **veces**) time
   a veces sometimes
   alguna vez once, ever
   cada vez each time
      U6 (3)
   dos veces twice
   la próxima vez next time
   otra vez again
   por primera vez for the
      first time **U5 (1)**
   por última vez for the
      last time
   una vez once
vía *f.* road, way
viajar to travel **U6 (3)**
   viajar en avión/barco to
      travel by plane/boat
      U9 (2)
viaje *m.* trip **U9 (2)**
   agencia (*f.*) **de viajes**
      travel agency
   agente (*m., f.*) **de viajes**
      travel agent
   hacer un viaje to take a
      trip **U9 (2)**
   viajes espaciales *pl.*
      space travel
victoria *f.* victory, triumph
vicuña *f.* vicuña (*South*
   American animal related
   to the llama); wool from
   the **vicuña**

vida *f.* life **U9 (3)**
video *m.* video(tape)
   alquilar videos to rent
      videos
   tienda (*f.*) **de videos**
      video store **U5 (1)**
videocasetera *f.* VCR **U5 (3)**
videojuego *m.* video game
vidrio *m.* glass (*material*);
   glassware
   de vidrio of glass **U8 (2)**
viejo/a old
viernes *m. sing. & pl.*
   Friday
vinagreta *f.* vinaigrette
   dressing
vincha *f.* hair band, hair
   clasp
vino *m.* wine
violación *f.* violation
violentamente violently
violín *m.* violin
Virgen *f.* Virgin Mary
virtud *f.* virtue; power
visión *f.* vision
visita *f.* visit
visitar to visit
víspera *f.* eve
   víspera de Año Nuevo
      New Year's Eve **U7 (3)**
vista *f.*: **hasta la vista** see
   you later
vistazo *m.* glance
vitamina *f.* vitamin **U6 (2)**
vivir to live
vivo/a alive
   en vivo live **U9 (3)**
   estar vivo/a to be alive
      U6 (3)
vocabulario *m.* vocabulary
volar (ue) to fly
voluntad *f.* will; disposition
vos *sub. pron.* you (*inf. sing.*)
   (*Latin America*)
vosotros, vosotras *sub. pron.*
   you (*inf. pl. Sp.*); *obj. of*
   prep. you (*inf. pl., Sp.*)
voy I'm going
voz *f.* (*pl.* **voces**) voice
   en voz alta out loud

vuelta *f.* return
  depósito (*m.*) **de vuelta** return deposit (on bottles)
  tarifa (*f.*) **aérea ida y vuelta** round trip air fare
vulgaridad *f.* vulgarity

xilófono *m.* xylophone

y and
  y cuarto/media quarter/half past

ya already
  ya es hora... it's (already) time . . . **U6 (1)**
  ya mismo right away
  ya murió he/she has (already) died
  ya no no longer
  ya sabes you (already) know
  ya sé I (already) know
yerba *f.* (*medicinal*) herb
yo *sub. pron.* I
yogur *m.* yogurt

zacate *m.* hay (*Mex., Central America*)
zanahoria *f.* carrot **U7 (2)**

zapatería *f.* shoe store **U5 (2)**
zapato *m.* shoe
zarzuela *f.* musical comedy, operetta (*Sp.*)
zócalo *m.* plaza, square (*Mex.*) **U9 (2)**
zona *f.* zone, district
  zona arqueológica archaeological zone **U9 (2)**
zoológico *m.* zoo **U5 (2)**
  jardín (*m.*) **zoológico** zoo
zorro *m.* **fox**
zuato/a silly (*Mex.*)
zumo *m.* juice (*Sp.*)

INDEX

This index is divided into two parts: Part 1 (Grammar) covers topics in grammar, structure, usage, and pronunciation; Part 2 (Topics) is grouped into cultural and vocabulary topics treated in the text, as well as functional language and reading and writing strategies.

PART 1: GRAMMAR

A

a + el = al, 289
a + noun, 289, 307, 426
    personal, 289
¿a quién(es)?, 289, 307, 426
abrazar, 542
adjectives, agreement with noun, 471
    comparative forms, 468
    demonstrative, 471
    ordinal numbers, 447, 457
    possessive, 376
agreement, noun-adjective, 471
    pronoun-noun, 320
algo, alguien, 492
almorzar (ue), 491, 542
-ar verbs. *See* Verbs
articles, definite, 343, 358

B

buscar, 490, 542

C

cardinal numbers. *See* Numbers
comer, 454, 510, 551
comparisons, 468
conmigo, contigo, 305
conocer (a), 397, 511
contractions, del, 287

costar (ue), 356
creer, 513, 543

D

dar, 429–430, 511, 552
de, de + el = del, 287
    with prepositions, 286, 305
decir, 429–430, 552
definite article, with clothing and parts of the body, 343, 358
del, 287
demonstrative adjectives, 471
direct object pronouns, 320, 394, 413
    impersonal, 320, 413
    personal, 394, 413
    placement, 320–321, 394, 413
direct objects, defined, 320, 427
divertirse (ie, i), 373, 528, 544
dormir (ue, u), 356, 455, 528, 544, 554

E

-er verbs. *See* Verbs
escribir, 454, 510
ese/esos, esa/esas, 471
estar, present progressive, 446, 454–455
    present tense, 454, 552
    preterite, 552
    with location, 286
este/estos, esta/estas, 471

F

future, ir a + infinitive, 413

G

gustar, 307

H

hablar, 551
hacer, idioms with, 526
    present tense, 552
    preterite, 478, 518, 526, 544, 552

I

idiomatic expressions, with hacer, 526
    with tener, 365
indefinite words and negative, 492
indirect object nouns, 426
indirect object pronouns, forms, 425
    placement, 426–428
    with gustar, 307, 425
    verbs that take, 426
indirect objects, defined, 425, 427
infinitives, ir a + . . . , 413
    listed, 551–554
    preceded by conjugated verb, 413
    with object pronouns, 413, 426
-ir, 431, 487, 544, 552
-ir verbs. *See* Verbs

irregular verbs. *See*
Individual verb entries
and Verb Charts

J

jugar (ue), 454, 490, 542

L

leer, 455, 513, 543

LL

llamar, 289
llegar, 542

M

más... que and **menos...
que**, 468
morir (ue, u), 529, 544

N

nada, nadie, nunca,
492–493
narration in the past, 534
negative words, 492–493
and affirmative words,
492
no, 321, 492
nouns, indirect object, 426
numbers, cardinal, 312
ordinal, 447, 457

O

object of a preposition, 305
object pronouns. *See*
Pronouns
ordinal numbers. *See*
Numbers

P

para, 305
participles, present,
454–455, 551–554
past tense. *See also* Preterite
defined, 431
irregular verbs, 431, 478,
487, 515
regular verbs, 476,
487– 488, 502,
510–511, 515,
542–543
pedir (i, i), 410, 412, 529,
544, 554
pensar (ie) (de), 554
personal **a**, 289
poder (ue), 356, 413, 552
poner, 339, 345, 552
possessives, adjectives,
376
preferir (ie, i), 302, 413, 529,
544
prepositions, before
pronouns, 305
location, 281, 286
present participle, 454–455,
551–554
present progressive, 446,
454–455
present tense, irregular
verbs, 289, 552–554
reflexive, 330, 342–343,
358, 373
stem-changing, 302, 356,
373, 410, 511, 554
preterite tense, irregular
forms, 431, 494, 515,
544, 552–554
regular forms, 476,
487– 488, 494, 502,
510–511, 515,
542–543, 551
spelling changes,
490– 491, 513,
542–543, 554
stem changes, 511, 518,
528– 529, 544, 554
summary, 542– 544

pronouns, after preposi-
tions, 305
object, **a** + [a name or
pronoun], 289, 305,
307, 426
direct, 320–321,
394–395, 413
indirect, 425–426
placement, 320–321, 358,
413, 426–427
reflexive, 330, 342–343,
358
with **gustar**, 307, 425
with infinitives, 413, 426
pronunciation, linking
words, 355
of **d**, 393
of **ga, gue, gui, go**, and
gu, 319
of **j, ge,** and **gi**, 285
of **l**, 467
of **p, t, ca, que, qui, co,**
and **cu**, 334
of **r** with consonants, 409
of **s, z**, and **c**, 486
of **x**, 541

Q

querer, 302, 413, 553

R

reflexive pronouns,
placement, 330, 342,
358–359
plural, 358
singular, 342
repetir, 529

S

saber, 413, 553
salir, 339, 345, 553
se (reflexive pronoun), 330,
342, 358
seguir (i, i) (g), 529, 544, 554